服装质量控制与检测手册

Handbook for Apparel Quality Control and Testing

邢声远 主 编
周 硕 曹小红 副主编

化学工业出版社
·北京·

内容简介

《服装质量控制与检测手册》较全面地介绍了服装产品、服装面料与辅料及服饰配件的检测技术，重点介绍了服装成品生产所需的质量控制与检测技术，涵盖服装基础知识、服装质量检测基础知识、服装外观及色牢度检测、服装物理性能检测、服装功能性测试、服装化学性能检测及服装辅料和配件检测等，内容丰富且全面，是一本可读性较强的工具书。

本书理论联系实际，集科学性、知识性、实用性、信息性与可操作性于一体，可供服装企业生产与科研单位的科技人员、服装厂检测检验人员，以及高校纺织服装专业师生、商贸和海关检测人员等阅读和参考。

图书在版编目（CIP）数据

服装质量控制与检测手册 / 邢声远主编 ；周硕，曹小红副主编. — 北京 ：化学工业出版社，2024. 3.

ISBN 978-7-122-44681-7

Ⅰ. F407. 866. 3-62

中国国家版本馆 CIP 数据核字第 2025T7T812 号

责任编辑：朱　彤　　　　文字编辑：张瑞霞
责任校对：田睿涵　　　　装帧设计：刘丽华

出版发行：化学工业出版社
（北京市东城区青年湖南街 13 号　邮政编码 100011）
印　　装：北京科印技术咨询服务有限公司数码印刷分部
787mm×1092mm　1/16　印张 14　字数 342 千字
2026 年 1 月北京第 1 版第 1 次印刷

购书咨询：010-64518888　　　售后服务：010-64518899
网　　址：http://www.cip.com.cn
凡购买本书，如有缺损质量问题，本社销售中心负责调换。

定　　价：128.00 元

前言

服装服饰是人类特有的劳动成果，它既是物质文明的结晶，又具有精神文明的丰富内涵。在商品经济的概念下，服装是兼具使用价值并实现交换价值及其增值的具有代表性的商品。

随着我国科学技术的飞速发展和社会的进步，纺织服装业得到快速发展，一跃成为世界上的纺织服装生产大国，不仅满足了国内 14 亿人口的穿衣需要，而且还大量出口国外，同时受到了国外广大客户的青睐。我国纺织服装行业和产品的核心竞争力已经不再是仅仅体现劳动力成本和生产规模的优势，而在于充分体现对服装文化内涵的表达、对服装科技成果的运用、对服装时尚潮流的把握、对服装环保理念的体现及对服装市场规划的熟知与掌握。

随着社会的发展和科技的进步，服装的功能越来越强大。但是，无论如何变化，服装的功能只能根据其基本功能和社会功能属性进行拓展和变革，服装质量的检测内容总是围绕美饰性、卫生性、调节性、保护性、舒适性、标志性等方面展开的。因此，如何让广大消费者穿出健康与美丽，这就要求国内广大服装生产厂家不断增强质量意识，严把服装产品质量关，并按照国内外标准严格检测，使穿在消费者身上的服装件件都是符合标准和要求的优质产品。

有鉴于此，我们组织了行业内有关专家学者共同编写了这本《服装质量控制与检测手册》，以推动我国纺织服装行业朝着高品质的方向健康发展。本书较全面地介绍了服装产品、服装面料与辅料及服饰配件的检测技术，重点介绍了服装成品生产所需的质量控制与检测技术。本书的特点是集科学性、知识性、实用性于一体，内容丰富，资料翔实，信息量大，可读性强，使读者能看得懂、会操作、易实践，可供服装企业生产与科研单位的科技人员、服装厂检测检验人员，以及高校纺织服装专业师生、商贸和海关检测人员等阅读和参考。

本书由邢声远担任主编，周硕、曹小红担任副主编。参加本书编写工作的人员还有王杰、王超、白子竹、司马津京、孙旸、李红宇、李征、李储林、李婷、李蕊、杨远、杨萌、何荣芳、张晓霖、陈成、陈欢欢、周廷、郑俊芝、郑蕾、郎伟、胡飞、钟江、姜进平、耿榕、凌小瑞、席永忠、唐丽、烟志恒、康文文、韩军、曾亚、魏林、富巍、季卫坤等。本书在编写过程中参考了我国有关国家标准及国外标准。谨致谢意！

由于本书涉及面较广，加上作者的水平和经验有限，难免有疏漏和不足之处，恳请业内各位专家、学者和读者批评与指正！

编著者

2025 年 2 月

目录

第一章

服装基础知识

第一节 服装的定义与分类

服装是指穿在人体上起保护作用和装饰作用的制品。在古代，衣服的概念还包括头上戴的帽子。近代又有“成衣”一词出现，指按一定规格和型号成批量生产的成品服装，与裁缝店里定制或自己家里制作的衣服相区别。商店里出售的通常是成衣。由此可以看出衣服和服装在概念上有其区别，但也有共同点和一致性。其实，从广义上讲，服装的范围比衣服更广。本书中的服装采用狭义定义，即指衣物本身，不包括配饰如帽子等。服装的内涵可从两方面来理解：一是从范围上来说，广义上的服装通常包括衣服和成衣；二是从美学角度来看，服装是一种“状态”美，而服装的美往往包含着装者这个重要因素。因此，服装是一种带有工艺性的生活必需品，从某种意义上说，它体现了一定的经济、政治和文化的发展。

服装的制作和消费涉及卫生学、心理学、美学、市场学等学科的知识领域。服装制作过程包括服装设计、服装选材、服装加工三大步骤。服装设计是通过艺术构思来确定款式造型、配色、选料等并加以形态化。服装材料是制作服装的重要组成部分，一般有棉、麻、丝、毛、化纤等织物，以及毛皮、皮革、人造革、塑料等。这些材料都需要具有一定的保温、透气、吸湿等性能，以适应人体的需要。而服装加工工艺主要体现在裁剪、缝纫、熨烫等方面。在整个加工过程中，都要参照有关服装的国家标准，如服装号型系列等，以适应各种不同形体的人。

服装的功能主要有保护性、美饰性、舒适性、卫生性和调节性等，通常包括以下内容。

(1) 保护性。服装的保护性主要是指对人体皮肤的保洁、防污染、防护身体免遭机械性外伤、御寒、防护有害化学药物、热辐射等的护体性能。从保护人体的角度来说，服装是人体的外壳护甲。因此，服装的保护性必然涉及衣料的防污性、洗涤性、防菌防霉性、弹性、强韧性、柔软性、耐化学药物性、耐热性、耐气候性、抗静电性能等特性。随着科学技术的发展和服装穿用范围的不断扩大，服装的保护功能划分越来越细，在设计上更注重这一功能。

(2) 美饰性。所谓服装的美饰性，主要表现在穿着者对修饰身体、表现个性等美的追求。一般通过服装的款式、面料、花型、颜色、缝制加工等方面来实现对人体美的修正和补充。其中，款式是国家、民族和时代的产物，从某种意义上来说，它体现了一定的经济和社会的发展。而这些面料、花型和颜色，又是缝制不同款式服装的基本要素。只有选择合适的衣料，才能恰到好处地给人以美感。服装缝制加工质量的好坏是确保服装美饰性的重要保证。“三分面料，七分做工”的说法，虽然有些夸大缝制加工的作用，但在一定程度上反映了缝制加工质量对服装美感所起的重要作用。

（3）舒适性。服装的舒适性主要是指日常穿用的便服、工作服、运动服、礼服等对人体活动的舒适程度。这是现代人对服装追求的一项重要功能。所谓服装的舒适性常常表现为服装的重量和适应形体变化的服装伸缩性两个方面。

① 服装的重量主要在两肩（上衣）和腰部（裤子），荷重以不影响血液循环和呼吸运动为上限。一般来说，在满足服装对人体温度、湿度的调节功能前提下，越轻越好。通常，冬季服装为了保温效果可能会较重，而夏季服装为了透气性好可能会较轻。当然，由于人们所处地区的温度以及个人体质情况的不同，其舒适压力不可能是一样的。

② 所谓服装的伸缩性，就是指服装适应人们的日常生活、工作和运动中动作的需要而产生的适当伸缩的特性。当然，服装的伸缩性，在一定程度上取决于构成衣料的织物所具有的伸缩性。服装的伸缩性优良，人们穿着时才会感到舒适，有利于提高工作效率，减少疲劳程度。特别是贴身穿的服装设计得较为宽大，这也是人们常常选用伸缩性大的针织品作为内衣的原因。

（4）卫生性。服装的卫生性，主要包含以下两方面的内涵。

① 服装面料本身对身体无损害，主要是指构成服装面料的纤维、织物结构及其加工整理过程中使用的化学药物和染料等，对人体皮肤无损害。

② 服装具有保护人体卫生的功能。这一功能是人们选择棉、毛、丝、麻和化学纤维构成服装面料的主要原因。纺织纤维构成的衣料通常具有这些优良的功能。服装面料的蓬松性和具有一定空气含量所形成的保温性，以及纺织品的优良伸缩性、适宜的重量、透气性等充分满足了服装卫生性的要求。

（5）调节性。所谓服装的调节性，就是指服装能够帮助人体在不同环境下保持适宜的体温和湿度的特性。为了能在不断变化的气候环境中舒适地生活，人们需要保持人体的湿热平衡，这主要通过穿着适当的服装来实现，使衣服里层形成舒适的小气候，从而适应周围环境温度和湿度的变化。

服装通常由部件、色彩、材料、款式等元素组合而成，主要包括以下内容。

（1）部件，也称结构部件，是指构成服装的零件，如上衣的前后衣片、领、袖、襟等，裤子的裤腰、裤管等。此外，还包括衬里、衬垫物等。

（2）色彩，是形成服装颜色感觉的重要原因。服装一般是通过色彩给人以色觉印象，从而形成美感。

（3）材料，是构成服装的素材，也是服装的物质成分。

（4）款式，即服装的式样。它是服装的外观形式，也是区别服装品种的主要标识。服装款式追求的是实用性、多样性、艺术性和前卫性。只有不断创作出新颖别致的款式，才能吸引消费者的眼球，满足消费者的需求，提高人们的衣着水平。

服装的种类繁多，可以从不同的角度出发进行分类，具体内容如下。

按时代划分：有古典装、现代装。现代装又可进一步分为普通装和流行装。

按穿着对象的年龄、性别划分：有童装（包括婴儿装、幼儿装、中童装、大童装）、青少年装、中老年装，以及男装、女装等。

按穿着用途分：有日常生活装（包括时装、民族服装等）、专用服装（如职业服、舞台服、运动服、礼服、家居服等）。

按服装品名分：有上衣、内衣、衬衫、裤子等。

按织物工艺分：有机织（梭织）服装和针织服装。

按缝制服装款式分：有制服、衬衫、西装、夹克、风衣、大衣、冬装、马甲、民族服装等。各种服装又可分为几十种，甚至上千种不同款式。就拿西装的礼服来讲，又可进一步分为：晚礼服、燕尾服（大礼服）、便礼服（半正式礼服）、准礼服套装、黑色套装等。

按穿在人体内外的顺序划分：有外穿上衣类（大衣、外套、礼服、制服、西装等），中衣类（两用衫、坎肩、马甲、西装背心等），内衣类（汗衫、背心、睡衣、衬衣、衬裤、紧身衣等）。

按季节分：有春秋装、夏装、冬装等。

按服装面料分：有纯棉服装、毛呢服装、丝绸服装、麻布服装、各类混纺服装、纯化纤服装、裘皮服装、羽绒服等。

按工艺特点分：有缝制服装、工艺装饰服装（如刺绣服装等）、编结服装等。

按服装结构形式分：有中式服装、西式服装、中西式服装等。

目前，服装发展的趋势如下。①成衣化，服装的生产由来料加工定制的方式逐渐转变为以批量生产成衣为主的方式。②多样化，服装的造型、品种、款式、质量和档次向多样化的方向发展。③时装化，日常生活服装的造型和装饰将更加突出艺术性和时代的风貌，以充分显示人们衣着追求时装美的生活情趣和审美理念。④生态化，随着人们环境意识的不断加强，由环保材料加工制成的服装，将会受到人们的喜爱。⑤针织化，随着针织科技的发展，以及人们对穿着舒适性的追求，针织服装的比重将越来越大。

第二节 服装面料、辅料及其分类

一、机织服装面料及其分类

（一）棉型服装面料

棉型服装面料系指用棉纤维纯纺或用棉纤维与其他纤维混纺或交织而成用于制作服装面料的织物。它有多种区分方法，通常是指按花色来分，有原色布、色布、印花布和色织布 4 种。

(1) 原色布。指用原色棉纱织成而未经过漂洗、印花和染色加工的布，包括坯布和白布。供印染加工的原色布一般称为坯布，直接供应市场销售的称为白布。品种有市布、细布、粗布、斜纹布等。

(2) 色布。指各种不同组织规格的原色布，经过漂白或染色加工后的布，品种有硫化元布、硫化蓝布、硫化灰布、士林蓝布、士林灰布、凡拉明蓝布、海昌蓝布；各色线或纱哔叽、卡其、华达呢、直贡；各色斜纹布、府绸、灯芯绒；红布、酱布、漂布和其他杂色布等。

(3) 印花布。指各种坯布经过印花加工，印上各种各样花型的布。品种有花哔叽、花斜纹、深色花布、浅色花布、花府绸及其他花布等。

(4) 色织布。指先把纱线经过漂白或染色，然后织出来的布。品种有线呢、劳动布、条格布和其他色织布等。

其他分类方法还有按照织物组织可分为平纹布、斜纹布和缎纹布。按印染整理加工方式，可分为漂白棉布、染色棉布和印花棉布。

（二）麻型服装面料

麻型服装面料系指用麻纤维（苎麻、亚麻等）纯纺或用麻纤维与其他纤维混纺或交织而成用于制作服装面料的织物。

1. 苎麻服装面料

（1）纯苎麻服饰面料。品种有细布、竹节布、双经布、斜纹布、提花布、色织布、牛仔布、夏布、扎染布、爽丽纱等。

（2）苎麻混纺与交织织物。这类服装面料的品种有：苎麻与棉交织的面料、交织提花面料、双经牛仔面料、牛仔布、涤麻派力司、花呢、色织布、缎纹布、乔其、竹节面料、府绸、苎麻尼龙交织面料、苎麻亚麻交织面料、苎麻亚麻混纺面料、苎麻黏胶混纺面料、苎麻黏胶交织面料、苎麻涤纶长丝面料、亚麻黏胶长丝交织面料、麻毛涤混纺布、天丝麻交织布、苎麻毛混纺布、麻毛腈黏混纺色织呢、麻毛涤混纺色织呢、毛麻黏女式呢等品种。

2. 亚麻服装面料

（1）纯亚麻织物。这类服装面料的品种有：亚麻布、细布、平布、色织布、牛仔布、竹节布、帆布等。

（2）亚麻混纺、交织织物。该类服装面料有：亚麻棉交织面料、交织府绸、提花面料、混纺面料、印花面料、混纺青年布、竹节弹力面料；亚麻黏胶混纺面料、交织面料、混纺弹力面料、亚麻/天丝交织布、亚麻涤黏混纺面料、天丝亚麻棉交织面料、交织提花面料；亚麻黏胶棉交织面料；涤亚麻毛混纺面料；涤亚麻混纺布、涤黏亚麻混纺布、涤棉亚麻混纺布等。

（三）毛型服装面料

毛型服装面料系由羊毛或由特种动物毛（羊绒、牦牛绒、马海毛、骆驼毛、羊驼毛、兔毛等）织制而成，或由羊毛与其他纤维混纺或交织而成的织物，或由化纤纯纺及化纤混纺的仿毛织物。一般分为精纺呢绒、粗纺呢绒、长毛绒和驼绒。

（1）精纺呢绒（精纺毛织物）。由精梳毛纱织制而成。织物细密柔软，平整光滑，色泽鲜艳，质地紧密，织纹清晰，密度较大，挺括，富有弹性，经久耐穿。品种有哔叽类、啥味呢类、华达呢类、中厚花呢类、凡立丁类（派力司等）、女衣呢类、贡呢类（直贡、横贡、马裤呢、巧克丁等）、薄花呢类（薄型凉爽呢等）、其他类。

（2）粗纺呢绒（粗纺毛织物）。采用级数毛掺入一定数量的精梳短毛或下脚毛，高档织物选用支数毛，纺成较低支数的粗梳毛纱织制而成。织物质地厚实，不露纹面，手感柔软，富有弹性，正反面覆盖一层丰满的绒毛，保暖性好。品种有麦尔登类、大衣呢类（平厚、立绒、顺毛、拷花等）、制服呢类（海军呢等）、海力司类、女式呢类（平素、立绒、顺毛、松结构等）、法兰绒类、粗花呢类（纹面、绒面等）、大众呢类（学生呢等）、其他类。

（3）长毛绒。以棉股线作地经地纬，毛股线作毛经，双层组织织制而成。背面地布，正面耸立平整的长毛绒，保暖性好，如长毛绒、仿兽皮长毛绒服装用长毛绒、海豹绒、腈纶毛绒等。

（4）驼绒。以粗纺毛纱作绒面纱，棉纱作地纱，用针织机编织而成。正面的绒纱经拉毛后具有浓密松软而平坦的绒毛，保暖性强，如驼绒、美素驼绒、毛腈美素驼绒、花素驼绒、条子驼绒、腈纶驼绒等。

（四）丝型服装面料

丝型服装面料系指用蚕丝、人造丝、合纤丝等为原料织制成的各种纯纺、混纺和交织织物。

按商业习惯分类，可分为：

（1）桑蚕丝织物。采用桑蚕丝织制，平素织物有电力纺、乔其纱、双绉、素碧绉、杭罗、斜纹绸等；提花织物有花线春、湖绉、西湖呢、漳缎、天鹅绒等。

（2）柞蚕丝织物。采用柞蚕丝织制。品种有宁海绸、柞丝绸、柞丝绉、芝罘绸、疙瘩绸、鸭江绸等。

（3）绢纺丝织物。采用桑绢丝、柞绢丝、木薯绢丝、蓖麻绢丝为原料织制而成。品种有绢丝纺、桑绢纺、柞绢纺、辽丝纺、绢丝哔叽、绢丝制服呢等。

（4）人造丝织物。以人造丝织制而成。平素织物有无光纺、有光纺、富春纺、岭南纺、彩格纺、彩条纺、美丽绸、乔其纱、素软缎、人造丝绉等；提花织物有织锦缎、古香缎、金玉缎、特美缎、丁香缎、新华葛、绒花绫等；双层织物有利亚立绒、立绒等。

（5）交织丝织物。由不同的纤维交织而成。品种有乔光绡、烂花绡、红阳绸、天霞缎、花软缎、织锦缎、古香缎、万花缎、克利缎、广播绸、蜡线绨、文尚葛、蜡线羽纱等。

（6）合纤丝织物。由合成纤维长丝织制而成。品种有涤纶绉、锦纹绉、锦乐绸、弹涤绸、长松绸、涤纹绸、春涤绸等。

按织物组织形态，可分为：

（1）绡。地纹为平纹或透孔组织，经纬均为较细的不加捻或加中、弱捻的桑蚕丝或人造丝、锦纶丝、涤纶丝等织制，生织后经精练、染色或印花整理；或是生丝先染色后熟织，织后不需要整理。织物经纬密度小，质地爽挺、轻薄、透明，孔眼方正清晰，品种较多，有素绡、提花绡、修花绡、烂花绡，除真丝绡外，还有化纤长丝绡。

（2）纺（纺绸）。以不加捻桑蚕丝、人造丝、涤纶丝、锦纶丝等为原料，用平纹组织织制或用长丝为经，人造棉、绢纺纱为纬丝交织而成。织物质地轻薄，表面平整、细洁、缜密，坚韧滑细。色泽以平素为主，也有条格和印花。品种有平素生织（如电力纺、富春纺等）、色织和提花（如彩格纺、花富纺等）。

（3）绉。以丝线加捻和采用平纹与绉组织相结合，外观呈均匀绉纹效果。光泽柔和，手感糯爽，富有弹性，抗皱性能强。品种有乔其绉；中薄型的双绉、花绉、碧绉、香葛绉等；中厚型的缎背绉、留香绉等。

（4）绸。地纹采用平纹或各种变化组织，或同时混用几种基本组织和变化组织；采用桑蚕丝、人造丝、合纤丝等纯织或交织，以经面织物为主。轻薄型的绸质地柔软，富有弹性，如真丝绸、鸭江绸、双宫绸、涤纤绸等；还有生织坯绸（如双宫绸、蓓花绸、和服绸、广播绸等）、熟织绸（如高花绸、领带绸）等。

（5）缎（缎子）。原料为桑蚕丝、人造丝和合纤长丝，采用先练染后织造或生织匹染。织物的全部或大部分采用缎纹组织（经或纬用强捻线织成的绉缎除外）。锦缎有彩色花纹，色泽瑰丽，图案精致，品种有织锦缎、古香缎等；花缎表面呈现各种精致细巧的花纹，色泽纯，有些表面具有浮雕等特点，品种有花软缎、锦乐缎、全雕缎等；素缎表面素净无花，品种有素软缎、素库缎等。

(6) 锦。采用精练、染色的桑蚕丝为主要原料，常与彩色人造丝、全银丝用斜纹、缎纹等交织，也有用重经组织、重纬组织或双层组织织造，经纬无捻或加弱捻，提花。织物外表五彩缤纷，富丽堂皇，质地较厚实丰满，采用纹样多为龙、凤、仙鹤和梅、兰、竹、菊以及文字（福、禄、寿、喜）、吉祥如意等民族花纹图案。品种有蜀锦、宋锦、云锦、妆花锦、壮锦、金陵锦、金蕾锦、百花锦等。

(7) 绢。采用平纹或重平组织，经纬先染色或部分染色后进行色织或半色织套染，用桑蚕丝、人造丝纯织，也可以用桑蚕丝与人造丝以及与其他化学纤维长丝交织。经纬不加捻或加弱捻，绢面细密挺爽，平整光洁，光泽自然柔和，手感柔软。品种有桑格绢、天香绢、迎春绢、西湖绢、丛花绢、繁花绢等。

(8) 绫。以桑蚕丝、人造丝、合纤丝为原料，采用斜纹或变化斜纹为基础组织，表面有明显斜纹；或以不同斜向组成的山形、条格形以及阶梯形等花纹。一般用单经单纬织造，也有用平纹或缎纹组织作地纹的。织物表面丝光柔和，质地细腻，穿着舒适。花绫的花样繁多，常织有盘龙、对凤、环、花、麒麟、孔雀、仙鹤、万字、寿团等民族传统纹样，品种有苏中花绫、柞花绫、涤丝绫、海南绫等；素绫有绢纬绫、桑绸绫、尼丝绫、涤弹绫、美丽绸、人造羽纱等。

(9) 罗。以桑蚕丝、有光人造丝、棉纱、涤/棉纱为原料，采用纱罗组织织制。横罗（纱孔是一排排横向排列）分为七丝罗（即每织七梭纬纱绞经扭绞一次，以下类推）、九丝罗、十一丝罗、十三丝罗、十五丝罗等；直罗（纱孔沿经向成一行行孔眼），品种较少；花罗（提花纱罗组织），表面纱孔按一定花型图案分布。

(10) 纱。以桑蚕丝为原料，采用绞纱组织构成地组织或花组织，全部或一部分呈现纱孔。织物轻薄透孔，结构稳定，风格独特。经纬丝捻度较大，缩水率10%左右。品种有东方纱、华丝纱、乔其纱、芦山纱、香山纱、香云纱、莨纱等。

(11) 葛。以桑蚕丝、人造丝、棉（纱）线、毛（纱）线、涤/棉混纺纱为原料，采用平纹、经重平或急斜纹组织，经纬用相同或不同种类的原料。一般经细纬粗，地纹表面少光泽，并具有明显横棱凸棱。经纬丝一般不加捻，部分品种加捻。织物厚实而坚牢。素织葛有素文尚葛、似文葛、丝罗葛、素毛葛、春光葛、绢罗葛、纱罗葛等；提花葛有特号葛、印花葛、明华葛、春风葛、新华葛、花文尚葛等。

(12) 绨。用人造丝作经丝，棉纱、上蜡棉纱等作纬丝，以平纹组织或斜纹变化组织织制。织物质地厚重、缜密，织纹简洁而清晰。品种有线绨、蜡纱绨及花绨等。

(13) 绒（丝绒）。以桑蚕丝、化纤长丝为原料，地纹或花纹的全部或局部采用起毛组织，表面呈现毛绒或毛圈，采用平纹、斜纹、缎纹及其变化组织织制。织物质地柔软，色泽鲜艳光亮，绒毛、绒圈紧密，耸立或平卧。绒的品种较多，有天鹅绒、漳绒、乔其绒、金丝绒、真丝绒、人造丝绒、交织绒、印花绒、素色绒、烂花绒、拷花绒、条格绒等。

(14) 呢。采用绉组织，平纹、斜纹组织或其他短浮纹联合组织织制，经纬丝线较粗，质地丰厚，具有毛型织物感，表面有颗粒，凹凸明显。毛型呢表面具有毛绒，少光泽，织纹粗犷，为手感丰满的色织素呢织物，包括素花呢、五一呢、宝光呢等；丝型呢为光泽柔和、质地紧密的提花呢织物，包括西湖呢、康乐呢、四维呢、博士呢等。

二、针织服装面料及其分类

针织服装在整个服装中占有一定的比例，特别是在内衣中独占鳌头，在外衣中所占的比例也正在逐渐扩大，这是由针织的特点与优势所决定的。所谓针织，就是利用织针将纱线弯曲成圈并相互串套而形成织物的一种方法。针织面料和机织面料的最大区别是纱线在织物中的形态不同。针织以线圈的形式相互连接，不像机织物中近似平行或垂直的纱线，当然针织组织中也有衬经衬纬组织，带有平行或垂直的纱线，但它们都是固定在线圈中。构成针织物的基本结构单元为线圈，决定是否为针织物的，只需要看布的结构中是否有线圈。

(1) 纬编针织物。编织时用一根或数根纱线分别由纬向喂入针织机的工作针上，使纱线在横向顺序地弯曲成圈并在纵向相互串套而形成的针织物。品种有：汗布、罗纹针织面料、双反面针织面料、双罗纹针织面料、衬垫针织面料、毛圈布、人造毛皮针织面料、提花针织面料、添纱针织面料、集圈针织面料、摇粒绒、衬经衬纬针织面料、移圈针织面料、复合组织针织面料等。

(2) 经编针织物。编织时将一组或几组（甚至几十组）平行排列的纱线由经向绕垫在针织机所有的工作针上同时进行成圈，线圈纵向互相串套横向连接而形成的针织物。品种有：经编网眼面料、经编真丝面料、经编闪光缎、经编雨衣面料、经平绒、经绒平织物面料、经编斜纹面料、经编涤盖棉面料、经编毛圈面料、经编双面毛圈面料、经编提花毛圈面料、经编毛圈剪绒面料、经编起绒面料、经编灯芯绒面料、经编丝绒面料、经编仿麂皮绒面料、经编仿棉绒面料、经编骆驼绒、经编人造毛皮、经编提花面料、经编绣纹面料、经编弹力面料、局部衬纬经编面料、全幅衬纬经编面料，以及经编褶裥织物、经编方格织物、经编色织面料、经编烂花面料、经编扎花面料、经编超薄印花面料、经编贾卡提花针织物等。

三、服装辅料及其分类

服装辅料的分类有多种方法，大多从功能上进行分类，可分为连接件、填充件、装饰件、服装标志和挂件五大类。

1. 连接件

所谓连接件，是指将裁剪的若干衣片连接起来组成服装的部件，一般可分为：线、带、绳、扣等。

(1) 线。包括缝纫线、工艺装饰线和特种用线。从材质上来分，缝纫线有棉线、化纤线和包芯线；工艺装饰线有绣花线、编织线和金银线；特种线有医用线、防水线和阻燃线等。

(2) 带。皮（腰）带、松紧带和罗纹带等。

(3) 绳。主要是指服装上装饰结绳，大多作为服装的装饰用，也有少数是兼有连接服装的功能。

(4) 扣。包括纽扣、拉链、金属扣件和魔术扣（尼龙搭扣）。纽扣品种多，其材质有金属类、不饱和聚酯、注塑、珠光、贝壳、木质、椰子壳、坚果、真皮、钻石、牛角、骨头、陶瓷、石材和布类等。拉链材质包括金属、注塑和尼龙。其品种有闭尾拉链、开尾拉链、双头开尾拉链和隐形拉链等。金属扣件是指利用金属材料制成的被运用在服装及与服装相关物品上的制品，包括金属纽扣、裤扣、铆钉、锁扣、气眼等。

2. 填充件

（1）衬（垫）料。衬料包括衬与衬垫两种。用于服装的衣领、袖口、裙裤腰、衣边及西装胸部加贴的衬料称为衬布。一般含有胶粒，通常称为黏合衬，其品种包括有纺衬布（包括梭织和针织）与无纺衬布两大类。用于肩部造型的肩垫，以及用于胸部增加挺括饱满风格的胸衬称为衬垫。衬料起服装的骨骼作用，可增强服装的强力和使服装饱满美观，还可增强服装的缝纫性能。衬布可分为毛衬（黑炭衬）、马尾衬、棉衬、麻衬、树脂衬、领带衬、腰衬、嵌条衬、鞋帽衬、黏合衬和非织造衬等。

（2）里料。服装里料是指用于服装夹里的材料，主要有涤纶塔夫绸、尼龙绸、绒布、各类棉布与涤棉布等。

（3）填料。填料又称为填充材料，是指服装面料与里料之间起填充作用的材料，主要是增强服装的保暖性能，也有的是作为衬里以增加绣花或绢花的立体感，可分为絮类填料和材料类填料两种。所谓絮类填料是指未经过纺织加工的散状纤维和羽绒等絮片状材料，没有固定的形状，使用要有夹里，而且要求面料和里料具有优良的防穿透性能。絮类填料包括棉絮、丝绵、羽绒、骆驼毛、羊绒等。材料类填料是指由纤维经特定的纺织工艺（如针刺等）制成絮片的材料，它具有固定的形状，可根据需要进行裁剪使用。材料类填料有绒衬、骆驼绒、毛皮（包括人造毛皮）、长毛绒、泡沫塑料、涤纶（棉）、腈纶（棉）以及由非织造工艺制成的喷胶棉等。

3. 装饰件

（1）花边。我国花边源于山东，历史悠久，由纺织材料制成。主要品种有：钩针（古称“花涤”“络子”）、棒槌花边、山东青州府花边（又称“栏杆”“大套”）、雕平绣（又称“绣花大套”）、梭子花边、即墨镶边（又称“即墨镶边大套”）、扣锁（又称“雕绣”）、网扣、扣眼、手拿花边、百代丽等。

（2）流苏。是指一种下垂的以五彩羽毛或丝线等制成的穗子。流苏分为步摇和冕旒两类。现今，流苏得到广泛应用，从服装、鞋帽到各种包及头饰（如流苏带子、流苏花边、流苏花边绣、流苏花边腰带、流苏花边结、流苏乐福鞋、流苏浅口鞋、流苏饰带、流苏围巾、流苏项链、流苏绣、流苏装饰长靴、流苏状便鞋等），增添了服装服饰的美。

（3）排须。是由带和须穗组成的装饰性纺织品，也是我国的传统民族工艺品。古代用作宫廷帐幕“华盖”等镶边装饰。由人造丝、棉纱等制成。

（4）珠花。这是一种新型服饰性辅料，是女性发型和服装上用珠子串制的花饰。它是单一、不同颜色、不同形状的小件，由服装设计师设计成不同的图案，然后通过缝合、烫贴、铆接、镶嵌等方式固着在服装上。珠片的产品类型有银底珠片、实色珠片、乳色珠片、彩晶珠片、透明珠片、磨砂珠片、镭射珠片、木纹珠片、斑点珠片、银底彩珠片等系列，每个系列的颜色都有几十种以上。

（5）水钻。是将人造水晶玻璃切割成钻石刻面得到的一种饰品辅料。由于这种材料较为经济，而且在视觉上又有钻石般的夺目感觉，因此深受人们的喜爱。水钻可以直接烫贴在服装上，也可制成水晶线，织成织物，更多的是镶嵌在纽扣、拉链上，使其既有服用性，又有装饰性。

（6）烫片。烫片有各种不同的形状和图样，种类有捷克烫钻、PET 烫片、奥钻、平烫片、八角片等；规格有圆片、星形、六边形、心形、烫片条等；彩色有镭射片、单色、透明等，通过黏合剂烫贴在服装上。多作为服装、婚纱、手袋、女鞋、工艺品等装饰用料。

4. 服装标志

服装标志可分为标签和吊牌。

（1）标签。指服装生产者或销售商提示购买者和使用者的一些内容，是服装服饰商品的重要组成部分，包括商标及其他标志性构件。服装标志的内容主要包括品牌、尺寸、洗涤要求、条形码、使用材料等。商标的功能是：识别、保证品质、引导消费、广告宣传，也是企业的无形资产。其他标志性构件包括使用标志、规格标志、原产地标志、合格证标志、条形码标志、环保标志及其他标志。

（2）吊牌。是服装上的一种标志物，一般挂在服装上用来标明服装所使用的原料、规格、注意事项及生产厂家、地址等。有些吊牌的设计、印刷、制作都十分讲究，富有艺术价值，可作为消费者的收藏品。

5. 挂件

挂件可分为衣架和仿人模特。

（1）衣架。衣架是我国古代传统用具，也是我国较早出现的一种家具。其目前有 200 多个品种，可分为西装衣架、休闲裤架、连体衣架、框式衣架等；按质地分，有塑料制衣架、木质衣架、布制衣架、金属衣架等。

（2）仿人模特。又名人台、服装立裁人台。人台有两种，一种是全身，另一种是半身；另外还有裤模人台。全身人台有胳膊有腿，是可以活动的；半身人台有头，没有胳膊，没有腿，上身用铁棍支撑。仿人模特最初是用石膏制成的人体模型，现在多用木材，可以在上面插针。

第三节 服装面料的选择

服装色彩、款式造型和材质是服装设计的三大要素，其中服装色彩和材质两个因素是直接由选用的服装面料来展现的。服装的款式造型除了与设计和制作工艺有关外，也需要依靠服装面料和辅料的柔软、硬挺、悬垂及厚薄轻重等特性来保证。由此可见，服装设计中的三要素在很大程度上要依赖服装面料和辅料来实现，这充分说明，面料决定了服装的审美价值、使用价值、价格及服用性能。下面就简要地介绍服装面料的感官鉴别及常见服装面料的选择。表 1-3-1 给出了常见服用织物的感官鉴别。

表 1-3-1 常见服用织物的感官鉴别

织物种类		手感目测（看、摸、捏、挺）特征
棉型	纯棉	光泽较暗（如果是丝光产品则光泽亮），手感柔软有温暖感。但不光滑，弹性较差，容易产生褶皱；用手捏紧布料后再松开，可见明显折痕；从布边抽出几根纱解捻后观察，纱中纤维细而柔软、长短不一；比蚕丝重，垂感差
	涤/棉	光泽明亮，色泽淡雅，布面平整洁净，手摸布面有滑、挺、爽的感觉；用手捏布面能感觉出一定的弹性，放松后折痕不明显且恢复较快
	黏/棉	布面光泽柔和，色彩鲜艳，用手摸布面平滑光洁，触感柔软。但捏紧放松后的面有明显折痕，不易恢复
	维/棉	布面光泽不如纯棉布，色泽较暗，手感较粗糙，有不均匀感，捏紧布料放松后的折痕情况介于涤/棉织物和黏/棉织物之间
	丙/棉	外观类似涤/棉织物的风格，挺括、弹性好，但手摸感觉稍粗糙，弹性稍差

续表

织物种类		手感目测(看、摸、捏、挺)特征
麻型	纯麻	具有天然麻纤维的淳朴、自然柔和的光泽，手感较棉粗硬，但具有挺括、凉爽的感觉；其纱线或纤维强力较大，湿强力更高；用手捏紧布料后再松开，折痕多，恢复慢，比蚕丝重，垂感差
	涤麻	布面纹路清晰，光泽较亮，手感较柔软，手捏布面放松后不易产生折痕
	棉麻	外观风格介于纯麻与纯棉织物之间，有不硬不软的手感
	毛麻	布面清晰明亮、弹性好，手捏紧放松后不易产生折痕
毛型	纯毛	布面平整、丰满，色泽柔和自然，手感柔软有弹性，用手捏紧布面后再松开，几乎无折痕，即使有折痕也能尽快恢复原状；织物垂感较好；从织物中拆出纱线观察，其纤维较棉粗、长，有天然的弯曲、卷曲
	毛/黏胶纤维	布面光泽较暗，手感柔软身骨差，捏紧布面后松开有折痕，可以慢慢恢复(黏胶纤维比例大时折痕明显不易恢复)
	毛/涤	布面光泽较明亮，织纹清晰，手感平整、光滑，稍有硬挺感，弹性很好；手捏紧布面后再松开，几乎无折痕或少量折痕，迅速恢复原状
	毛/腈	具有毛型感强、色泽鲜艳的特点，手感蓬松，富有弹性，手捏紧布面后再松开，折痕少，恢复快
	毛/棉	布面平整，但毛型感差，外观似蜡样光泽，手感硬挺不柔软；用手捏紧布料后松开有一定折痕，可慢慢恢复
丝型	蚕丝	绸面平整细洁，色泽柔和、均匀、自然，悦目不刺眼，外观悬垂飘逸，手感柔软光滑，有身骨；用手捏紧绸面后再放松，无折痕产生或轻微折痕，恢复较纯毛织物慢；纤维细而长
	黏胶丝	绸面光泽明亮、耀眼，但不如蚕丝柔和，手感滑爽柔软，悬垂性好；不及真丝绸挺括飘逸，用手捏绸面后有折痕，且恢复较慢。从纱中抽出的纤维沾湿后，很容易拉断(湿强大大低于干强)
	涤长丝	绸面光泽明亮，有闪光效应，手感滑爽、平挺而不柔和，用手捏紧绸面后再松开，无明显折痕；垂感较好，纱中纤维沾湿后，强力无变化，不易拉断
	锦纶丝	绸面光泽较暗，有蜡样光泽，色彩也不鲜艳，手感较硬挺，身骨疲软，用手捏紧绸面后再松开出现折痕较轻，但能缓慢恢复；垂感一般；纱中纤维沾湿后，可见明显强力变化(湿强低于干强)

如何科学地选择服装面料？这是一个非常实际的问题，它与国情和人民的生活水平密切相关。在日常生活中，人们穿衣的目的有二：一是遮盖身体、御寒防暑、保护身体健康和掩饰形体缺陷；二是造型式样和色彩的美化装饰。服装面料的选择，不仅反映一个国家的经济、科学和文化水平，而且也反映了一个国家的人民生活水平。在改革开放前，国人对服装面料选择的标准大体上是经济、实用、美观。随着人民生活的不断提高，人们对服装面料的要求也越来越高。综合起来，一般按以下顺序进行选择：审美性、时尚性、实用性和经济性。服装面料的选择如表 1-3-2 所示。

表 1-3-2 服装面料的选择

服装名称	面料的选择
中山装	棉布类：主要品种有土灰布、士林蓝布、凡拉明蓝布、各色斜纹哔叽、各色卡其和华达呢等；呢绒类：主要品种有毛华达呢(包括缎背、单面等)、毛哔叽、驼丝锦、凡立丁、派力司、加厚毛涤纶、毛涤纶、凉爽呢、板司呢、平素啥味呢、海军呢、麦尔登、制服呢、平素法兰绒等；麻布类：主要品种有苎麻的确良、苎麻棉混纺平布、亚麻粗布等；化纤布类：主要品种有黏锦华达呢、涤纶华达呢、锦纶华达呢、哔叽、涤棉卡其、涤棉克罗丁、涤黏华达呢、纯化纤仿毛华达呢、哔叽、巧克丁、克罗丁等
学生服	一般多选用具有一定坚挺性和易于洗涤的面料。主要是棉、棉与化纤混纺、纯化纤等面料，如涤棉卡其、涤棉线呢、涤黏华达呢、纯化纤仿毛华达呢、哔叽、纯棉色卡其、纱卡其、斜纹布、细条灯芯绒等
军便服	军便服基本等同于中山服，但可较低档些

续表

服装名称	面料的选择
青年装	棉布类：主要品种有色卡其、马裤呢、克罗丁、涤棉卡其、薄帆布、牛仔布、灯芯绒、粗支劳动布、牛津纺等；呢绒类：主要品种有华达呢、粗支哔叽、啥味呢、驼丝锦、马裤呢、贡呢、巧克丁、板司呢、巴拉瑟亚军服呢、凹凸毛织物、粗花呢、克瑟密绒厚呢、麦尔登、海军呢、制服呢等；短袖猎装：选用凡立丁、派力司、毛涤纶、凉爽呢等；麻布类：主要品种有麻的确良、白色亚麻布、亚麻粗布、亚麻西服布等；化纤布类：中长仿毛黏锦华达呢、马裤呢、涤黏华达呢、巧克丁、长丝巧克丁、贡呢、涤纶绸等
茄克衫	棉布类：各种华达呢、卡其、贡呢、马裤呢、灯芯绒、厚重的色织物、牛仔布等；呢绒类：杂色华达呢、马裤呢、驼丝锦、贡呢、巧克丁、花呢、麦尔登、海军呢等；丝绸类：各种厚重的丝织物，如绸、缎、呢、绒类等；麻布类：平纹布、涤麻混纺布、麻细帆布、亚麻西服布等；化纤布类：混色华达呢、卡其、仿毛花呢、中长巧克丁、贡呢、马裤呢等
男衬衫	棉布类：纯棉 80～120 支精梳纱优质府绸、棉的确良、各色麻纱、各色纱罗、绉布、色织薄条格布、泡泡纱、凹凸轧纹布等；呢绒类：毛高级薄绒、亮光薄呢、毛薄纱、毛薄软绸、高支毛涤纶、麦司林、毛葛、毛巴里纱、毛维也纳、精毛和时纺等；丝绸：各类绉、绸、绫、罗、缎等平整、滑爽、紧密的丝及其混纺织物；麻布类：苎麻细布、丝光布、亚麻漂白布、细布、夏布、麻的确良、荷兰亚麻布等；化纤布类：各类化纤仿毛、仿麻、仿丝细布（如尼龙塔夫绸、涤丝绸）等
女衬衫	棉布类：高支纯精府绸、棉巴里纱、各色高支细布、印花布、提花布等轻薄滑爽的纯棉织物；呢绒类：高级毛薄绒、亮光薄呢、薄毛呢、毛雪尼尔、达马斯克、精纺薄花呢、毛薄纱、麦司林、缪斯薄呢、派力司、毛巴里纱、鲍别林、舒挺美薄织物、维也纳、凡立丁、精毛和时纺、啥味呢、法兰绒、粗纺薄花呢等；丝绸类：各类绉、绸、绫、罗、锦、缎、绒、纱等艳丽的丝及其混纺织物；麻布类：各色苎麻细布、丝光布、亚麻漂白布、细布、麻的确良等；化纤布类：各色化纤仿毛、仿麻、仿丝细布，提花布、印花布等
中式上衣	棉布类：蓝平布、灰平布、色府绸等；呢绒类：精纺凡立丁、毛涤纶等；化纤布类：仿毛黏锦凡立丁、仿毛黏涤凡立丁等
男装两用衫	棉布类：各类平纹细布、府绸、色织布、棉派力司、卡其、华达呢等；呢绒类：精纺纯毛或混纺花呢、凡立丁、派力司、毛涤纶、啥味呢、粗纺法兰绒和花呢等；丝绸类：各类绉、绸、纺、绢及部分锦、缎、呢等挺爽丝织物；麻布类：各种麻类平布、细布、印花布、涤麻混纺布等；化纤布类：各类混纺仿毛、仿麻、仿丝细布，色织布、印花布等
女装两用衫	棉布类：各类鲜艳的印花细布、府绸、色织布、提花布等；呢绒类：各种精纺薄花呢、麦司林、毛涤花呢、派力司、凡立丁、粗纺法兰绒、粗纺花呢、火姆司本等；丝绸类：各类绉、绸、纺、绢、纱、锦、缎及部分的呢、绒等丝织物；麻布类：各种印花或色织平布、细布及混纺麻类织物；化纤布类：各种印花或色织的仿毛、仿麻、仿丝织物
坎肩	呢绒类：精纺花呢、啥味呢、驼丝锦、板司呢、法兰绒、麦尔登等；丝绸类：锦、缎、绸、呢、绨类等；化纤布类：长丝织物
马甲	棉布类：各种印花布、色织布、平绒、条绒和金丝绒等；呢绒类：华达呢、哔叽、花呢、毛涤花呢、麦尔登和法兰绒等；丝绸类：锦、绸等
背心	紧密光滑的丝绸、化纤绸、羽绒绸及涂层织物等
裙类	棉布类：府绸、细布、印花布、牛仔布等；呢绒类：毛花呢、巴厘纱、麦司林、维也纳、苏格兰花呢、法兰绒、麦尔登等；丝绸类：绉、绸、纱、罗、锦、缎、呢、绒等；麻布类：丝光布、细布；化纤布类：长丝织物、短纤混纺织物等
旗袍	日常穿着的多选用棉、棉和化纤混纺织物等；礼服、节日穿着的多选用丝织物缎类的织锦缎、软缎、金雕缎、绣花缎、库缎等；锦类的云锦、宋锦等，绸类的蓓花绸、双宫绸等；绉类的乔其绉、碧绉、留香绉、涤丝绉等；也有用绢类、纺类较光滑厚重的真丝或混纺丝织物；毛织物主要选用高支精纺花呢，如高级毛薄绒、亮光薄呢、维也纳、精毛和时纺、高支毛涤纶、毛薄软绸、毛葛等
风雨衣	宜选用紧密、拒水，重量适中，抗风沙，耐脏污，挺括的织物。棉布类：丝光线卡（纱卡）、丝光华达呢等；呢绒类：毛华达呢、克莱文特呢、驼丝锦等；化纤布类：涤卡、长丝织物；丝绸类：涤丝、尼龙塔夫绸、羽绒绸；麻布类：绦麻丝光平布等

续表

<table>
<tr><th colspan="2">服装名称</th><th>面料的选择</th></tr>
<tr><td colspan="2">男大衣</td><td>双排扣棉短大衣：多选用棉华达呢、涤棉华达呢、卡其、中长纤维华达呢等，也有用灯芯绒、牛仔布、贡呢、薄帆布等缝制的；双排扣棉长大衣：面料基本上同棉短大衣，多用棉及其与化纤混纺织物，或纯化纤仿毛织物，如黏锦华达呢、纯涤巧克丁等；双排扣呢绒短大衣：多选用比较厚暖的粗纺呢绒，如雪花大衣呢、平厚大衣呢、立绒大衣呢、长顺毛大衣呢、拷花大衣呢、银枪大衣呢，以及各种花式大衣呢等，也有用较厚些的制服呢、粗服呢、劳动呢、海军呢缝制的；呢料西服领短大衣：面料同双排扣呢绒短大衣；暗扣倒翻领大衣：大多选用精纺或粗纺呢绒，如精纺华达呢、缎背华达呢、驼丝锦、巧克丁、马裤呢、贡呢等；粗纺有麦尔登、海军呢、劳动呢、制服呢、平厚大衣呢、雪花大衣呢等。也有用毛与化纤、棉与化纤、纯化纤仿毛产品缝制的；呢绒双排扣大衣：多选用粗纺中较厚重的纯毛或毛与化纤混纺的呢料，如平厚大衣呢、雪花大衣呢、立绒大衣呢、长顺毛大衣呢、拷花大衣呢、银枪大衣呢、羊绒大衣呢、驼绒大衣呢以及各种花色大衣呢等；插肩袖大衣：一般采用精纺或粗纺呢绒缝制，其面料同暗扣倒翻领大衣；风雪大衣：面料多选用坚牢、耐磨的棉灯芯绒、牛仔布、色卡其、涤卡、克罗丁、贡呢以及化纤仿毛的黏锦华达呢、涤黏华达呢、哔叽、巧克丁，也有用涤棉府绸、丝光防雨府绸、锦纶绸、涤纶绸及其化纤涂层织物等；拉链短风雪大衣：多选用纯棉卡其、灯芯绒、色织华达呢、卡其、牛仔布等</td></tr>
<tr><td colspan="2">女大衣</td><td>普短女大衣：主要用粗纺呢绒，如麦尔登、法兰绒、海军呢、粗纺花呢、女式呢、平厚大衣呢、雪花大衣呢、立绒大衣呢、长顺毛大衣呢、拷花大衣呢、银枪大衣呢、羊绒大衣呢、牦牛绒大衣呢等，也有用毛混纺和纯化纤仿毛织物缝制的；时髦女大衣：多选用平素深色的麦尔登、海军呢、驼丝锦等。也可采用绸缎为面料(加以绣花、贴花)缝制</td></tr>
<tr><td rowspan="3">西装</td><td>正规西装</td><td>燕尾服：多选用绒毛礼服呢、横贡呢、驼丝锦、麦尔登等光泽好、较厚重的高档毛织物晨礼服，裤子可选用条纹面料，如纯毛花呢、单面花呢；坎肩的面料质地和色泽可以与上衣不同，可选用灰色法兰绒或凸条纹毛料，上衣面料以黑色为主，也可用深灰色，一般选用精纺礼服呢、横贡呢、驼丝锦、麦尔登、开司米等，半正式礼服：半正式礼服的上衣面料多选用黑色或深藏蓝的精纺礼服呢、贡呢、驼丝锦、马海毛织物，以及纯毛中厚花呢、银枪花呢、克瑟密绒厚呢等；夏季多用白色的纯毛华达呢、缎背华达呢、贡呢等；裤子的质地和色泽与上衣相同。昼间用半正式礼服一般选用精纺贡呢、礼服呢、驼丝锦、麦尔登和开司米等，上衣为黑色，裤子为显条纹的黑色或灰色。黑色套服多选用黑色的精纺礼服呢、贡呢、驼丝锦等；正规套装(正统西装)：一般选用高档精纺纯毛花呢、啥味呢，也有选用毛涤花呢产品，色泽多为藏青、蓝、中灰、深炭灰等；花型有平素、中细条子，多数是绒面产品，也有光面产品</td></tr>
<tr><td>非正规西装</td><td>非正规西套装(西便装)：一般选用精纺花呢、啥味呢、海力蒙、板司呢、混编纺花呢、马海毛织物、单面花呢、巧克丁、贡呢、哔叽、华达呢、舒挺美、羊绒花呢、金银毛花呢等，粗纺产品有粗纺花呢、海力斯粗花呢、法兰绒、毛圈粗呢、火姆司本、席纹粗呢、雪特兰织物、苏格兰呢等，也有用丝织物的绸、缎、锦及其化纤仿毛织物和亚麻西服布、混纺毛麻织物，如真丝塔夫绸、织锦缎、软缎、宋锦、仿毛花呢、毛麻涤花呢等。搭配西装：又称不配套西装，属于自由化西装。讲究面料质地协调，如上衣可选用粗纺产品，裤子选用精纺产品，起到上重下轻的感觉，不仅行动自由方便，而且也给人一种上宽下窄的雄威感。通常上下衣的面料颜色不一样，但要协调，要有衬托性与色调和谐感。因此，搭配西装的上衣面料一般多选用粗纺花呢、火姆司本、钢花呢、萨克森法兰绒等富有彩点、粗犷美的毛织物。裤子的色泽多与上衣相配合，较挺括的平素精纺毛织物，一般多选用哔叽、华达呢、啥味呢、单面花呢、马海毛织物和底波拉毛呢等。运动装：这是男女老少均可穿着的西装便装，可分为猎装、骑马服、登山服、滑雪服、棒球服、橄榄球服、高尔夫球服等。上衣多以格型为主，裤子以条子为主。其面料一般多选用萨克森法兰绒、苏格兰呢、雪特兰呢、马裤呢、巧克丁、啥味呢、雪克斯金细呢等。
夹克：属于轻便服装，常和西裤搭配，给人以紧身潇洒、干净利落感。面料多选用精纺啥味呢、芝麻呢、舒挺美、钢花呢、斜纹细哔叽、粗纺花呢、法兰绒、马裤呢、巧克丁等</td></tr>
<tr><td>时装</td><td>又称流行时髦装，具有强烈的时尚性。面料质地高、中、低档均可，通常以中、低档为多见。时装主要以女装为主，男装以青年装为主。所用面料一般为精纺花呢、混纺花呢、啥味呢、女式呢、粗纺花呢、粗纺女式呢和法兰绒等</td></tr>
<tr><td colspan="2">男西装衬衫</td><td>多选用中支(15～10tex)、高支(6～3tex)纯棉府绸、丝绸织物和高支(15tex 以下)麻织物，也有高支(7.3tex 以下)纯毛及其混纺毛织物，如 6tex 毛涤纶、5tex 精毛和时纺、6tex 维也纳、6tex 单绒毛涤纶、高支麦司林、毛巴厘纱等。此外，还有纯合纤长丝(如涤纶长丝、锦纶长丝等)和经编针织物等</td></tr>
</table>

续表

服装名称	面料的选择
牛仔裤	多为纯棉及棉与涤纶、氨纶混纺或交织织物
军服	棉布类：人字呢、卡其、马裤呢、平纹的确良、涤棉卡其和华达呢等；呢绒类：纯毛凡立丁、毛涤纶、马裤呢、驼丝锦、海军呢、麦尔登、巴拉瑟亚军服呢、军用大衣呢等
婴儿服	婴儿衫裤：多选用纯棉布、薄平绒布等；幼童田鸡裤：多选用纯棉织物的平纹绒布、本色或漂白斜纹绒布以及稀薄柔软、吸湿性好的平纹细布和各类纯棉针织品
童装	棉、毛、丝、麻、化纤织物均可
艺装	棉布类：各种组织的平纹、斜纹、缎纹等纯棉布；呢绒类：凡立丁、华达呢、海军呢、军用马裤呢、女式呢、粗花呢等；丝绸类：主要是纺、绢、绸、缎、罗、纱、绡、呢、绒等类的真丝或混纺交织物；麻布类：主要是丝光、高支细麻布和绣饰台布等；化纤布类：主要是长丝和化纤仿毛产品等
运动服	主要是纯棉、化纤织物和针织品（如弹力涤纶织物、弹力锦纶针织品）、化纤绸、毛织物和麻织物等

第四节 纯纺织物、混纺织物、交织物和交并织物

一、纯纺织物

纯纺织物是指机织物的经纬纱线或针织物的纱线都是采用同一种纤维原料构成的织物，如棉织物、麻织物、毛织物、丝织物、纯化纤织物（如黏胶人造丝绸、人造棉、涤纶绸、锦纶绸等）。天然纤维的纯纺织物，各有自己的生产特点和风格特征。例如，棉织物具有品种繁多、染色性和吸色性良好、穿着舒适、洗涤方便、价格低廉等特点，为量大面广的服装面料。苎麻、亚麻、汉（大）麻、罗布麻纤维吸湿、散湿速度快，断裂强度高，断裂伸长率小，纤维细长，可加工成精细的织物，穿着时挺爽凉快，具有较佳的抑菌和保健性能。毛织物外观色调匀润，手感丰满，制作的衣服挺括，并且具有良好的弹性、保暖性、吸湿性和拒水性，不易褶皱，耐磨和耐脏。丝织物富有光泽，具有独特的“丝鸣”感，手感滑爽，穿着舒适，高雅华丽，可薄如纱，华如锦，是高档服装面料和装饰用品。化纤纯纺织物各有特点，一般都具有强度高、电绝缘性好、弹性回复好、不易虫蛀等性能，有些高性能的化纤织物还耐高温或具有特别高的弹性模量和强度等。

在界定纯纺产品时，根据纤维种类和产品的品种，对纤维含量允许偏差进行如下规定：①棉纤维含量为100%的产品，标记为100%棉或纯棉；②麻纤维含量为100%的产品，标记为100%麻或纯麻（应标明麻纤维的种类）；③蚕丝纤维含量为100%的产品，标记为100%蚕丝或纯蚕丝（应标明蚕丝种类）；④羊毛纤维含量为100%的产品，标记为100%羊毛。在精梳产品中，羊毛纤维含量为95%及以上，其余加固纤维为锦纶、涤纶时，可标记为纯毛（其中绒线、20.8tex以上的针织绒线和毛针织品不允许含有非毛纤维）；有可见的、起装饰作用的非毛纤维的总含量不超过7%，羊毛纤维含量为93%及以上时，可标记为纯毛（其中毛毯除经纱外，驼绒除地纱外不允许含有非毛纤维）。羊绒纤维含量为100%的产品，标记为100%。由于山羊绒纤维加工中难以避免非羊毛纤维的混入，羊绒纤维含量达95%以及以上的产品，可标记为100%羊绒。但笔者认为，由于此时标记的100%羊绒容易引起客商的误解，造成麻烦，还是标记为“纯羊绒”为好。化学纤维含量为100%的产品，标记为

100％化纤或纯化纤（应注明化学纤维名称）。

二、混纺织物

混纺织物（机织物或针织物）是指用混纺纱线织成的织物。例如，麻/棉、毛/棉、毛/麻/绢等天然纤维混纺的各种织物，以及涤/棉、涤/毛、黏/毛、毛/腈、涤/麻、涤/黏等天然纤维与化学纤维混纺和化学纤维之间混纺的各种织物。其特点是体现所组成原料中各种纤维优势互补，用以提高织物的服用性能。

三、交织物

指织物的经纱和纬纱原料不同，或者经纬纱中一组为长丝纱，一组为短纤维纱交织而成的织物，如丝毛交织物（经纱为真丝，纬纱为毛纱）、丝棉交织物（如线绨，经纱为人造丝，纬纱为棉纱）。其特点是由不同种类的纱线决定的，一般具有经纬向各异的性能。

四、交并织物

指织物的经纱和纬纱采用同一种交并纱（以不同纤维的单纱和长丝经捻合或合并）织成，如棉毛交并、棉麻交并等。其特点是兼具两种原料的外观风格和服用性能。

第二章

服装质量检测基础知识

第一节 服装的质量标准与标签的检查

众所周知，国际通用的纺织标准体系，包括纺织基础标准、方法标准和产品标准。一般而言，纺织品（服装）标准是指纺织产品标准，它是为保证纺织品的适用性，在技术经济分析的基础上，对纺织品必须达到的某些或全部需求所作的技术规定。纺织品质量标准是纺织品审查和贸易中检验与评价纺织品质量是否合格的尺度，也是服装加工过程中极为重要的技术政策，对促进技术进步，提高生产水平和管理水平、提高产品附加值和市场竞争力具有重要作用，是关系到国民经济持续发展和人民生活水平的重大问题，同时也早已引起各国政府的高度重视。确定纺织品质量标准的科学依据是消费者或用户的质量要求、纺织企业的设备和技术水平以及管理水平、纺织（服装）原材料的资源和质量等。随着社会生产条件的改善和人民生活水平的提高，消费者或用户对纺织品质量要求会越来越高。因此，原有的质量标准应不断地加以改进与完善。

服装上使用的标志又称为标识、标签、吊牌，是指服装生产者或销售商提示购买者或使用者的一些内容，也是服装服饰商品的重要组成部分，包括商标及其他标志性构件，表达的内容主要是品牌、使用原料的成分及含量、规格尺寸、注意事项、洗涤等使用要求、条形码、生产厂家、电话、地址等。吊牌的设计、印刷、制作都十分讲究。其制作材料大多为纸质，也有塑料、金属的。另外，近年来还出现了用全息防伪材料制成的新型吊牌。吊牌的造型更是五花八门，有长条形的、圆形的、三角形的、插袋式的以及其他特殊造型的，真是多姿多彩，琳琅满目。消费者或用户购买时第一个检查的应是标签，然后才是服装款式、颜色、规格尺寸和价格。

一、使用说明的标准及适用范围

GB/T 5296.4—2012《消费品使用说明　第 4 部分　纺织品和服装》系根据国家标准化管理委员会 2017 年第 7 号标准发布的公告，自公告发布之日起（公告签发日期 2017 年 3 月 23 日），GB 5296.4—2012 标准不再强制执行，同时标准编号由 GB 5296.4—2012 修改为 GB/T 5296.4—2012。虽然标准由强制性标准改为推荐性标准，但是在服装生产过程中都按照此标准进行了标注。该标准对消费者在购买产品时起到了指导性的作用，同时也为后期的穿着、使用起到了很重要的指导作用，可见该标准的重要性。

该标准中规定了如何向使用者传达正确、安全使用产品以及与之相关的产品功能、基本性能、特征性信息。使用说明通常以使用说明书、标签、铭牌等形式表达，可以用文件、词语、标志、符号、图表、图示以及听觉或视觉信息，采取单独或组合的方法表示。它们可以用于产品和包装上，也可以作为产品的一部分文件或资料（如活页资料、手册、光盘等）交付。

消费品使用说明标准适用于在国内销售的纺织品和服装。但是，以下产品虽然含有纺织纤维，但是不属于此标准规定的范围：纺织产品仅作为产品的部分或附件；没有必要标明纤维含量或维护方法的产品；有相关国家标准要求的纺织相关产品；不属于消费品范围的纺织品。其中，典型的不适用于此标准的产品主要包括：一次性使用的制品；座椅、沙发、床垫等软垫家具用填充物和包布；鞋、鞋垫；装饰画、装饰挂布；工艺品等小件装饰物；伞；箱包；包装布和包装绳带；裤子吊带和吊袜带；玩具；尿布；宠物用品；清洁布；墙布、屏风；旗帜；人造花；装饰画、装饰挂布等。

二、使用说明的基本要求

纺织品使用说明是销售的纺织产品的组成部分，所有内容应简明、准确、科学、通俗易懂，应如实介绍产品，不应有夸大虚假的内容。

纺织品使用说明的主要表现形式有直接印刷或织造在产品上、固定在产品上的耐久性标签、悬挂在产品上的标签、直接印刷或粘贴在产品包装上等。使用说明可采用一种或多种形式。当采用多种形式时，应保证其内容的一致性。

纺织品使用说明中应包括制造者的名称和地址、产品名称、产品号型或规格、纤维成分及含量、维护方法、执行的产品标准、安全类别、使用和储藏注意事项。此外，根据《中华人民共和国产品质量法》第一节第二十七条的规定，产品或者其包装上应标识产品质量检验合格证明，使用说明常见的标注形式以吊牌与耐久性标签为主（图 2-1-1）。

（1）制造者的名称和地址。应标明制造者依法登记注册的名称和地址；进口纺织品和服装应标明该产品的原产地，以及代理商或进口商或销售商在中国大陆依法登记注册的名称和地址。

（2）产品名称：产品应标明名称，且表明产品的真实属性。

（3）产品号型或规格。纺织品的号型或规格的标注应符合国家或行业标准的规定。

其中，常见纺织品的主要规格如下：

a. 床上用品、毛巾等：以长度、宽度、重量等信息标明；

b. 袜类：应标注袜号或适穿范围等信息；

c. 帽类产品：应标注帽口围度尺寸或尺寸范围信息；

d. 服装类：宜按所采用的产品标准要求或者 GB/T 1335、GB/T 6411 表示服装号型的方式标明产品的适穿范围。

GB/T 1335 系列标准用于针织服装和机织服装产品。主要表示方法，如上装 160/84A，其中 160 代表号，84 代表型，A 代表体型。其中，成人服装有体型代码，儿童服装没有。

GB/T 6411—2008《针织内衣规格尺寸系列》适用于针织面料制作的内衣产品，与

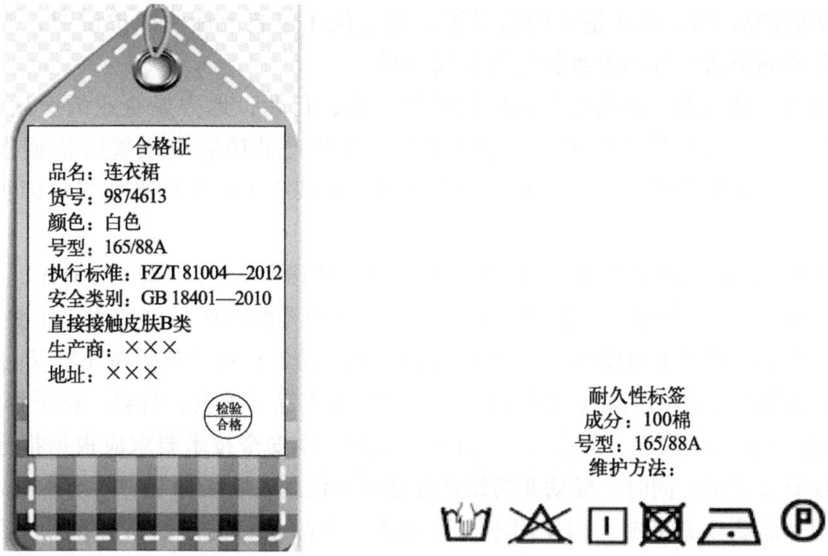

图 2-1-1　吊牌与耐久性标签标注示例

GB/T 1335 系列标准相比，无论是成人还是儿童服装的号型表述方式都没有体型代码，号型表示方法如 170/95。

还有一些产品由于其产品的特殊性或者多年来的行业管理，存在较为特殊的号型表述方式，常见的有 FZ/T 73009—2021《山羊绒针织品》、FZ/T 73018—2021《毛针织品》和 FZ/T 73005—2021《低含毛混纺及仿毛针织品》等。这几个标准中规定了上衣类标注胸围或适穿范围；裤子类标注裤长或适穿范围；裙子类标注臀围或适穿范围也可采用号型制标注成衣的主要规格尺寸。

（4）纤维成分及含量。产品应按 GB/T 29862—2013《纺织品　纤维含量的标识》的规定标明其纤维的成分及含量。

纤维含量标签要求每件产品应附着纤维含量的耐久性标签，标明产品中所含各组分纤维的名称及其含量。对采用耐久性标签影响产品的使用或不适宜附着耐久性标签的产品（例如，面料、绒线、手套和袜子等），可以采用吊牌等其他形式的标签。纤维含量标签上的字迹应清晰、醒目，文字应使用国家规定的规范汉字，也可同时使用其他语种的文字，但应以中文标识为准。

（5）维护方法。产品应按 GB/T 8685—2008《纺织品　维护标签规范　符号法》规定的图形符号表述维护方法，可增加与图形符号相对应的说明性文字。当图形符号满足不了需要时，可用文字予以说明。符号应按以下顺序排列。

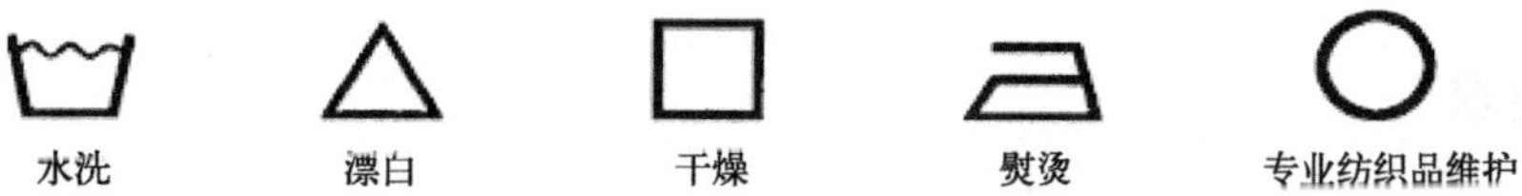

以上图形只是 5 个基本符号，一般要根据服装的特性添加相应的具体描述符号，具体如下。

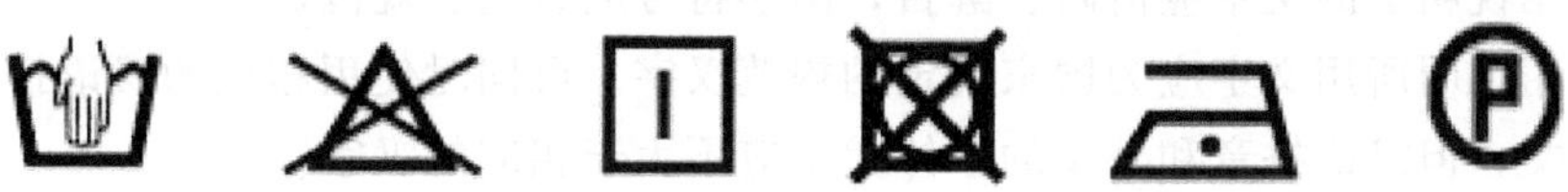

维护符号的标签要求：符号应尽可能地直接标注在制品上或标签上（即以耐久性标签的形式固定在纺织产品上）。在不适用的情况下，也可仅在包装上标注维护说明；同时，必须保证同一产品不同形式的标签上维护符号保持一致。

（6）执行的产品标准。产品应标明所执行的国家、行业、地方或企业的产品标准编号。应尽量选用与自己产品相符的标准。标准更新后，新生产的服装应该采用新颁布实施的标准。产品标准中明确规定质量（品质）等级的产品，应按有关产品标准的规定标明产品质量等级。

（7）安全类别。纺织产品安全类别是强制性标准 GB 18401—2010 与 GB 31701—2015 中规定的，在标准中产品按最终用途分为以下几种类型：婴幼儿纺织产品（适用于年龄在 36 个月及以下或身高 100cm 及以下的婴幼儿使用的产品）、儿童纺织产品（年龄在 3 岁以上 14 岁及以下的儿童穿着或使用的纺织产品）、直接接触皮肤的纺织产品（内衣、衬衫、帽子等）、非直接接触皮肤的纺织产品（羽绒服、外套等）。纺织产品的基本安全技术要求应根据指标要求程度分为 A 类、B 类和 C 类；同时，婴幼儿纺织产品必须在使用说明上标明“婴幼儿用品”字样。

（8）使用和储藏注意事项。因使用不当可能造成产品损坏的产品宜标明使用注意事项，有储藏要求的产品应说明储藏方法。例如，桑蚕丝产品会标注小心手洗，羊绒衫产品会标注防虫蛀等。

（9）耐久性标签。耐久性标签是永久附着在产品上，并能在产品的使用过程中保持清晰易读的标签。规格号型、纤维含量和维护方法三项内容应采用耐久性标签，其余内容宜采用耐久性标签以外的形式。如果采用耐久性标签，则会对产品的使用有影响。例如，布匹、绒线、袜子、手套等产品，可不采用耐久性标签。

但当产品被包装、陈列或卷折，消费者不易发现耐久性标签上的信息时，则还应采取其他形式标注该信息。

三、使用说明的位置

（1）使用说明应附着在产品上或包装上的明显部位或适当部位。

（2）使用说明应以单件产品或销售单元为单位提供。

（3）耐久性标签：耐久性标签应在产品的使用寿命内永久地附在产品上，且位置要适宜。服装的纤维成分及含量和维护方法耐久性标签，上装一般可缝在摆缝中下部，下装可缝在腰头里子下沿或左边裙侧缝、裤侧缝上。床上用品、毛巾、围巾等制品的耐久性标签可缝在产品的边角处。特殊工艺的产品上耐久性标签的安放位置，可根据需要设置。婴幼儿服装上的耐久性标签应为柔软材料制作，对于缝制在内衣上的耐久性标签，应置于皮肤不直接接触的地方。

四、其他要求

（1）使用说明上的文字应清晰、醒目，图形符号应直观、规范。

（2）使用说明所用文字应为国家规定的规范汉字。可同时使用相应的汉语拼音、少数民族文字或外文，但汉语拼音和外文的字体大小应不大于相应的汉字。

（3）耐久性标签应由适宜材料制作，在产品使用寿命期内保持清晰、易读。

第二节 抽样与抽样检验方案

纺织品（服装）的抽样是按照标准或协议规定，从生产厂或仓库的一批同质产品中抽取一定数量有代表性的单位产品作为测试、分析和评定该批产品质量的样本的过程。抽样的目的在于采用尽可能小的样本所反映的质量状况来统计推断整批产品的质量水平。所以，要保证样本对整批产品的代表性就要采用合理的抽样方法，既要尽可能避免抽样的系统误差即排除倾向性抽样，又要尽量减少随机误差，为此应采用随机抽样的方法。

一、纺织品常用的抽样方法

在纺织品测试时，随机抽样方法主要有以下几种。

（1）简单随机抽样方法。该法是从批量为 N 的批中抽取 n 个单位产品组成样本，对于每种组合被抽到的概率都相同。这种抽样方法最具代表性，能对批中单位产品做到完全随机提取，通常可利用随机数表或随机数生成器进行。

（2）分层随机抽样方法。该法是把批量为 N 的产品批首先分成各为 N_1、N_2 个直到 N_i 个单位产品组成的 i 层（小批），$N=N_1+N_2+\cdots+N_i$，然后再在各层内分别按简单随机抽样方式取样，合在一起组成一个样本。若批中各部分（不同班次、机台、时间生产的产品）质量差异较明显，用分层随机抽样法比直接进行简单随机抽样法更具有代表性。

（3）系统随机抽样方法。此法是将批内单位产品按一定顺序排列，先从第 $1\sim k$ 号单位产品中随机抽取第一个，以后每隔 $k-1$ 单位产品抽取一个，共抽 n 个组成样本。在产品质量波动周期与抽样间隔不成比例时，系统随机抽样法的代表性也好于简单随机抽样法。

在通常情况下，在对首检批质量状况一无所知时，最好采用简单随机抽样法，而对质量状况有所了解时，则应采用系统随机抽样法或分层随机抽样法。纺织品大多是以一定数量成包的，其抽样检验多采用后两种抽样方法。

二、抽样检验方案的概念与种类

在进行抽样检验前，必须先行确定抽样方案。抽样方案是为决定样本大小和判断批能否被接受而确定的一组规则。抽样方案种类很多，根据其不同特征，抽样方案可分为计数抽样方案和计量抽样方案两大类。

（1）计数抽样方案。其采用计数方法检验样本中单位产品质量，区分为合格品或不合格品，然后统计样本中不合格品数 d，并将 d 与判定数组比较，以判断批产品是否合格的抽样方案。所谓判定数组是由合格判定数 A_C（简记 A），即判定批合格时样本中的不合格品数的上限标准和不合格判定数 R_C（简记为 R），即判定批不合格的样本中的不合格品数的下限标准组成的。计数抽样方案的优点是使用方便，适合于像纺织品之类有多项质量指标的产品。缺点是所需要的样本较大，质量信息未能充分利用。

（2）计量抽样方案是在样本检验中采用计量方法获取样本的均值或标准差，再根据判断规则判定批产品是否合格的抽样方案。计量抽样方案具有样本较小，可充分利用检验样本所获得的质量信息等优点。缺点是使用程序较为烦琐、计算复杂，主要适用于单项质量指标的抽样检验。

三、我国纺织品采用的抽样方案

我国包括纺织品在内的产品验收检验普遍采取百分比抽样的方式，即不论批量大小，均按同一个百分比从批中抽取样本，且合格判定数也为常数。这种抽样方法看似公正合理，但不科学。

从 20 世纪 70 年代初开始，我国引进国外先进的抽样方案标准，经过消化、使用和改进，结合我国国情并已与国际标准接轨。自 20 世纪 80 年代以来，已先后确定 GB 6378—1986《不合格品率的计量抽样检查程序及图表》、GB/T 2828—1987《逐批检查计数抽样程序及抽样表》等一系列标准。现行有效的 GB/T 6378.1—2008 是调整型计量抽样方案，GB/T 2828.1—2012 则是调整型计数抽样方案。

第三节 测试标准环境与试样准备

一、测试用标准环境与试样准备

纺织品的物理和力学性能常常随着测试环境（大气温度、湿度）而变化，为获得可比的结果，在测试这些特性时，必须预先规定试验用标准大气环境。

我国国家标准 GB/T 6529—2008《纺织品 调湿和试验用标准大气》中规定，纺织品试验用标准大气环境状态如表 2-3-1 所示。

表 2-3-1 纺织品试验用标准大气环境状态

项目	标准级别	标准温度/℃	允差/℃	标准相对湿度/%	允差/%
标准大气	一级	20	±2	65	±4
	二级	20	±2	65	±4
	三级	20	±2	65	±4
热带标准大气	一级	27	±2	65	±4
	二级	27	±2	65	±4
	三级	27	±2	65	±4

纺织品试验用标准大气一般采用一级标准。除特殊情况（例如湿态试验）外，纺织品的物理和力学性能的测试应按试验用标准大气的规定。在热带或亚热带地区，可以采用试验用热带标准大气。对于仲裁性试验，要采用试验用标准大气的一级标准。

二、试样制备与试样调湿及预调理

试样是从抽样获得的样品中按规定方法制备的供测试用的样品。制备试样时，也要考虑其代表性。在进行服装面料测试时，一般要避开有疵点、折痕或不平整的部位，也不能在匹端 1m 内或布边 1/10 的幅宽内取样。所取的规定数量的试样还要避免出现同经、同纬或线圈的统一横列或纵行的现象。

当纺织材料的回潮率不同时，其质量也不同。为了消除因回潮率不同而引起的质量不同，满足纺织材料贸易和检验的需要，国家对各种纺织材料的回潮率作出统一规定，称为公定回潮率。我国国家标准 GB/T 9994—2018 规定了主要纺织材料的公定回潮率。

对于由几种纤维组成的混合原料的公定回潮率，可按混纺比例和混合纤维公定回潮率加权平均计算，计算式如下：

$$w=\frac{\sum w_i P_i}{100}$$

式中 w——混纺材料的公定回潮率；

w_i——混纺材料中第 i 种纤维的公定回潮率；

P_i——混纺材料中第 i 种纤维的混纺比。

试样与试验的大气接触时，既从大气中吸收水蒸气分子，又向大气中释放（解吸）水蒸气，其平衡回潮率较高。随着试样平衡回潮率的变化，其性能（如质量、强伸度、耐磨性、热学性能、光学性能、电学性能等）也有所变化。因此，在测试纺织品物理和力学性能前，应将其试样在规定的试验用标准大气中放置一定时间，让空气能畅通地流过该试样，以使试样的回潮率与标准大气达到平衡。这种处理过程，称为调湿。调湿平衡终点的确定除非试验方法中另有规定，通常是把试样自由暴露于标准大气压（101.3kPa）中，直到该试样每隔 2h 连续称量的质量递减不超过 25%为止。有时，每隔 30min 的连续称量中，若该试样的质量递变量不超过 0.1%，也可以认为达到调湿平衡。但遇有争议时，应以前者为准。

由于纺织品大多存在吸湿滞后现象，即使将试样放置于标准大气中很长时间，使其达到平衡，也会因其是吸湿平衡或放湿平衡，而形成不同的平衡回潮率（吸湿平衡回潮率小于放湿平衡回潮率），从而影响测试结果。为此，纺织品试样的调湿平衡统一规定为吸湿平衡。同样，对于较湿试样，为避免其在调湿时形成放湿平衡，必须进行预干燥处理，也称预调湿。预调湿是先把较湿试样放置于相对湿度为 10%～25%，温度不超过 50℃ 的大气（如烘箱）中，经过一定时间，使试样含湿降低至公定回潮率以下的处理过程。

试样准备一般是指纺织品试样测试前的调湿和可能需要进行的预调湿处理。但当试样沾有油污和附有加工中加入的表面活性剂、浆料、合成树脂等物质，由此影响该试样的调湿或特性测试结果时，必须采用适当的溶剂，将这些黏附物除去，这种处理称为试样精制或试样净化。因此，试样精制也是试样准备的一项重要内容。

控制试验环境和做好试样准备，完成科学抽样以及对测试结果的严格处理，都是确保纺织品质量分析与检验结果准确性的基础性工作。

第四节 服装面料中纤维种类的鉴别与测试

由于服装面料中的纤维经过纺、织、染的多次加工，尤其是印染整理加工，在物理或化学作用下，其纤维的形态特征和特性常常发生一定程度的变化，并且在纤维上附有多种其他物质，往往对某些鉴别方法形成种种干扰，这就使得面料中纤维种类的鉴别与未加工纤维种类的鉴别有一定的差别，而且相对来说较为困难。

为使鉴别工作既准确又快速地进行，必须对试样先进行一定的预处理，除去附着或结合在纤维表面或者混入纤维中的其他物质，如油脂、浆料、树脂整理剂、染料或颜料等。

一、一般试样的预处理方法

（1）脱脂处理。试样用四氯化碳浸透 10min 后，取出挤干，再换用新的四氯化碳浸 10min 后，取出干燥以除去四氯化碳，最后在热水中处理 5min，进行水洗干燥。也可以用三氯乙烷、乙醚或乙醇等有机溶剂洗涤或萃取脱脂，但不能选用同时也能溶解纤维的有机溶剂。脱脂处理除了去除油脂以外，还能去除试样中夹带的蜡质尘土或其他会掩盖纤维特性的杂质。

（2）退浆处理。对于纤维素纤维面料，用碳酸钠稀热溶液洗净已足够；也可在浓度为 2%～5%、温度为 50～60℃的淀粉酶溶液中浸渍 1h，再用水洗干净，干燥；还可以在 0.25%盐酸溶液中沸煮 15min，再分别用热水、0.2%氨水和水依次洗净并干燥。蛋白质纤维制品不能用碱液处理，可用上述的稀酸退浆方法处理。

（3）脱树脂处理。一般定性分析时，纤维上的树脂或其他整理剂大多数对鉴别没有妨碍，只是对着色的纤维鉴别试验结果有干扰，故在进行着色鉴别试验前必须先除之。脱树脂处理时，可将试样放在 0.5%稀盐酸中煮沸 30min，水洗后再在 1%碳酸钠溶液中沸煮 30min，也可用前面所述的稀酸退浆方法脱除树脂。脱脲醛树脂时，将试样放入带回流冷凝器的圆底烧瓶或微型蒸馏精制仪中，用稀盐酸（0.02%）溶液沸煮 30min 后，用温水洗净。脱三聚氰胺-甲醛树脂时，将试样放入含有 2%磷酸和 0.15%尿素的溶液中，在 80℃条件下处理 20min 后，再用温水洗净。硅整理剂通常用肥皂及碳酸氢钠的 0.5%溶液处理，但很难彻底洗除。

（4）脱色处理。对试样中染色纤维上的染料，通常可视为纤维的一部分。不必去除。如果试样上的染料对鉴别有干扰，可用任何去除染料的方法脱色，但不应损伤纤维或使纤维的性质有任何改变，然后将试样洗净并干燥。脱色处理时，一般先用氧化漂白剂脱色，但此法只适用于纤维素纤维面料，不适用于蛋白质纤维面料。若此法不能脱色，可再用还原漂白剂继续脱色，例如用 5%亚硫酸氢钠溶液，滴入几滴 1%氨水溶液，升温至沸腾，一直持续微微沸腾至试样脱色为止。或者用 50%亚硫酸氢钠-氢氧化钠（2g 亚硫酸氢钠和 2g 氢氧化钠溶于 100mL 水中）溶液处理 30min，但这种方法不适用于蛋白质纤维及醋酯纤维面料。对于蛋白质纤维面料，可用氨水溶液脱除直接染料或酸性染料。若上述方法仍不能使试样脱色，还可用溶剂处理方法进行脱色：方法一，吡啶，采用 20%吡啶溶液，用萃取器洗涤，能除去直接染料和分散染料；方法二，二甲基甲酰胺，用萃取器萃取，能除去棉纤维上的偶氮染料及某些还原染料；方法三，氯苯，将试样放入氯苯中，在 100℃以下可从醋酯纤维上除去分散染料，采用萃取器或微型精密装置则可以从聚酯纤维上除去分散染料；方法四，5%乙酸，将试样放入沸液中处理，可除去碱性染料。

二、常用的纤维种类鉴别方法

服装面料中纤维种类的鉴别，是用物理或化学方法来检测面料中未知纤维的外观形态和内在特性，并进行比较，先确定大类，再区分品种，最后进行验证的定性分析过程。鉴别的方法有很多种，有比较简单的手感目测法、显微镜观察法、密度梯度法、熔点测定法、黑光灯法、双折射测定法等物理方法和燃烧试验法、溶解法、着色试验法、含氯含氮呈色反应试验法等化学方法。还有比较准确、复杂的红外吸收光谱法、气相色谱法、差热分析法，X射线衍射法、电子显微镜法、核磁共振法等仪器分析方法。一般情况下，仅用一种方法鉴别纤维较为困难，常常要用两种或两种以上方法进行综合分析与判断。在实际使用中，通常采用比较简单的显微镜观察法和燃烧试验法来鉴别。

(1) 显微镜观察法鉴别。利用100～500倍生物显微镜观察面料中未知纤维的纵向和横向截面形态特征，判断试样中纤维是一种还是多种，进而对照已知纤维的标准显微照片的标准资料，可鉴别未知纤维种类。这种方法比较简单，可区分天然纤维和化学纤维。棉、毛、麻等天然纤维的纵向形态比较特殊，容易由扭曲、鳞片、节痕等特征来区别，但其他纤维尤其是合成纤维的形态特征差异很不明显。随着异性纤维和共混、复合纺丝的发展，又考虑到纤维经过纺织印染加工之后形态产生较大变化的可能性，由纤维横、纵向特征鉴别纤维种类的方法受到了越来越多的限制。用显微镜观察混纺纱线的横截面，则既可粗知混纺纤维的种类数，又能在混纺纤维截面差异较大时，由根数可大致判断混纺比。若预先对纤维着色，则鉴别更加容易。

为了较准确地判断试样中纤维种类，还可以在显微镜下观察试剂对纤维的溶解作用，这种方法又称显微镜化学试验法。鉴别时无论采用何种试剂必须特别注意防止玷污、腐蚀显微镜的物镜。显微镜下各种纤维的横、纵向形态特征如表2-4-1所示。其标准显微镜照片详见我国纺织专业标准FZ/T 01057.3—2007《纺织纤维鉴别试验方法　第3部分：显微镜法》附录。

表2-4-1　主要服用纤维在光学显微镜下的形态特征

纤维种类	纵向形态特征	横截面形态特征
棉	扁平带状,有天然转曲	腰圆形,有中腔
丝光棉	顺直,粗细有差异	接近圆形
彩色棉	扁平带状,有天然转曲,颜色深浅不一致	不规则的腰圆形,带有中腔
苎麻	有竹节,带有束状条纹,粗细有差异	腰圆形或椭圆形,有中腔和裂纹
亚麻	长带状,无转曲,有横节,竖纹,粗细较均匀	不规则三角形,中腔较小,胞壁有裂纹,均匀
大麻(汉麻)	有竹节,带有束状条纹,粗细有差异	扁平长形,有中腔
黄麻	长带状,无转曲,有横节,竖纹	不规则多边形,中腔较大
竹原纤维	有外突形竹节,有束状条纹,粗细有差异	扁平长形,有中腔,胞壁均匀
羊毛	细长柱状,有自然卷曲,表面有鳞片	圆形或近似形,有些有毛髓
山羊绒	鳞片边缘光滑,且紧贴毛干,环状覆盖,间距较大	圆形或近似圆形
牦牛绒	有鳞片,纤维顺直,鳞片边缘光滑	接近圆形
驼绒	有鳞片,纤维顺直,粗细差异大,鳞片边缘光滑	接近圆形或椭圆形
马海毛	表面鳞片平且紧贴毛干,很少重叠,卷曲少,鳞片光滑	大多数为圆形,且圆整度高
兔毛	表面有鳞片,鳞片边缘明显,卷曲少,有断开的髓腔,如同电影胶片一样	哑铃形,髓腔有单列和多列
羊驼毛	有鳞片,纤维顺直,粗细差异大,鳞片边缘光滑,有通体髓腔	接近圆形,且圆整度高

续表

纤维种类	纵向形态特征	横截面形态特征
桑蚕丝	平直光滑	不规则三角形
柞蚕丝	平直光滑	不规则三角形，比桑蚕丝扁平，有大小不等的毛细孔
黏胶纤维	有平直沟槽	锯齿形，皮芯结构
富强纤维	平直光滑	圆形或较少为齿形，几乎全芯层
天丝	表面光滑，较细，粗细一致，纤维顺直	多为圆形
莫代尔纤维	粗细一致，纤维顺直，表面带有斑点	圆形
大豆蛋白纤维	有不规则裂纹，纤维顺直，粗细一致	哑铃形
牛奶蛋白纤维	有较浅且均匀的条纹，纤维顺直，粗细一致	圆形或腰圆形
铜氨纤维	表面光滑，较细，粗细一致，纤维顺直	圆形
醋酯纤维	有1～2根沟槽	不规则带形或腰子形
维纶	有较浅且均匀的条纹，纤维顺直，粗细一致	多为不规则腰圆形
涤纶	平直光滑	圆形
锦纶	平直光滑	圆形
腈纶	平滑或1～2根沟槽	圆形或哑铃形
改性腈纶	长形条纹	不规则哑铃形、蚕形、似土豆形等
乙纶	表面平滑，有的带有“疤痕”	圆形或接近圆形
丙纶	平直光滑	圆形
氨纶	较粗且粗细一致，纤维光滑	不规则的形状，有圆形、似土豆
氯纶	平滑或1～2根沟槽	近似圆形
芳纶	纤维光滑顺直，粗细一致，较细	圆形
聚四氟乙烯纤维	表面光滑	圆形或近圆形
聚砜酰胺纤维	表面似树叶	似土豆形
碳纤维	黑而匀的长杆状	不规则的炭末状
甲壳素纤维	表面有不规则的微孔	近似圆形

（2）燃烧试验法鉴别。将服装面料试样中的纱线退捻使其形成松散条束状，逐渐移近酒精灯的小火焰，观察纤维束靠近火焰时有无收缩和熔融现象；再移入火焰中观察纤维束的燃烧现象，如燃烧的难易，火焰的大小、颜色、是否冒烟，烟雾浓度和颜色，以及燃烧时产生的气味等；最后离开火焰观察纤维束是否继续燃烧以及燃烧后残留物的性状。各种纺织纤维在上述燃烧试验中会产生不同的现象，由此可鉴别纤维的种类（表 2-4-2）。燃烧试验法简单，但需要有实际经验。对于混纺纤维、复合纤维或原液着色的化学纤维，因组分复杂或受外来因素干扰，往往有异常现象，若不注意，容易形成错误的判断。

表 2-4-2 纤维的燃烧状态

纤维名称	燃烧性	燃烧状态			燃烧时气味	灰烬残留物特征
棉、木棉纤维	易燃	软化、不熔、不缩	立即快速燃烧，不熔融	继续迅速燃烧	燃纸臭味	灰烬很少，呈细而柔软灰黑絮状
麻纤维	易燃	软化、不熔、不缩	立即快速燃烧，不熔融	继续迅速燃烧	燃纸臭味	灰烬少，灰粉末状，呈灰色或灰白色絮状
竹原纤维	易燃	软化、不熔、不缩	立即快速燃烧，不熔融	继续迅速燃烧	燃纸臭味	灰烬少，灰粉末状，呈灰色或灰白色絮状
毛纤维	可燃	熔并卷曲，软化收缩	一边徐徐冒烟，一边微熔、卷缩、燃烧	燃烧缓慢，有时自灭	烧毛发臭味	灰烬少，呈松脆而有光泽的黑色块儿状，一压就碎

续表

纤维名称	燃烧性	燃烧状态			燃烧时气味	灰烬残留物特征
黏胶纤维	易燃	软化、不熔、不缩	立即快速燃烧，不熔融	继续迅速燃烧	燃纸臭味	灰烬少，呈浅灰色或灰白色
醋酯纤维、三醋酯纤维	可燃	软化、不熔、不缩	熔融燃烧，燃烧速度快，并产生火花	边熔边燃	乙酸味	灰烬有光泽，呈硬而脆不规则黑块，用手指压即碎
铜氨纤维	可燃	软化、不熔、不缩	立即快速燃烧，不熔融	继续迅速燃烧	燃纸臭味	灰烬少，呈浅灰色或灰白色
天丝纤维	可燃	软化、不熔、不缩	不熔融，迅速燃烧	继续迅速燃烧	燃纸臭味	灰烬少，呈浅灰色或灰白色
莫代尔纤维	可燃	软化、不熔、不缩	立即快速燃烧，不熔融	继续迅速燃烧	燃纸臭味	灰烬少，呈浅灰色或灰白色
大豆蛋白纤维	可燃	软化，熔并卷缩	熔融燃烧	继续燃烧	烧毛发臭味	灰烬呈松而脆硬块，用手指可压碎
涤纶	可燃	软化，熔并卷缩	熔融，缓慢燃烧，有黄色火焰，焰边呈蓝色，焰顶冒黑烟	继续燃烧，有时停止燃烧而自灭	略带芳香味或甜味	灰烬呈硬而黑的圆球状，用手指不易压碎
锦纶	可燃	软化收缩	蜷缩，熔融，燃烧缓慢，产生小气泡，火焰很小，呈蓝色	停止燃烧而自熄	氨基味或芹菜味	灰烬呈浅褐色透明圆珠状，坚硬不易压碎
腈纶	易燃	软化收缩，微熔，发出焦味	边软化边熔融边燃烧，燃烧速度快，火焰呈白色，明亮有力，有时略冒黑烟	继续燃烧，但燃烧速度缓慢	类似烧煤焦油的鱼腥（辛辣）味	灰烬呈脆性不规则的黑褐色块状或球状，用手指易压碎
维纶	可燃	软化并迅速收缩，颜色由白色变到黄褐色	迅速收缩，缓慢燃烧，火焰很小，无烟。当纤维大量熔融时，产生较大的深黄色火焰，有小气泡	继续燃烧，缓慢地停燃，有时会熄灭	带有电石气的刺鼻臭味	灰烬呈松而脆的不规则硬块，用手指易压碎
丙纶	可燃	软化，卷缩，缓慢熔融，呈蜡状物	熔融，燃烧缓慢，冒黑色浓烟，有胶状熔融物滴落	能继续燃烧，有时会熄灭	有类似烧石蜡的气味	灰烬呈不定形硬块状，略透明，似蜡状颜色，不易压碎
氯纶	难燃	先膨胀成圆形，而后收缩熔融	熔融燃烧，但燃烧速度缓慢，火焰呈黄色或蓝色	边熔融边燃烧，缓慢地自然熄灭	特殊的刺激性石蜡味	灰烬呈白色橡胶块状
乙纶	可燃	软化、收缩	边熔融，边燃烧，燃烧速度缓慢，冒黑色浓烟，有胶状熔融物滴落	能继续燃烧，有时会熄灭	类似烧石蜡的气味	灰烬呈鲜艳的黄褐色不定形硬块状，不易压碎
聚四氟乙烯纤维	难燃	软化，熔融，不收缩	熔融，能燃烧	立即熄灭	有刺激性氟化氢气味	—
聚偏氯乙烯纤维	难燃	软化，熔融，不收缩	熔融燃烧冒烟，燃烧速度缓慢	立即熄灭	有刺鼻性辛辣味	灰烬呈黑色不规则硬球状，不易压碎
聚烯烃纤维	可燃	熔融收缩	熔融燃烧，燃烧缓慢	继续燃烧有时会自熄	有类似烧石蜡味	灰烬呈白色不定形蜡片状，不易压碎
聚苯乙烯纤维	可燃	熔融收缩	熔融、收缩、燃烧，但燃烧速度缓慢	继续燃烧，有时会自熄	略带芳香味	灰烬呈黑色而硬的小球状，不易压碎
酚醛纤维	不燃	不熔、不缩	像烧铁丝一样发红	不燃烧	稍有刺激性焦味	灰烬呈黑色絮状，可压碎

续表

纤维名称	燃烧性		燃烧状态		燃烧时气味	灰烬残留物特征
石棉纤维	不燃	不熔、不缩	在火焰中发光不燃烧	不燃烧，不变形	无味	无灰烬，纤维颜色略变深
玻璃纤维	不燃	不熔、不缩	变软，发红光	不燃烧，变硬	无味	变形，呈硬珠状，不能压碎
不锈钢纤维	不燃	不熔、不缩	像烧铁丝一样发红	不燃烧	无味	变形，呈硬珠状，不能压碎

三、检测中常见问题

在实际检测中，遇到的样品面料花纹色彩丰富，而且大多不止一种纤维组分。在拿到未知面料时，首先应观察面料纹路，判断其是针织还是梭织，有多少种不同纱线，有无循环，有无弹性等。在进行纤维种类的定性鉴别时，应保证面料中每种纱线都要进行鉴别，以免漏看纤维。

现阶段生产化学纤维的技术日新月异，出现了很多仿毛、仿丝、仿棉麻的纤维。这类纤维甚至连天然纤维的形态都能仿，比如有仿棉形态的聚酯纤维，形态为扁平带状，纤维直径较细，但无中腔，纵面形态在普通显微镜下与棉相似。如果掺加小部分这种聚酯纤维与棉混纺，那么燃烧法与显微镜法都有可能漏掉这种聚酯纤维，这为纤维种类鉴别工作增加了难度。因此，为避免鉴别时遗漏纤维种类的情况，尤其是显微镜法结论为单一组分的样品，要借助化学溶解法再进行验证。化学溶解法示例如图 2-4-1 所示。还请注意，图中所述方法相当于是对已经判断为单一组分纤维的进一步验证，并不是样品鉴别的顺序和方法。另外，有些则是试验中总结的经验，仅供参考。

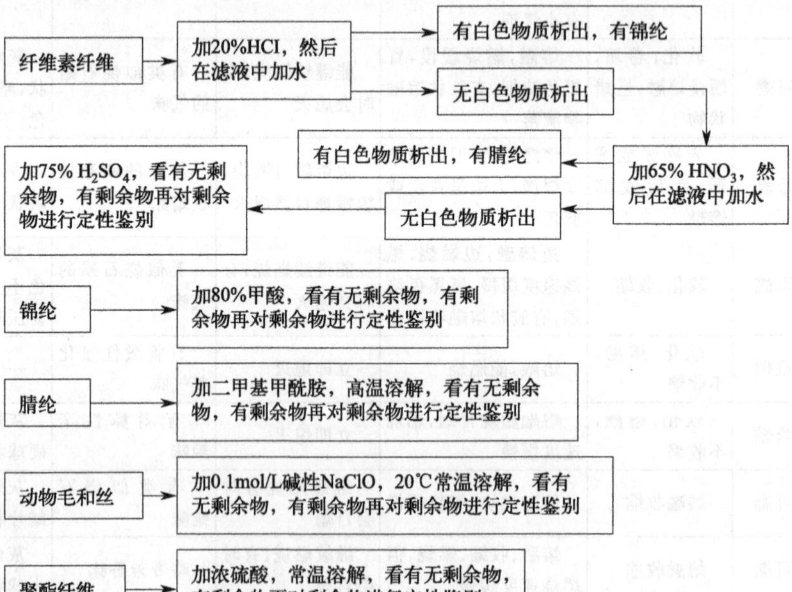

图 2-4-1　化学溶解法示例

纺织纤维的种类比较多，其鉴别方法也比较多，在实际鉴别过程中不能够依靠单一的鉴别方法下结论，必须将几种方法综合运用并进行综合分析后才能得出正确结论。纤维系统鉴别图见图 2-4-2。

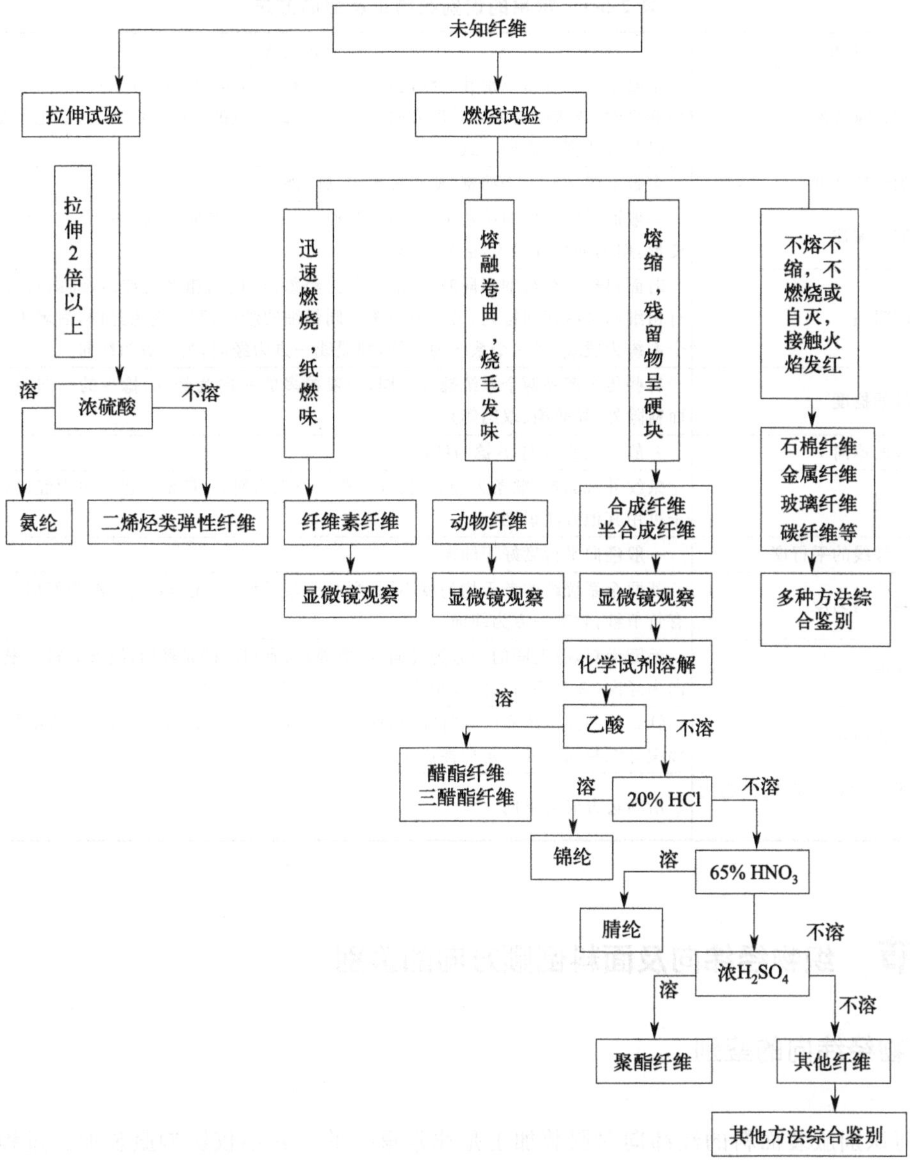

图 2-4-2　纤维系统鉴别图

第五节　织物正反面的鉴别

织物是由经纱和纬纱交织而形成的，由于经纬纱的线密度、经纬密度和织物组织不同，常导致织物的正反面光泽、纹路、风格等不同，因此在裁剪服装前必须准确地识别织物的正反面。面料正反面的确定一定是依据其不同的外观效应加以判断的。但是，在实际使用中，有些面料的正反面是很难确定的，稍不注意就会造成裁剪和缝制的错误，影响服装成品的外观。常用的识别织物正反面的方法列于表 2-5-1 中。

表 2-5-1 常用的识别织物正反面的方法

识别方法	具体内容
按布幅的边缘情况	整幅布十分容易识别其经纬向，与布边平行的方向为经向，这一方向的纱线为经纱，俗称直丝，成衣时与人体长度方向一致；与布边垂直的方向为纬向，纬纱也就是横丝，成衣时与人体宽度方向一致
按面料的经纬密度	多数面料经密大于纬密（横贡缎类织物除外）
按面料的伸缩性	一般面料经向伸缩性较小，手拉时紧而不易变形；纬向伸缩性稍大，手拉时略松而有变形；斜向伸缩性最大，极易变形
按纱线的粗细	若面料经纬纱粗细不同时，一般细者为经纱（经向），粗者为纬纱（纬向）；若一个系统有粗细两种纱相间排列，另一个系统是同粗细的纱线，则前者为经向，后者为纬向；若一个系统为股线，另一个系统为单纱，则股线一方为经向，另一方为纬向
按经纬纱的捻度	有些传统产品两个系统捻度不同，一般捻多的一向为经向，捻少的一向为纬向（少数面料除外，如碧绉、双绉等）
按经纬纱的捻向	一般 Z 捻为经向，S 捻为纬向
按面料外观	条纹外观面料，顺条为经向；长方形格子外观面料，一般沿长边方向为经向（正方形格子可用其他方法识别）
按面料中纱线的平行度	一般经向平行度好于纬向
按纱线条干均匀度	若两个系统纱的条干均匀度不同，则纱线条干均匀，光泽好的一般为经向。若面料中有竹节纱，竹节一方为纬向
按面料类型	毛圈面料，有毛圈的一方为经向；纱罗面料，有扭绞的是经向；绒条面料一般沿绒条方向为经向（纬起毛）；花式线织物，一般花式线多用于纬向
纬编针织物面料	针织物的线圈依次沿纵行穿套，横向连接，线圈纵行方向为纵向（即梭织物的经向）。纬编针织物面料横向延伸性优于纵向
经编针织物面料和横机织制的片状面料	沿布边方向为纵向

第六节 织物经纬向及面料倒顺方向的鉴别

一、织物经纬向的鉴别

如何识别服装面料的经纬向对服装加工是非常重要的，它不仅影响服装加工过程，而且也是款式设计与造型、色彩、服装质量的基本保证。若判断错误，则会造成服装企业的经济损失和损害消费者的利益。

二、面料倒顺方向的识别

起绒面料由于面料组织结构、工艺等原因，毛不能完全与地组织垂直，会略倒向一边，因而倒毛顺毛方向不同，表现出面料的光泽不同，制作过程中不注意倒顺毛的配置会造成服装表面的色差明显，外观质感不一致，影响服装的协调统一性和质量。带有方向性图案的面料也存在类似问题。一般服装制作过程中应保持整件服装的裁片上毛线、格子、图案等一致，以免产生色差、反光不均匀、格子对不齐等现象。所以，面料倒顺的识别也很重要，具体见表 2-6-1。

表 2-6-1　面料倒顺方向的识别方法

<table>
<tr><th>面料种类</th><th>倒顺方向的识别方法</th><th>备注</th></tr>
<tr><td>起绒面料</td><td>平绒、灯芯绒、金丝绒、乔其绒、长毛绒和顺毛呢绒倒顺方向明显，用手抚摸面料表面，毛头倒伏，顺滑且阻力小的方向为顺毛，顺毛光亮、颜色浅淡；用手抚摸面料表面，毛头撑起，顶逆而阻力大的方向为倒毛。逆毛光泽暗，颜色深。立绒类面料，绒毛直立无倒顺</td><td rowspan="2">通常灯芯绒、平绒采用倒毛制作，而顺毛类呢绒则采用顺毛制作。凡有倒顺毛的面料都应采用单片裁剪，主副件及各衣片要倒毛一致；当然也可以巧妙搭配，使服装整体光泽一致或明暗错落有序</td></tr>
<tr><td>带方向性的面料</td><td>有些印花图案和格子面料是不对称的，具有方向性，应按其头尾、上下来分倒顺。有些闪光面料，在各个方向闪光效应不同，要注意倒顺方向光泽的差别，使衣片连接处光泽一致</td></tr>
</table>

第三章 服装外观及色牢度检测

第一节　耐光色牢度测试

纺织品耐光色牢度是测试服装服用性能的重要指标，也是纺织品质量测试的常规检测项目之一。它是指材料经日光或人造光的暴晒，其抵抗颜色特性变化的性能。服装在实际使用过程中，引起纺织品褪色或变色作用机理很复杂，不但与染料的化学结构有关，也与染料的聚集状态、所染纤维材料的性能和大气条件等因素有关。我国国家标准 GB/T 8427—2019《纺织品　色牢度试验　耐人造光色牢度：氙弧》规定了一种测定各类纺织品颜色耐相当于日光（D_{65}）的人造光作用色牢度的方法，该标准也可适用于白色（漂白或荧光增白）纺织品，可使用两组不同的蓝色羊毛标准，所得结果并不完全等同。该标准的原理是将试样与一组蓝色羊毛标准一起在人造光源下按规定条件暴晒，然后将试样与蓝色羊毛标准进行变色对比，评定色牢度；对于白色（漂白或荧光增白）纺织品，是将试样的白度变化与蓝色羊毛标准对比，评定色牢度。

一、原理及相关标准

1. 原理

纺织品试样与一组蓝色羊毛标样一起在人造光源下按照规定条件暴晒，然后将试样与蓝色羊毛标样进行变色比对，评定色牢度。对于白色（漂白或荧光增白）纺织品，是将试样的白度变化与蓝色羊毛标样比对，评定色牢度。

2. 相关标准

主要标准有：我国国家标准 GB/T 8427—2019《纺织品　色牢度试验　耐人造光色牢度：氙弧》；我国国家标准 GB/T 8426—1998《纺织品　色牢度试验　耐光色牢度：日光》；我国行业标准 FZ/T 01096—2006《纺织品耐光色牢度试验方法：碳弧》；德国国家标准 DIN EN ISO 105-B07：2009《纺织品　色牢度试验　第 B07 部分：人工出汗润湿的纺织品的耐光色牢度》；国际标准 ISO 105-B07：2009《纺织品　色牢度试验　第 B07 部分：人工出汗润湿的纺织品的耐光色牢度》；国际标准 ISO 105-B01：2014《纺织品　色牢度试验　第 B01 部分　耐光色牢度：日光》；欧洲标准 EN ISO 105-B07：2009《纺织品　色牢度试验　第

B07 部分 人工出汗润湿的纺织品的耐光色牢度》；欧洲标准 EN ISO 105-B01：2014《纺织品 色牢度试验 第 B01 部分 耐光色牢度：日光》。

二、检测仪器与材料

（一）检测仪器

1. 空冷式氙弧灯设备

该设备由以下主要部件组成。

（1）光源：安装在通风良好的暴晒仓内。光源为氙弧灯，相关色温为 5500～6500K，尺寸由设备型号而定。

（2）滤光片：置于光源和试样及蓝色羊毛标样之间，使紫外光谱稳定衰减。所用滤光玻璃的透光率在 380～750nm 范围内不低于 90%，而在 310～320nm 之间则降为 0。

（3）滤热片：置于光源和试样及蓝色羊毛标样之间，可使氙弧光谱中所含红外辐照量稳定地衰减。使用玻璃过滤器以消除多余的红外辐照，达到规定的温度条件，应经常进行清洁，防止因灰尘造成不必要的滤光。

2. 水冷式氙弧灯设备

该设备由以下主要部件组成。

（1）光源：安装在通风良好的暴晒仓内。光源为氙弧灯，相关色温为 5500～6500K，尺寸由设备型号而定。

（2）滤光片：其结构包括内层和外层滤光玻璃，以容纳和引导冷却水流动。滤光器置于光源和试样及蓝色羊毛标样之间，使紫外光谱和部分红外光谱可稳定衰减。欧洲标准的暴晒条件：由内外红外玻璃滤光片和窗玻璃外罩组成的滤光系统，其透射率在 380～750nm 范围内不低于 90%，而在 310nm 左右时降为 0。美国标准的暴晒条件：内层为硼硅玻璃，外层为透明钠钙玻璃。这样可阻断较低波长的光谱辐照，使到达试样上的光谱辐照与经过一般窗玻璃后的光谱辐照大致相等。

（3）冷却系统：三级水循环通过氙灯的内外滤光玻璃之间的通道，并经过热交换装置进行冷却。

（二）试验材料

（1）遮盖物：为不透光材料，如薄铝片或用铝箔覆盖的硬卡纸，用于遮盖试样和蓝色羊毛蓝标的一部分。

（2）温度传感器：黑板温度计（BPT）或黑标温度计（BST，全称为黑色标准温度计）。

① 黑板温度计：包括一块尺寸为 45mm×100mm 的金属板，其温度用温度计或热电偶测量，热敏部分位于金属板中心并与板接触良好。金属板向着光源的一面为黑色，使到达试样的光谱在黑板上的反射率小于 5%，背向光的一面是不绝热的。

② 黑标温度计：包括一块尺寸约为 70mm×30mm 的不锈钢板，厚度约 0.5mm，用固定于背面具有优良导热性的热电阻测量温度。金属板用一块塑料板固定以隔热，并涂以黑色涂层，因此即使在红外光谱范围也能获得至少 95%的吸收率。

（3）评定变色用灰色样卡。

（4）评级灯。

（5）辐照度计：用于测量300～400mm或某个规定波长的暴晒辐照。由于试样表面的辐照度与灯光强度和灯至试样距离呈函数关系，可用辐照度计控制暴晒均匀度，辐照度计可测量试样架平面上某一点的辐照量（单位面积辐照能）。

（6）蓝色羊毛标样：蓝色羊毛标样分为1～8和L2～L9两种，将使用不同蓝色羊毛标样获得的测试结果进行比较时，要注意到两组蓝色羊毛标样的褪色性能可能不同，因此两组标样所得结果不可互换。蓝色羊毛标样1～8：欧洲研制和生产的蓝色羊毛标样编号为1～8，这些标样是用表3-1-1中的染料染成的蓝色羊毛织物，它的范围从1（很低色牢度）到8（很高色牢度），使每一较高编号蓝色羊毛标样的耐光色牢度比前一编号约高一倍。蓝色羊毛标样L2～L9：CI Mordant Bule 1（染料索引，第四版，43830）染色的羊毛和用CI Solubilized Vat Blue 8（染料索引，第四版，73801）染色的羊毛以不同混合比特制而成的，使每一较高编号蓝色羊毛标样的耐光色牢度比前一编号约高一倍。用于欧洲标准蓝色羊毛标样1～8的染料见表3-1-1。

表3-1-1　用于欧洲标准蓝色羊毛标样1～8的染料

标准级别	染料(染料索引名称)①	标准级别	染料(染料索引名称)①
1	CI 酸性蓝 104(CI Acid Blue 104)	5	CI 酸性蓝 47(CI Acid Blue 47)
2	CI 酸性蓝 109(CI Acid Blue 109)	6	CI 酸性蓝 23(CI Acid Blue 23)
3	CI 酸性蓝 83(CI Acid Blue 83)	7	CI 可溶性还原蓝 5(CI Solubilized Vat Blue 5)
4	CI 酸性蓝 121(CI Acid Blue 121)	8	CI 可溶性还原蓝 8(CI Solubilized Vat Blue8)

① 染料索引（第四版）由英国化学家和染色师协会（SDC），P. O. Box 244，Perkin House，82 Grattan Road，Bradford BD1 2JB，West York，UK，以及美国化学家和染色师协会（AATCC），P. O. Box 12215，Research Triangle Park，NC 27709-2215，USA，共同发布。

（7）湿度控制标样：有效湿度定义是结合了空气温度、试样表面温度和决定暴晒过程中试样表面湿气含量的空气相对湿度来定义的。有效湿度只能通过评定湿度控制标样的耐光色牢度来测量。本标准中的湿度控制标样是用红色偶氮染料染色的棉织物。该标样的校准是将其置于一年中的不同时间于一些特定的场所，面朝南方暴晒；同时，将标准标样置于一些恒定空气湿度为0～100%的密封容器中。所得结果的种类不多，主要结果见图3-1-1。当处于指定的区域中暴晒时，湿度控制标样的耐光色牢度为5级。

三、检测方法与过程

1. 试样准备

试样的尺寸可以变动，按试样数量和设备试样夹的形状和尺寸而定。

（1）在空冷式设备中，如在同一块试样上进行逐段分期暴晒，通常使用的试样面积不小于45mm×10mm。如试样是织物，应紧附于硬卡上；如试样是纱线，则紧密卷绕于硬卡上，或平行排列固定于硬卡上；如试样是散纤维，则梳压整理成均匀薄层固定于硬卡上。每一暴晒和未暴晒面积不应小于10mm×8mm。

（2）在水冷式设备中，试样夹宜放置约70mm×120mm的试样。需要时，可选用与试

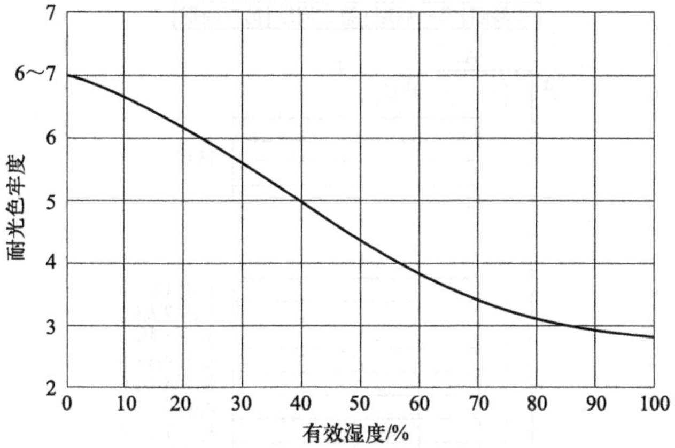

图 3-1-1　湿度控制标样暴晒的平均结果

样夹相匹配的不同尺寸的试样。蓝色羊毛标样应放在白纸卡背衬上进行暴晒，如需要，试样也可安放在白纸卡上。

（3）为了便于操作，可将一块或几块试样和相同尺寸的蓝色羊毛标样按图 3-1-2 或图 3-1-3 方式置于一块或多块硬卡上。

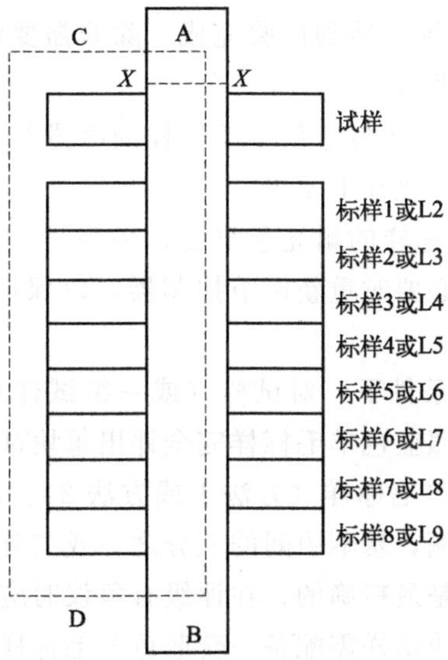

AB—第一遮盖物，在 X-X 处可成折叶使它能在原处从试样和蓝色羊毛标样上提起和复位；CD—第二遮盖物

图 3-1-2　方法 1 装样图

2. 试验过程

（1）调湿方法：检查设备是否处于良好的运转状态，氙灯是否洁净。

① 将一块不小于 45mm×10mm 的湿度控制标样与蓝色羊毛标样一起装在硬卡上，并尽可能使之置于试样夹的中部。

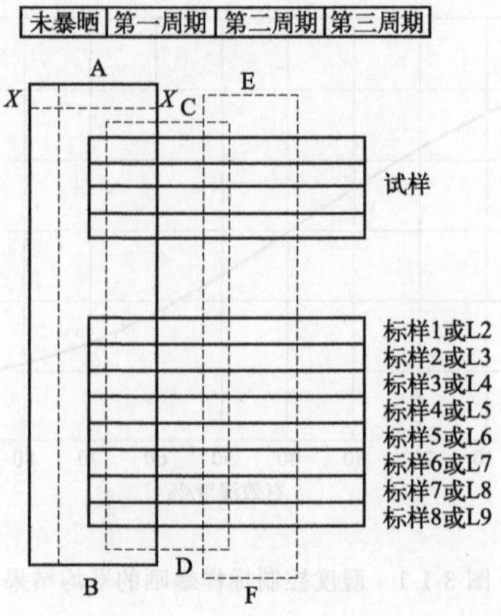

AB—第一遮盖物，在 X-X 处可成折叶使它能在原处从试样和蓝色羊毛标样上提起和复位；CD—第二遮盖物；EF—第三遮盖物

图 3-1-3　方法 2 装样图

② 将装妥的试样夹安放于设备的试样架上。试样架上所有的空档都要用装有硬卡的试样夹全部填满。

③ 开启氙灯后，设备应连续运转到试验完成，除非需要清洗氙灯，或因灯管、滤光片已到规定使用期限则需要进行调换。

④ 将部分遮盖的湿度控制标样与蓝色羊毛标样同时进行暴晒，直至湿度控制标样上暴晒和未暴晒部分间的色差达到灰色样卡 4 级。

⑤ 在此阶段评定湿度控制标样的耐光色牢度，必要时可调节设备上的控制器，以获得选定的暴晒条件。每天检查，必要时重新调节控制器，以保持规定的黑板温度（黑标温度）和湿度。

（2）暴晒方法：在预定的条件下，对试样（或一组试样）和蓝色羊毛标样同时进行暴晒。其方法和时间要以能否对照蓝色羊毛标样完全评出每块试样的色牢度为准。在整个试验过程中要逐次遮盖试样和蓝色羊毛标样（方法 1 或方法 2）。也可采用其他遮盖顺序，例如遮盖试样及蓝色羊毛标样的两侧，暴晒中间的三分之一或二分之一。

① 方法 1：本方法被认为是最精确的，在评级有争议时应予采用。其基本特点是通过检查试样来控制暴晒周期，故每块试样需配备一套蓝色羊毛标样。将试样和蓝色羊毛标样按要求排列，将遮盖物 AB 放在试样和蓝色羊毛标样的中段三分之一处。按规定的条件，在氙灯下暴晒。不时提起遮盖物 AB，检查试样的光照效果，直至试样的暴晒和未暴晒部分间的色差达到灰色样卡 4 级。用另一个遮盖物（图 3-1-2 中的 CD）遮盖试样和蓝色羊毛标样的左侧三分之一处，在此阶段，注意光致变色的可能性（见 GB/T 8431—1998《纺织品　色牢度试验　光致变色的检验和评定》）。如试样是白色（漂白或荧光增白）纺织品即可终止暴晒。继续暴晒，直至试样的暴晒和未暴晒部分的色差等于灰色样卡 3 级。如果蓝色羊毛标样 7 或 L7 的褪色比试样先达到灰色样卡 4 级，此时暴晒即可终止。这是因为当试样具有等于或高于 7 级或 L7 级耐光色牢度时，则需要很长的时间暴晒才能达到灰色样卡 3 级的色差。

再者，当耐光色牢度为 8 级或 L9 级时，这样的色差就不可能测得。所以，当蓝色羊毛标样 7 或 L7 以上产生的色差等于灰色样卡 4 级时，即可在蓝色羊毛标样 7～8 或蓝色羊毛标样 L7～18 的范围内进行评级。因为，为达到这个色差所需时间之长，已足以消除由于不适当暴晒可能产生的任何误差。

② 方法 2：本方法适用于大量试样同时测试。其基本特点是通过检查蓝色羊毛标样来控制暴晒周期，只需用一套蓝色羊毛标样对一批具有不同耐光色牢度的试样进行试验，从而节省蓝色羊毛标样的用料。试样和蓝色羊毛标样按图 3-1-3 所示排列。用遮盖物 AB 遮盖试样和蓝色羊毛标样总长的五分之一到四分之一，按规定条件进行暴晒，不时提起遮盖物检查蓝色羊毛标样的光照效果。当能观察出蓝色羊毛标样 2 的变色达到灰色样卡 3 级或 L2 的变色等于灰色样卡 4 级时，对照在蓝色羊毛标样 1、2、3 或 L2 上所呈现的变色情况，评定试样的耐光色牢度（这是耐光色牢度的初评）。在此阶段应注意光致变色的可能性（见 GB/T 8431）。将遮盖物 AB 重新准确地放在原先位置，继续暴晒，直至蓝色羊毛标样 4 或 L3 的变色与灰色样卡 4 级相同。这时再按图 3-1-3 所示位置放上另一遮盖物 CD，重叠盖在第一个遮盖物 AB 上。继续暴晒，直到蓝色羊毛标样 6 或 L4 的变色等于灰色样卡 4 级。然后，按图 3-1-3 所示的位置放上最后一个遮盖物 EF，其他遮盖物仍保留原处。继续暴晒，直到下列任一种情况出现为止：a. 在蓝色羊毛标样 7 或 L7 上产生的色差等于灰色样卡 4 级；b. 在最耐光的试样上产生的色差等于灰色样卡 3 级；c. 白色纺织品（漂白或荧光增白），在最耐光的试样上产生的色差等于灰色样卡 4 级。

③ 方法 3：本方法适用于核对与某种性能规格是否一致，允许试样只与两块蓝色羊毛标样一起暴晒，一块按规定为最低允许牢度的蓝色羊毛标样和另一块更低的蓝色羊毛标样。连续暴晒，直到在最低允许牢度的蓝色羊毛标样的分段面上等于灰色样卡 4 级（第一阶段）和 3 级（第二阶段）的色差。白色纺织品（漂白或荧光增白）晒至最低允许牢度的蓝色羊毛标样分段面上产生的色差等于灰色样卡 4 级。

④ 方法 4：本方法适用于检验是否符合某一商定的参比样，允许试样只与这块参比样一起暴晒。连续暴晒，直到参比样上等于灰色样卡 4 级和 3 级的色差。白色纺织品（漂白或荧光增白）晒至参比样产生的色差等于灰色样卡 4 级。

⑤ 方法 5：本方法适用于核对是否符合认可的辐照能值，可单独将试样暴晒，或与蓝色羊毛标样一起暴晒，直至达到规定辐照量为止；然后和蓝色羊毛标样一同取出，进行评定。

3. 评定

（1）在试样的暴晒和未暴晒部分间的色差等于灰色样卡 3 级的基础上，作出耐光色牢度级数的最后评定。白色纺织品（漂白或荧光增白）在试样的暴晒与未暴晒部分间的色差达到灰色样卡 4 级的基础上，作出耐光色牢度级数的最后评定。

（2）移开所有遮盖物，试样和蓝色羊毛标样露出试验后的 2 个或 3 个分段面，其中有的已暴晒过多次，连同至少一处未受到暴晒的，在合适的照明下（见 GB/T 6151—2016《纺织品　色牢度试验　试验通则》），比较试样和蓝色羊毛标样的相应变色。白色纺织品（漂白或荧光增白）的评级应使用人造光源，在有争议时更有必要，除非另有规定。试样的耐光色牢度即为显示相似变色（试样暴晒和未暴晒部分间的目测色差）的蓝色羊毛标样的号数。如果试样所显示的变色更近于两个相邻蓝色羊毛标样的中间级数，而不是近于两个相邻蓝色羊毛标样中的一个，则应给予一个中间级数，如 3～4 级或 L2～L3 级。如果不同阶段的色差上得出了不同的评定，则可取其算术平均值作为试样耐光色牢度，以最接近的半级或整级来表示。当级数的算术平均值是四分之一或四分之三时，评定时应取其邻近的高半级或一级。为了避免由于光致变色性导致耐光色牢度发生错评，应在评定耐光色牢度前，将试样放在暗处，在室温下保持 24h（见 GB/T 8431）。

（3）如试样颜色比蓝色羊毛标样 1 或 L2 更易褪色，则评为 1 级或 L2 级。

（4）用一个约为灰色样卡 1 级和 2 级之间的中性灰色（约为 Munsell N5）的遮框遮住试样，并用同样孔径的遮框依次盖在蓝色羊毛标样周围，这样便于对试样和蓝色羊毛标样的变色进行对比。

（5）如耐光色牢度等于或高于 4 或 L3，初评就显得很重要。如果初评为 3 级或 L2 级，则应把它置于括号内。例如评级为 6（3）级，表示在试验中蓝色羊毛标样 3 刚开始褪色时，试样也有很轻微的变色。但再继续暴晒，它的耐光色牢度与蓝色羊毛标样 6 相同。

（6）如试样具有光致变色性，则耐光色牢度级数后应加一个括号，其内写上一个 P 字和光致变色试验的级数。例如，6（P3-4）级，见 GB/T 8431。

（7）“变色”一词包括色相、彩度、亮度的各个变化，或这些颜色特性的任何综合变化（见 GB/T 250—2008《纺织品　色牢度试验　评定变色用灰色样卡》）。

（8）试样与规定的蓝色羊毛标样或一个符合商定的参比样一起暴晒，然后对试样和参比样及蓝色羊毛标样的变色进行比较和评级。如果试样的变色不大于规定蓝色羊毛标样或参比样，则耐光色牢度定为“符合”；如果试样的变色大于规定蓝色羊毛标样或参比样，则耐光色牢度定为“不符合”。

（9）方法的色牢度评定是用 GB/T 250 中的变色用灰色样卡进行对比，或用蓝色羊毛标样进行对比。

四、相关产品标准

相关产品标准见表 3-1-2。

表 3-1-2　涉及耐光色牢度检测的相关产品标准

产品名称	执行产品标准	产品分类	检测方法标准	耐光色牢度分等要求/级≥		
				优等品	一等品	合格品
针织运动服	GB/T 22853—2019	纺织品	GB/T 8427—2019	变色 4	深色 4 浅色 3	变色 3
连衣裙、裙套	FZ/T 81004—2022	纺织品	GB/T 8427—2019	变色 4	深色 4 浅色 3	变色 3
单、夹服装	FZ/T 81007—2022	纺织品	GB/T 8427—2019	变色 4	深色 4 浅色 3	变色 3
茄克衫	FZ/T 81008—2021	纺织品	GB/T 8427—2019	变色 4	深色 4 浅色 3	变色 3

第二节　耐水洗色牢度测试

耐水洗色牢度是纺织品染色牢度的常见测试项目之一，主要对服装和家纺类产品的纺织品面料，经过一次或多次模拟家庭洗涤和商业洗涤后，进行不同颜色染色牢度的测试。我国作为纺织品加工大国，生产的纺织品不仅满足内销，还出口到世界各地。耐水洗色牢度主要衡量洗涤对织物色牢度的影响。测试方法是将试样与标准贴衬织物缝合在一起，经洗涤、清洗和干燥，将试样再放在合适的温度、碱度、漂白和摩擦条件下进行洗涤，以便在较短时间内获得测试结果。期间的摩擦作用是通过小浴比和适当数量的不锈钢珠的翻滚、撞击来完成的。取出试样后，用灰色样卡或者仪器评定试样的变色和贴衬织物的沾色。

一、原理及相关标准

1. 原理

纺织品试样与一块或两块规定的标准贴衬缝合在一起，置于皂液或肥皂和无水碳酸钠混合液中，在规定时间和温度条件下进行机械搅动，再经清洗和干燥。以原样作为参照样，用灰色样卡或仪器评定试样变色和贴衬织物的沾色。

2. 相关标准

主要标准有：我国标准 GB/T 3921—2008《纺织品 色牢度试验 耐皂洗色牢度》；美国标准 AATCC 61：2013（E2016）《耐家庭和商业洗涤色牢度：加速法》；国际标准 ISO 105-C10：2006《纺织品色牢度试验第 C10 部分 耐肥皂或肥皂与苏打水洗涤色牢度》。

二、检测仪器与材料

1. 检测仪器

（1）GB/T 3921—2008 采用机械洗涤装置（图 3-2-1），由装有一根旋转轴的水浴锅构成，旋转轴呈放射形，支撑多只容量为（550±50）mL 的不锈钢容器（图 3-2-2）；其直径为（75±5）mm，高为（125±10）mm，从轴中心到容器底部的距离为（45±10）mm。轴和容器的转速为（40±2）r/min。水浴锅温度由恒温器控制，使试验溶液保持在规定温度±2℃内。

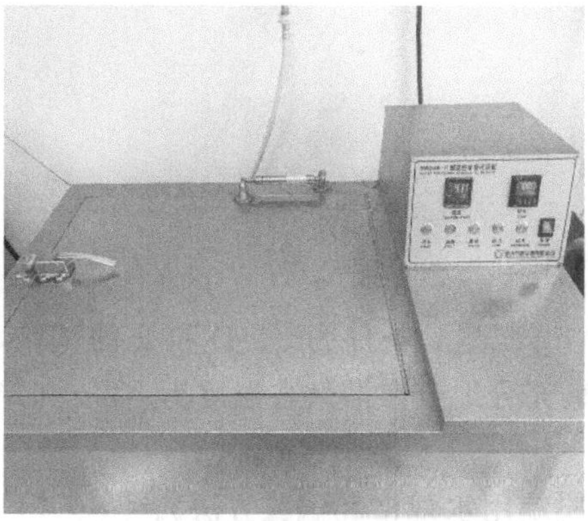

图 3-2-1 耐洗色牢度试验机

图 3-2-2 不锈钢容器

(2) 天平，精确至±0.01g。

(3) 机械搅拌器，最小转速 1000r/min，确保容器内物质充分散开，防止沉淀。

(4) 耐腐蚀的不锈钢珠，直径约为 6mm。

(5) 加热皂液的装置，如加热板。

2. 试验材料

(1) 贴衬织物（见 GB/T 6151)，按以下步骤①或②选用。

① 多纤维贴衬织物，符合 GB/T 7568.7—2008《纺织品　色牢度试验　标准贴衬织物　第 7 部分：多纤维》。根据试验温度选用：含羊毛和醋酯纤维（又称醋酸纤维）的多纤维贴衬织物用于 40℃和 50℃的试验，某些情况下也需注明用于 60℃的试验，并在试验报告中注明；不含羊毛和醋纤的多纤维贴衬织物用于某些 60℃的试验和所有 95℃的试验。

② 两块单纤维贴衬织物，符合 GB/T 7568.1～GB/T 7568.6、GB/T 13765、ISO 105-F07。第一块由与试样同类的纤维制成，第二块由表 3-2-1 规定的纤维制成。如试样为混纺或交织品，则第一块由主要含量的纤维制成，第二块由次要含量的纤维制成；或另作规定。

表 3-2-1　单纤维贴衬织物

第一块	第二块	
	40℃和 50℃的试验	60℃和 95℃的试验
棉	羊毛	黏胶纤维
羊毛	棉	—
丝	棉	—
麻	羊毛	黏胶纤维
黏胶纤维	羊毛	棉
醋纤	黏胶纤维	黏胶纤维
聚酰胺纤维	羊毛或棉	棉
聚酯纤维	羊毛或棉	棉
聚丙烯腈纤维	羊毛或棉	棉

(2) 肥皂，以干重计，所含水分不超过 5%，并符合下列要求。

游离碱（以 Na_2CO_3 计）　　≤0.3%

游离碱（以 NaOH 计）　　≤0.1%

总脂肪物　　≥850g/kg

制备肥皂混合脂肪酸冻点　　≤30℃

碘值　　≤50

肥皂不应含荧光增白剂。

(3) 无水碳酸钠（Na_2CO_3）。

(4) 皂液，条件为 A 和 B 的试验，每升水中含 5g 肥皂，条件为 C、D 和 E 的试验，每升水中含 5g 肥皂和 2g 碳酸钠。可以用搅拌器将肥皂充分地分散溶解在温度为 (25±5)℃的三级水中，搅拌时间 (10±1)min。

(5) 三级水，符合 GB/T 6682—2008《分析实验室用水规格和试验方法》。

(6) 一块染不上色的织物（如聚丙烯纤维），需要时用。

(7) 灰色样卡，用于评定变色和沾色，符合 GB 250—2008《纺织品　色牢度试验　评定变色用灰色样卡》和 GB/T 251—2008《纺织品　色牢度试验　评定沾色用灰色样卡》；

或采用光谱测色仪，依据 GB/T 8424.1—2001《纺织品　色牢度试验　表面颜色的测定通则》、GB/T 32598—2016《纺织品　色牢度试验　贴衬织物沾色的仪器评级》和 GB/T 32616—2016《纺织品　色牢度试验　试样变色的仪器评级》，进行评定变色和沾色。

三、检测方法与过程

1. 试样准备

（1）若试样为织物，按以下方法之一制备组合试样。

① 取 100mm×40mm 试样一块，正面与一块 100mm×40mm 多纤维贴衬织物相接触，沿一短边缝合。

② 取 100mm×40mm 试样一块，夹于两块 100mm×40mm 单纤维贴衬织物之间，沿一短边缝合。

（2）可将纱线编织成织物，按照织物的方式进行试验。当试样为纱线或散纤维时，取纱线或散纤维的质量约等于贴衬织物总质量的一半，并按以下方法之一制备组合试样。

① 夹于一块 100mm×40mm 多纤维贴衬织物及一块 100mm×40mm 染不上色的织物之间，沿四边缝合。

② 夹于两块 100mm×40mm 规定的单纤维贴衬织物之间，沿四边缝合。

注：用天平测定组合试样的质量，单位为克（g），以便精确计算浴比。

2. 试验过程

（1）按照所采用的试验条件来制备皂液。

（2）将组合试样以及规定数量的不锈钢珠放在容器内，依据表 3-2-2 试验条件注入预热至试验温度的皂液。其中，皂液温度偏差不超过 2℃，浴比为 50∶1，盖上容器，按规定的温度和时间搅动。

表 3-2-2　试验条件

试验方法编号	温度/℃	时间	钢珠数量	碳酸钠
A(1)	40	30min	0	—
B(2)	50	45min	0	—
C(3)	60	30min	0	+
D(4)	95	30min	10	+
E(5)	95	4h	10	+

注：宜将含荧光增白剂和不含荧光增白剂的试验所用容器清楚地区分开。其他试验所用洗涤剂和商业洗涤剂中的荧光增白剂可能会沾污容器。如果在后来使用不含荧光增白剂的洗涤剂的试验中使用这种沾污的容器，可能会影响试样色牢度的级数。

（3）对所有试验，洗涤结束后取出组合试样，放入三级水中清洗两次，然后在流水中冲洗至干净。

（4）挤去组合试样上过量的水分，展开组合试样，试样悬挂在不超过 60℃的空气中干燥，试样和贴衬分开，仅在缝纫线处连接。

3. 评定

用灰色样卡或分光光度计评定试样的变色和贴衬织物的沾色。

四、相关产品标准

相关产品标准见表 3-2-3。

表 3-2-3　涉及耐洗色牢度检测的相关产品标准

产品名称	执行产品标准	产品分类	检测方法标准	耐水洗色牢度分等要求/级≥		
				优等品	一等品	合格品
单、夹服装	FZ/T 81007—2022	纺织品	GB/T 3921—2008	变色 4 沾色 4	变色 3-4 沾色 3-4	变色 3 沾色 3
茄克衫	FZ/T 81008—2021	纺织品	GB/T 3921—2008	变色 4 沾色 4	变色 3-4 沾色 3-4	变色 3 沾色 3
女西服、大衣	GB/T 2665—2017	纺织品	GB/T 3921—2008	变色 4 沾色 4	变色 3-4 沾色 3-4	变色 3-4 沾色 3
衬衫	GB/T 2660—2017	纺织品	GB/T 3921—2008	变色 4 沾色 4	变色 3-4 沾色 3-4	变色 3 沾色 3
婴幼儿针织服饰	FZ/T 73025—2019	纺织品	GB/T 3921—2008	变色 4 沾色 4	变色 3-4 沾色 3-4	变色 3 沾色 3
针织拼接服装	GB/T 26385—2011	纺织品	GB/T 3921—2008	变色 4 沾色 4	变色 3-4 沾色 3	变色 3 沾色 3

第三节　耐干洗色牢度测试

随着纺织品面料的研发及更新，纺织品的护理要求也越来越高，不可水洗织物不断增多。因此，干洗成为纺织品重要的护理方式之一，在纺织品护理标签中也有规定。干洗是将纺织品置于有机溶剂如四氯乙烯、汽油中进行洗涤，故在干洗过程中，纺织品受干洗剂、温度及摩擦等参数的影响，其色牢度可能发生改变。干洗色牢度试验要求在干的状态下进行，使用没有任何水分的容器，只用干洗溶剂进行测试，且所有与四氯乙烯相关的步骤都必须在通风橱内进行。试验人员需佩戴防护手套、防护目镜和口罩，避免皮肤直接接触溶剂和吸入溶剂气体，严格按照规定安全处理溶剂。通过评价样品的褪色程度和贴衬织物的沾色程度来评价纺织产品的干洗性能。

一、原理及相关标准

1. 原理

将纺织品试样与规定的贴衬织物贴合在一起，和不锈钢片一起放入棉布袋内，置于四氯乙烯内搅动，然后将试样和贴衬织物挤压或离心脱液、干燥。以原样作为参照样，用灰色样卡或仪器评定试样的变色和贴衬织物的沾色。

2. 相关标准

主要标准有：我国标准 GB/T 5711—2015《纺织品　色牢度试验　耐四氯乙烯干洗色牢度》；德国标准 DIN EN ISO 105-D01：2010《纺织品　色牢度试验　第 D01 部分：用四

氯乙烯溶剂测定耐干洗色牢度》；国际标准 ISO 105-D01：2010《纺织品色牢度试验第 D01 部分：用四氯乙烯溶剂测定耐干洗色牢度》；日本标准 JIS L0860：2020《耐干洗牢度的试验方法》；欧洲标准 EN ISO 105-D01：2010《纺织品 色牢度试验 第 D01 部分：用四氯乙烯溶剂测定耐干洗色牢度》；美国标准 AATCC 132-2013（E2019）《纺织品 色牢度试验 耐干洗色牢度》。

二、检测仪器与材料

1. 检测仪器

（1）GB/T 5711—2015 采用合适的机械洗涤装置（图 3-3-1），由装有一根旋转轴的水浴锅构成，旋转轴呈放射形，支撑多只容量为（550±50）mL 的不锈钢容器（图 3-3-2），直径为（75±5）mm，高为（125±10）mm，从轴中心到容器底部的距离为（45±10）mm。轴和容器的转速为（40±2）r/min。水浴锅温度由恒温器控制，使试验溶液保持在（30±2）℃内。

图 3-3-1 耐洗色牢度试验机

图 3-3-2 不锈钢容器

（2）通风橱，具有足够的抽吸能力，以保护人体健康。

2. 试验材料

（1）四氯乙烯（又称全氯乙烯），应使用化学纯或以上，储存时应加入无水碳酸钠以中和任何可能形成的盐酸。

（2）贴衬织物，依据 GB/T 6151 的规定，选取单纤维贴衬或多纤维贴衬。

① 多纤维贴衬织物，DW 型或 TV 型，符合 GB/T 7568.7 要求。

② 两块单纤维贴衬织物，符合 GB/T 7568.1～GB/T 7568.6 和 GB/T 13765—1992《纺织品 色牢度试验 亚麻和苎麻标准贴衬织物规格》中的相关要求。第一块应由试样的同类纤维或混合织物中的主要纤维制成，第二块纯纺产品按表 3-3-1 规定，混合织物应由其次要含量的纤维制成，或另有规定。

表 3-3-1　单纤维贴衬织物

第一块	第二块	第一块	第二块
棉	羊毛	黏胶纤维	羊毛
羊毛	棉	醋酯纤维	黏胶纤维
丝	棉	聚酰胺纤维	羊毛或棉
麻	羊毛	聚酯纤维	羊毛或棉

三、检测方法与过程

1. 试样准备

（1）取（100±2）mm×（40±2）mm 试样一块，正面与一块（100±2）mm×（40±2）mm 多纤维贴衬织物相接触，沿一短边缝合，形成一个组合试样。

（2）取（100±2）mm×（40±2）mm 试样一块，夹于两块（100±2）mm×（40±2）mm 单纤维贴衬织物之间，沿一短边缝合，形成一个组合试样。

（3）纱线可以编织成织物，按织物制备试样进行试验。在对纱线或散纤维进行试验的情况下，取纱线或短纤维的质量约等于贴衬织物总质量的一半，制备组合试样。

2. 试验过程

（1）将机械洗涤装置中的水浴锅的温度升至试验温度（30±2）℃。

（2）沿三边缝合两块未染色的正方形棉斜纹布，制成一个内尺寸为 100mm×100mm 的布袋。

将一个组合试样和 12 片不锈钢圆片放入袋中，用任何方便的形式闭合袋口（图 3-3-3）。

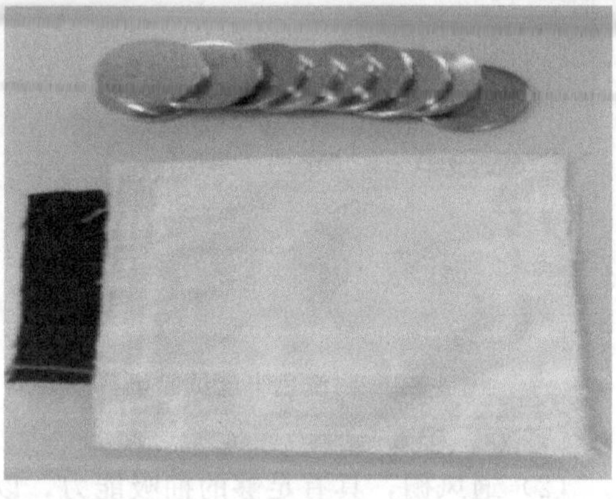

图 3-3-3　组合试样和 12 片不锈钢圆片

（3）从机械装置中取出不锈钢容器，确保不锈钢容器内部、盖子和密封圈是干燥的。

（4）将装有组合试样和不锈钢圆片的布袋放入不锈钢容器内。

（5）在通风橱中，温度为（30±2）℃时，向每个不锈钢容器中加入 200mL 的四氯乙烯。如果使用其他溶剂，应在试验报告中说明。

（6）盖上不锈钢容器，将其放入水浴锅中，在规定温度下运转 30min。

（7）在通风橱中从容器中拿出布袋，取出试样，挤压或离心除去多余的溶剂，展开试样，悬挂于通风设备中干燥。

3. 评定

用灰色样卡或仪器（分光光度计或色度仪）评定试样的变色和贴衬织物的沾色。

四、相关产品标准

相关产品标准见表 3-3-2。

表 3-3-2　涉及耐干洗色牢度检测的相关产品标准

产品名称	执行产品标准	产品分类	检测方法标准	耐干洗色牢度分等要求/级≥		
				优等品	一等品	合格品
单、夹服装	FZ/T 81007—2022	纺织品	GB/T 5711—2015	变色 4-5 沾色 4-5	变色 4 沾色 4	变色 3-4 沾色 3-4
茄克衫	FZ/T 81008—2021	纺织品	GB/T 5711—2015	变色 4-5 沾色 4-5	变色 4 沾色 4	变色 3-4 沾色 3-4
女西服、大衣	GB/T 2665—2017	纺织品	GB/T 5711—2015	变色 4 沾色 4	变色 3-4 沾色 3-4	变色 3-4 沾色 3
衬衫	GB/T 2660—2017	纺织品	GB/T 5711—2015	变色 4 沾色 4	变色 3-4 沾色 3-4	变色 3 沾色 3
婴幼儿针织服饰	FZ/T 73025—2019	纺织品	GB/T 5711—2015	变色 4 沾色 4	变色 3-4 沾色 3-4	变色 3 沾色 3
针织拼接服装	GB/T 26385—2011	纺织品	GB/T 5711—2015	变色 4 沾色 4	变色 3-4 沾色 3	变色 3 沾色 3

第四节　耐水色牢度测试

耐水色牢度是测试纺织品的染料耐水浸渍的能力。其方法是将纺织品与贴衬织物贴合一起，浸入水中一定时间，挤去水分，置于有一定压力的试验装置中，再放入规定温度的烘箱中数小时。待试样和贴衬织物干燥后，用灰色样卡评定试样的变色和贴衬织物的沾色，即为该织物耐水色牢度的变色及沾色等级。

一、原理及相关标准

1. 原理

将纺织品试样与规定的两块纤维贴衬织物或一块多纤维贴衬织物组合在一起，浸入水中后挤去水分，置于试验装置的两块平板中间，承受规定压力。分开干燥试样和贴衬织物，用灰色样卡或分光光度计评定试样的变色和贴衬织物的沾色。

2. 相关标准

主要标准有：我国标准 GB/T 5713—2013《纺织品　色牢度试验　耐水色牢度》；美国标准 AATCC 107：2013《耐水色牢度试验方法》；国际标准 ISO 105-E01：2013《纺织品　色牢度试验第 E01 部分：耐水色牢度》；德国标准 DIN EN ISO 105-E01：2013《纺织品　色牢度试验　第 E01 部分：耐水色牢度》；欧洲标准 EN ISO 105-E01：2013《纺织品　染色牢度试验　第 E01 部分：耐水色牢度》。

二、检测仪器与材料

1. 检测仪器

（1）汗渍色牢度仪：由一副不锈钢架（包括底座、弹簧压板）和底部面积为 60mm×115mm 的重锤配套组成，并附有尺寸约 60mm×115mm×1.5mm 的玻璃板或丙烯酸树脂板。弹簧压板和重锤总质量约 5kg。当（40±2）mm×（100±2）mm 的组合试样夹于板间时，可使组合试样受压 12.5kPa±0.9kPa。试验装置的结构应保证试验中移开重锤后，试样所受的压力保持不变。如果组合试样的尺寸不是（40±2）mm×（100±2）mm，所用重锤对试样施加的压力仍应使试样受压 12.5kPa±0.9kPa。

（2）烘箱：温度保持在 37℃±2℃。

2. 试验材料

贴衬织物选择以下两种方式之一：①一块符合 GB/T 7568.7 的多纤维贴衬织物；②两块符合 GB/T 7568.1～GB/T 7568.6、GB/T 13765 相应章节的单纤维贴衬织物。第一块用与试样相同的纤维制成，第二块则由表 3-4-1 规定的纤维制成。如试样为混纺或交织品，则第一块用主要含量的纤维制成，第二块用次要含量的纤维制成；或另作规定。

表 3-4-1　单纤维贴衬织物

第一块	第二块	第一块	第二块
棉	羊毛	黏胶纤维	羊毛
羊毛	棉	醋酯纤维	黏胶纤维
丝	棉	聚酰胺纤维	羊毛或棉
麻	羊毛	聚酯纤维	羊毛或棉

三、检测方法与过程

1. 试样准备

在室温下，将组合样品平放在平底容器中，注入三级水，使之完全浸湿，浴比为 50∶1。在室温下放置 30min，不时拨动，确保试液良好而又均匀地渗透。取出试样，倒去残液，用合适的方式（如两根玻璃棒）夹去组合试样上过多的试液。将组合试样平置于两块玻璃或丙烯酸树脂板之间，使其受压（12.5±0.9）kPa，然后将其放入已预热至所需试验温度的试验装置中。

2. 试验过程

（1）把带有组合试样的试验装置放入恒温箱中，在（37±2）℃下保持 4h，根据试验装置的类型，使组合试样呈水平（图 3-4-1）或垂直（图 3-4-2）放置。

（2）展开组合试样（如断开缝线，使试样和贴衬仅在一条短边处连接），发现试样有干燥的迹象应弃去并重新测试；将组合试样悬挂在不超过 60℃的空气中干燥，试样和贴衬分开，仅在缝纫线处连接。

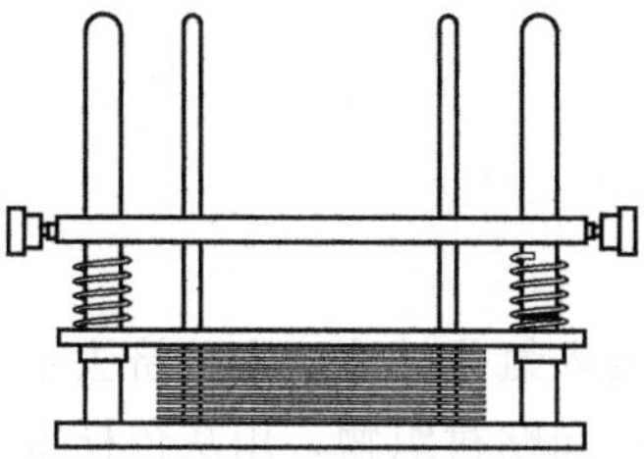

图 3-4-1 水平放置

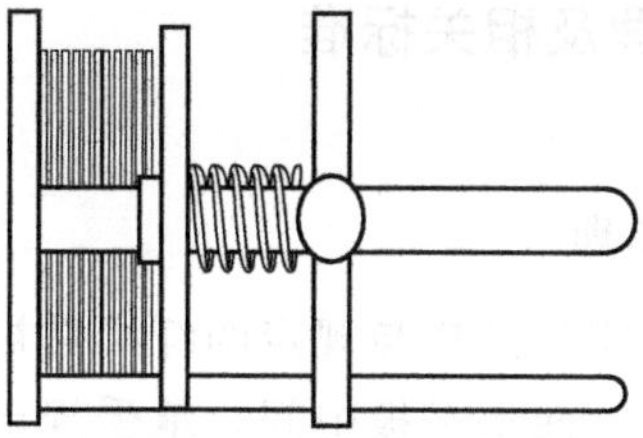

图 3-4-2 垂直放置

3. 评定

用灰色样卡或分光光度计评定试样的变色和贴衬织物的沾色。

四、相关产品标准

相关产品标准见表 3-4-2。

表 3-4-2 涉及耐洗色牢度检测的相关产品标准

产品名称	执行产品标准	产品分类	检测方法标准	耐水色牢度分等要求/级≥		
				优等品	一等品	合格品
棉服装	GB/T 2662—2017	纺织品	GB/T 5713—2013	变色 3-4 沾色 3-4	变色 3 沾色 3	变色 3 沾色 3
女西服、大衣	GB/T 2665—2017	纺织品	GB/T 5713—2013	变色 4 沾色 3-4	变色 3-4 沾色 3-4	变色 3 沾色 3
针织西服	FZ/T 73056—2016	纺织品	GB/T 5713—2013	变色 4 沾色 4	变色 3-4 沾色 3	变色 3 沾色 3
单、夹服装	FZ/T 81007—2022	纺织品	GB/T 5713—2013	变色 4 沾色 4	变色 3-4 沾色 3-4	变色 3 沾色 3
茄克衫	FZ/T 81008—2021	纺织品	GB/T 5713—2013	变色 4 沾色 4	变色 3-4 沾色 3-4	变色 3 沾色 3

第五节 耐海水色牢度测试

随着生活水平的日益提高，人们的健康意识、环保意识也在逐渐增强，对纺织品色牢度的要求也越来越高。耐海水色牢度主要是考核各类纺织品的颜色耐海水浸渍的能力，目前主要是针对泳装等与海水相接触的产品，考察其在使用后色泽的变化情况。在纺织品色牢度检验中，耐海水色牢度是一项重要的检验项目，其测试结果直接关系到织物的整体色牢度。不同组织、国家，都根据其地区国民的风俗习惯和工业发展水平确定相关标准，耐海水色牢度的测试方法也有一些差异。目前我国采用的主要是 GB/T 5714—2019，测试中涉及的溶剂也是模拟海水的成分，主要是氯化钠。

一、原理及相关标准

1. 原理

将纺织品试样与规定的纤维贴衬织物组合在一起，浸入氯化钠溶液中，挤去水分，置于试验装置的两块平板中间，承受规定压力。分开干燥试样和贴衬织物，用灰色样卡或分光光度计评定试样的变色和贴衬织物的沾色。

2. 相关标准

主要标准有：我国国家标准 GB/T 5714—2019《纺织品　色牢度试验　耐海水色牢度》；国际标准 ISO 105-E02：2013《纺织品　色牢度试验　第 E02 部分：耐海水色牢度》；欧洲标准 EN ISO 105-E02：2013《纺织品　染色牢度试验　第 E02 部分：耐海水色牢度》；美国标准 AATCC 106：2013《耐海水色牢度试验方法》。

二、检测仪器与材料

1. 检测仪器

（1）试验装置，由一副不锈钢架（包括底座、弹簧压片）和重锤配套组成，并附有玻璃板或丙烯酸树脂板。弹簧压板和重锤的总质量约 5kg。试验装置应保证当试验时重块除去，仍能保持试样受压 12.5kPa。

（2）烘箱：温度保持在 37℃±2℃。

2. 试验材料

（1）氯化钠溶液：用三级水制备的 30g/L 的溶液。

（2）贴衬织物选择以下两种方式之一：①一块符合 GB/T 7568.7 的多纤维贴衬织物；②两块符合 GB/T 7568.1～GB/T 7568.6、GB/T 13765 相应章节的单纤维贴衬织物。第一块用与试样相同的纤维制成，第二块则由表 3-5-1 规定的纤维制成。如试样为混纺或交织品，则第一块用主要含量的纤维制成，第二块用次要含量的纤维制成；或另作规定。

表 3-5-1　单纤维贴衬织物

第一块	第二块	第一块	第二块
棉	羊毛	黏胶纤维	羊毛
羊毛	棉	聚丙烯腈纤维	羊毛或棉
丝	棉	聚酰胺纤维	羊毛或棉
麻	羊毛	聚酯纤维	羊毛或棉

三、检测方法与过程

1. 试样准备

（1）取(100±2)mm×(40±2)mm 试样一块，正面与一块(100±2)mm×(40±2)mm

多纤维贴衬织物相接触，沿一短边缝合，形成一个组合试样。

(2) 取(100±2)mm×(40±2)mm 试样一块，夹于两块(100±2)mm×(40±2)mm 单纤维贴衬织物之间，沿一短边缝合，形成一个组合试样。

(3) 纱线可以编织成织物，按织物制备试样进行试验。在对纱线或散纤维进行试验的情况下，取纱线或短纤维的质量约等于贴衬织物总质量的一半，按照下述方法之一制备组合试样：a. 夹于一块 40mm×100mm 多纤维贴衬织物及一块 40mm×100mm 染不上色的织物之间，沿四边缝合形成一个组合试样；b. 夹于两块 40mm×100mm 规定的单纤维贴衬之间，沿四边缝合，形成一个组合试样。

2. 试验过程

(1) 在室温下，将组合样品平放在平底容器中，注入用三级水制备的 30g/L 的氯化钠溶液并使之完全浸湿。倒去溶液，平置于两块玻璃或丙烯酸树脂板之间，使其受压 (12.5±0.9)kPa。

(2) 把带有组合试样的试验装置放入恒温箱中，在 (37±2)℃下保持 4h，根据试验装置的类型，使组合试样呈水平（图 3-5-1）或垂直（图 3-5-2）放置。

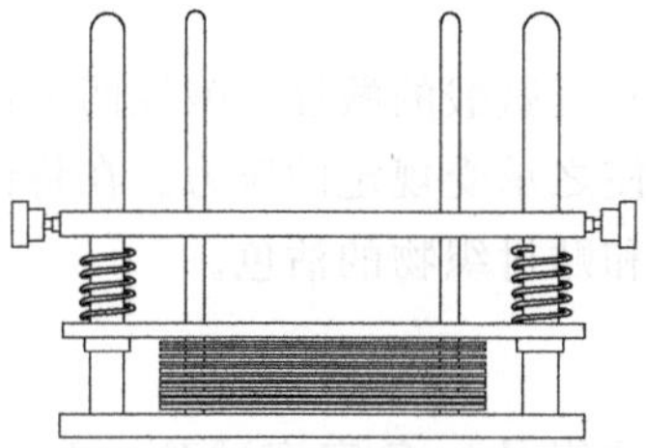

图 3-5-1 水平放置

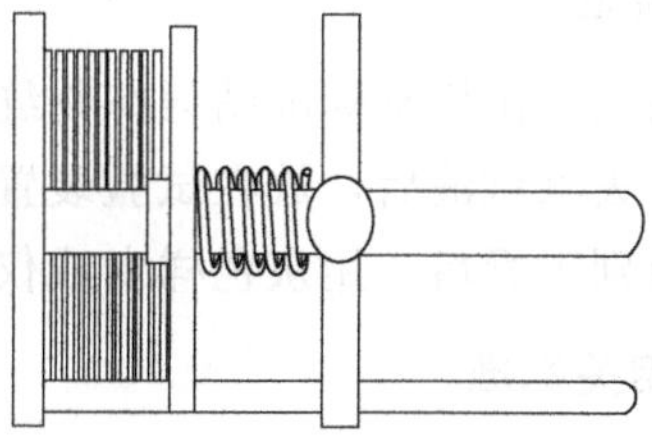

图 3-5-2 垂直放置

(3) 展开组合试样（如断开缝线，应保证试样和贴衬仅在一条短边处连接），发现试样有干燥的迹象应弃去并重新测试。将组合试样悬挂在不超过 60℃的空气中干燥，试样和贴衬分开，仅在缝纫线处连接。

3. 评定

用灰色样卡或分光光度计评定试样的变色和贴衬织物的沾色。

四、相关产品标准

相关产品标准见表 3-5-2。

表 3-5-2 涉及耐海水色牢度检测的相关产品标准

产品名称	执行产品标准	产品分类	检测方法标准	耐海水洗色牢度分等要求/级≥		
				优等品	一等品	合格品
针织泳装	FZ/T 73013—2017	纺织品	GB/T 5714—2019	变色 4 沾色 3	变色 3-4 沾色 3	变色 3 沾色 3
机织泳装	FZ/T 81021—2014	纺织品	GB/T 5714—2019	变色 4 沾色 3	变色 3-4 沾色 3	变色 3 沾色 3
针织泳帽	FZ/T 73050—2014	纺织品	GB/T 5714—2019	变色 4 沾色 3	变色 3-4 沾色 3	变色 3 沾色 3

第六节 耐汗渍色牢度测试

耐汗渍色牢度是评价纺织品在使用过程中，其颜色对人体汗液的耐受能力，耐汗渍色牢度差的纺织品在穿着过程中会造成染料脱落褪色，不仅影响纺织品外观，更因染料分子和重金属离子等都有可能通过皮肤被人体吸收而危害人体健康。国家强制性标准 GB 18401—2010《国家纺织产品基本安全技术规范》规定，A类安全技术要求耐汗渍色牢度≥3-4 级，B类安全技术要求耐汗渍色牢度≥3 级，C类安全技术要求耐汗渍色牢度≥3 级。婴幼儿纺织品应符合 A 类要求，直接接触皮肤的纺织品至少应符合 B 类要求，非直接接触皮肤的纺织品至少应符合 C 类要求。

一、原理及相关标准

1. 原理

将纺织品试样与标准贴衬织物缝合在一起，置于含有组氨酸的酸性、碱性两种试液中分别处理，去除试液后，放在试验装置中的两块平板间，使之承受规定的压力。在将试样和贴衬织物分别干燥后，用灰色样卡或仪器评定试样的变色和贴衬织物的沾色。

2. 相关标准

主要标准有：我国国家标准 GB/T 3922—2013《纺织品 色牢度试验 耐汗渍色牢度》；德国标准 DIN EN ISO 105-E04：2013《纺织品 色牢度试验 第 E04 部分：耐汗渍色牢度》；国际标准 ISO 11641：2012《皮革 色牢度试验 耐汗渍色牢度》；国际标准 ISO 105-E04：2013《纺织品 色牢度试验 第 E04 部分：耐汗渍色牢度》；欧洲标准 EN ISO 105-E04：2013《纺织品 染色牢度试验 第 E04 部分：耐汗渍色牢度》。其中，部分方法的要求并不一致，不同标准测试项目规定差异见表 3-6-1。

表 3-6-1 不同标准测试项目规定差异

项目	GB/T 3922—2013	ISO 105-E04:2013	AATCC15—2013
汗液	酸液，碱液	酸液，碱液	酸液
pH 值	5.5±0.2，8.0±0.2	5.5±0.2，8.0±0.2	4.3±0.2
浴比	50∶1	50∶1	试样完全浸没试液高度 1.5cm
贴衬织物	单纤维/多纤维	单纤维/多纤维	多纤维
带液率	不要求	不要求	(2.25±0.05)倍(试样质量，吸水滤纸)
重锤压力	(12.5±0.9)kPa	(12.5±0.9)kPa	4.45kg
烘箱温度	(37±2)℃	(37±2)℃	(38±1)℃
恒温时间	4h	4h	6h±5min
放置方式	水平/垂直	水平/垂直	水平/垂直
干燥方式	不超过 60℃空气中干燥	不超过 60℃空气中干燥	试样和贴衬分开放置在金属丝网上，恒温恒湿条件下平衡

二、检测仪器与材料

1. 检测仪器

(1) 试验装置：每组试验装置由一个不锈钢架和质量约为 5kg、底部面积为 60mm×115mm 的重锤配套组成；并附有尺寸约 60mm×115mm×1.5mm 的玻璃板或丙烯酸树脂板。当(40±2)mm×(100±2)mm 的组合试样夹于板间时，使组合试样承受 (12.5±0.9) kPa 压力。试验装置的结构应保证试验中移开重锤后，试验所受压力保持不变。

(2) 恒温箱：保持温度在 (37±2)℃。

(3) 分光光度测色仪或色度计。

(4) 天平：精确至 0.01g。

(5) pH 计：精确至 0.1。

(6) 耐腐蚀平底容器。

2. 试剂和材料

(1) 所用试剂分为碱性和酸性两种，为化学纯，用符合 GB/T 6682 的三级水配制试液，现配现用。

① 每升碱性试剂含：

L-组氨酸盐酸盐一水合物 ($C_6H_9N_3O_2 \cdot HCl \cdot H_2O$)	0.5g
氯化钠 (NaCl)	5.0g
磷酸氢二钠十二水合物 ($Na_2HPO_4 \cdot 12H_2O$) 或	5.0g 或
磷酸氢二钠二水合物 ($Na_2HPO_4 \cdot 2H_2O$)	2.5g

用 0.1mol/L 氢氧化钠溶液调节 pH 值至 8.0±0.2。

② 每升酸性试剂含：

L-组氨酸盐酸盐一水合物 ($C_6H_9N_3O_2 \cdot HCl \cdot H_2O$)	0.5g
氯化钠 (NaCl)	5.0g
磷酸氢二钠二水合物 ($Na_2HPO_4 \cdot 2H_2O$)	2.2g

用 0.1mol/L 氢氧化钠溶液调节 pH 值至 5.5±0.2。

(2) 贴衬织物选择以下两种方式之一：①一块符合 GB/T 7568.7 的多纤维贴衬织物；②两块符合 GB/T 7568.1～GB/T 7568.6、GB/T 13765 相应章节的单纤维贴衬织物。第一块用与试样相同的纤维制成，第二块则由表 3-6-2 规定的纤维制成。如试样为混纺或交织品，则第一块用主要含量的纤维制成，第二块用次要含量的纤维制成；或另作规定。

表 3-6-2　单纤维贴衬织物

第一块	第二块	第一块	第二块
棉	羊毛	黏胶纤维	羊毛
羊毛	棉	醋酯纤维	黏胶纤维
丝	棉	聚酰胺纤维	羊毛或棉
麻	羊毛	聚酯纤维	羊毛或棉

三、检测方法与过程

1. 试样准备

(1) 取(100±2)mm×(40±2)mm 试样一块，正面与一块(100±2)mm×(40±2)mm 多纤维贴衬织物相接触，沿一短边缝合，形成一个组合试样。

(2) 取(100±2)mm×(40±2)mm 试样一块，夹于两块(100±2)mm×(40±2)mm 单纤维贴衬织物之间，沿一短边缝合，形成一个组合试样。

(3) 纱线可以编织成织物，按织物制备试样进行试验。在对纱线或散纤维进行试验的情况下，取纱线或短纤维的质量约等于贴衬织物总质量的一半，制备组合试样。

2. 试验过程

(1) 将一块组合试样平放在耐腐蚀平底容器内，注入碱性试液使之完全润湿，试液 pH 值为 8.0±0.2，浴比为 50∶1。在室温下放置 30min，不时拨动，以保证试液充分且均匀地渗透到试样中。倒去残液，用两根玻璃棒夹去组合试样上过多的试液。将组合试样放在两块玻璃板或丙烯酸树脂板之间，然后放入已预热到试验温度的试验装置中，使其所受名义压力为（12.5±0.9)kPa。采用相同的程序将另一组试样置于 pH 值为 5.5±0.2 的酸性试液中浸湿，然后放入另一个已预热的试验装置中进行试验。每台试验装置最多可同时放置 10 块组合试样进行试验，每块试样间用一块板隔开，如少于 10 个试样，仍要使用 11 块板，以保持名义压力不变。

(2) 将带有组合试样的试验装置放入恒温箱内，在（37±2)℃下保持 4h。根据所用试验装置类型，将组合试样呈水平状态（图 3-6-1）或垂直状态（图 3-6-2）放置。

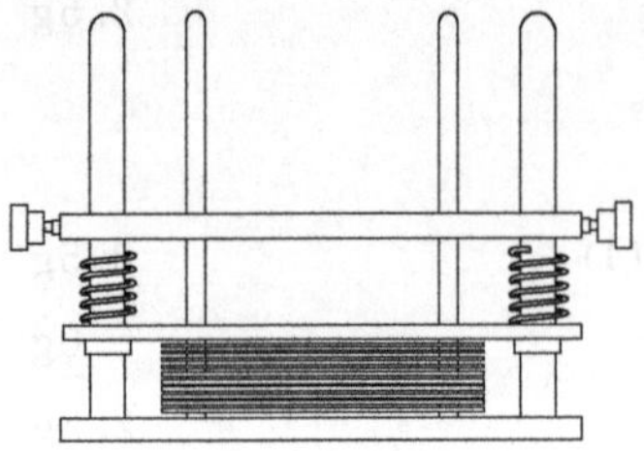

图 3-6-1　水平放置

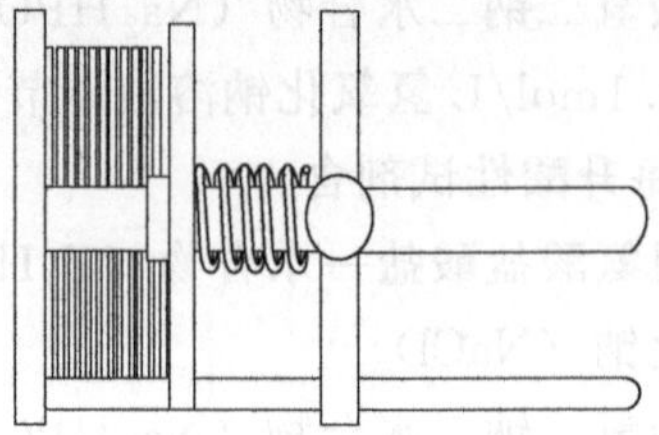

图 3-6-2　垂直放置

(3) 取出带有组合试样的试验装置，展开组合试样使试样和贴衬仅由一条缝线连接（需要时，拆去除一短边外所有的缝线)，悬挂在不超过 60℃的空气中干燥。

3. 评定

用灰色样卡或仪器评定试样的变色和贴衬织物的沾色。对于许多使用含铜直接染料染色的或经铜盐处理后的纤维素纤维，特定试验和自然出汗会引起铜从染色织物上转移。这会引起耐光、耐汗渍或耐洗色牢度的显著改变，建议评级时考虑到这种可能性。

四、相关产品标准

相关产品标准见表 3-6-3。

表 3-6-3　涉及耐汗渍色牢度检测的相关产品标准

产品名称	执行产品标准	产品分类	检测方法标准	耐汗渍色牢度分等要求/级≥		
				优等品	一等品	合格品
针织拼接服装	GB/T 26385—2011	纺织品	GB/T 3922—2013	变色 4 沾色 4	变色 3-4 沾色 3	变色 3 沾色 3
衬衫	GB/T 2660—2017	纺织品	GB/T 3922—2013	变色 4 沾色 4	变色 3 沾色 3	变色 3 沾色 3
针织西服	FZ/T 73056—2016	纺织品	GB/T 3922—2013	变色 4 沾色 4	变色 3-4 沾色 3	变色 3 沾色 3
单、夹服装	FZ/T 81007—2022	纺织品	GB/T 3922—2013	变色 4 沾色 4	变色 3-4 沾色 3-4	变色 3 沾色 3
茄克衫	FZ/T 81008—2021	纺织品	GB/T 3922—2013	变色 4 沾色 4	变色 3-4 沾色 3-4	变色 3 沾色 3

第七节　耐摩擦色牢度测试

在纺织品色牢度质量检验中，耐摩擦色牢度是其中重要的检测项目，其测试结果直接关系到织物整体的色牢度。耐摩擦色牢度模拟的是纺织品在使用过程中受到摩擦力作用后颜色的保持程度，纺织品通过与外界的摩擦引起的掉色对服用性能会造成一定的影响。摩擦色牢度与织物的纤维种类、织物结构、织物的表面光洁度、染色工艺和染料种类等有关。染色织物受到摩擦力作用时，织物上的染料会脱色或掉色，或者染色纤维会脱落，这些脱色或掉落的染料/纤维会粘接在摩擦试验的标准测试白布上。摩擦色牢度根据作用力的种类分为耐干摩擦色牢度和耐湿摩擦色牢度。

目前我国 GB 18401—2010《国家纺织产品基本安全技术规范》已强制实施，其中对纺织品的摩擦色牢度提出很高的要求：A 类纺织品（婴幼儿纺织品）耐干摩擦牢度≥4 级；B 类纺织品（直接接触皮肤的纺织品）耐干摩擦牢度≥3 级；C 类纺织品（非直接接触皮肤的纺织品）耐干摩擦牢度≥3 级。国内耐干摩擦色牢度和耐湿摩擦色牢度适用的标准为 GB/T 3920—2008《纺织品　色牢度试验　耐摩擦色牢度》测试，评定织物的耐摩擦色牢度是看色布经过摩擦后标准白布上的沾色情况。

一、原理及相关标准

1. 原理

将纺织试样分别与一块干摩擦布和一块湿摩擦布摩擦，评定摩擦布沾色牢度。耐摩擦色牢度试验仪通过两个可选尺寸的摩擦头提供了两种组合试验条件：一种用于绒类织物；另一种用于单色织物或大面积印花织物。

2. 相关标准

主要标准有：我国国家标准 GB/T 3920—2008《纺织品　色牢度试验　耐摩擦色牢度》；我国国家标准 GB/T 29865—2013《纺织品　色牢度试验　耐摩擦色牢度　小面积法》；欧洲标准 DIN EN ISO 105-X16：2016《纺织品　色牢度试验 X16 部分　耐摩擦色牢度》；欧洲标准 DIN EN ISO 105-X12：2016《纺织品　色牢度试验 X12 部分　耐摩擦色牢

度》；欧洲标准 DIN EN ISO 105-D02：2016《纺织品　色牢度试验　第 D02 部分　耐摩擦色牢度　有机溶剂法》；国际标准 ISO 105-X12：2016《纺织品　色牢度试验　第 X12 部分　耐摩擦色牢度》；国际标准 ISO 105-D02：2016《纺织品　色牢度试验　第 D02 部分　耐摩擦色牢度　有机溶剂法》；欧洲标准 EN ISO 105-X16：2016《纺织品　色牢度试验　第 X16 部分　耐摩擦色牢度　小面积法》；欧洲标准 EN ISO 105-X12：2016《纺织品　色牢度试验　第 X12 部分　耐摩擦色牢度》。

二、检测仪器与材料

1. 检测仪器

（1）耐摩擦色牢度试验仪，具有两种可选尺寸的摩擦头做往复直线摩擦运动（图 3-7-1）。

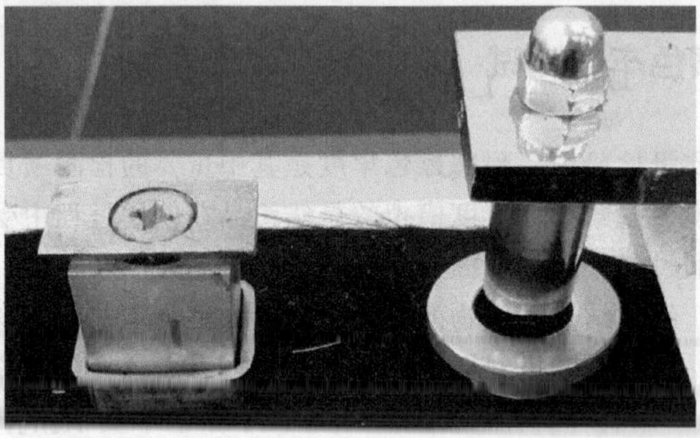

图 3-7-1　长方形摩擦头与圆柱形摩擦头

（2）用于绒类织物（包括纺织地毯）：长方形摩擦表面的摩擦头尺寸为 19mm×25.4mm。摩擦头施加向下的压力为（9±0.2）N，直线往复动程为（104±3）mm。使用直径为（16±0.1）mm 的圆形摩擦头对绒类织物进行试验，在评定对摩擦布的沾色程度时可能会遇到困难，这是由于摩擦布在摩擦圆形区域周边部位会产生沾色严重的现象，即产生晕轮。在对绒类织物进行试验时，使用长方形摩擦头会消除晕轮现象。对绒毛较长的织物，即使使用长方形摩擦头评定沾色时也可能会遇到困难。

（3）其他纺织品：摩擦头由一个直径为（16±0.1）mm 的圆柱体构成，施以向下的压力为（9±0.2）N，直线往复动程为（104±3）mm。

2. 试验材料

（1）耐水细砂纸，或不锈钢丝直径为 1mm、网孔宽为 20mm 的金属网。需注意使用的金属网或砂纸的特性，在其上放置纺织试样试验时，可能会在试样上留下印迹，这会造成错误评级。对纺织织物可优先选用砂纸进行试验，选用 600 目氧化铝耐水细砂纸已被证明对测试是合适的。

（2）棉摩擦布，符合 GB/T 7568.2 的规定，剪成(50mm±2mm)×(50mm±2mm)的正方形用于圆形摩擦头，剪成(25mm±2mm)×(100mm±2mm)的尺寸用于长方形摩擦头。

（3）评定沾色用灰卡，符合 GB/T 251 的规定。需定期对试验操作和设备进行校验，并做好记录。一般使用内部已知试样，做三次干摩擦试验。

三、检测方法与过程

1. 试样准备

(1) 若被测纺织品是织物或地毯，应准备两组尺寸不小于 50mm×140mm 的试样，分别用于干摩擦试验和湿摩擦试验。每组各两块试样，其中一块试样的长度方向平行于经纱(或纵向)，另一块试样的长度方向平行于纬纱 (或横向)。若要求更高精度的测试结果，则可额外增加试样数量。另一种剪取试样的可选方法，是使试样的长度方向与织物的经向和纬向成一定角度。若地毯试样的绒毛层易于辨别，剪取试样时绒毛的顺向与试样长度方向一致。

(2) 若被测纺织品是纱线，将其编织成织物，试样尺寸不小于 50mm×140mm。或沿纸板的长度方向将纱线平行缠绕于与试样尺寸相同的纸板上，并使纱线在纸板上均匀地铺成一层。

(3) 在试验前，将试样和摩擦布放置在 GB/T 6529 规定的标准大气下调湿至少 4h。对于棉或羊毛等织物可能需要更长的调湿时间。

2. 试验过程

(1) 用夹紧装置将试样固定在试验仪平台上，使试样的长度方向与摩擦头的运行方向一致。在试验仪平台和试样之间放置一块金属网或砂纸，以助于减小试样在摩擦过程中的移动。

(2) 干摩擦：将调湿后的摩擦布平放在摩擦头上，使摩擦布的经向与摩擦头的运行方向一致。运行速度为每秒 1 个往复摩擦循环，共摩擦 10 个循环。在干燥试样上摩擦的动程为 (104±3)mm，施以向下的压力 (9±0.2)N。取下摩擦布，调试并除去摩擦布上可能影响评级的任何多余纤维。

(3) 湿摩擦：称量调湿后的摩擦布，将其完全浸入蒸馏水中，重新称量摩擦布以确保摩擦布的含水率达到 95%～100%，然后按照干摩擦进行操作。

注：当摩擦布的含水率可能严重影响评级时，可以采用其他含水率。例如，常采用的含水率为 (65±5)%。用可调节的轧液装置或其他适宜装置可调节摩擦布的含水率。

3. 评定

用灰色样卡评定试样的变色和贴衬织物的沾色。

四、相关产品标准

相关产品标准见表 3-7-1。

表 3-7-1 涉及耐摩擦色牢度检测的相关产品标准

产品名称	执行产品标准	产品分类	检测方法标准	耐摩擦色牢度分等要求/级≥		
				优等品	一等品	合格品
单、夹服装	FZ/T 81007—2022	纺织品	GB/T 3920—2008	干摩擦 4 湿摩擦 3-4	干摩擦 3-4 湿摩擦 3	干摩擦 3 湿摩擦 2-3

续表

产品名称	执行产品标准	产品分类	检测方法标准	耐摩擦色牢度分等要求/级≥		
				优等品	一等品	合格品
茄克衫	FZ/T 81008—2021	纺织品	GB/T 3920—2008	干摩擦 4 湿摩擦 3-4	干摩擦 3-4 湿摩擦 3	干摩擦 3 湿摩擦 3
衬衫	GB/T 2660—2017	纺织品	GB/T 3920—2008	干摩擦 4 湿摩擦 4	干摩擦 3-4 湿摩擦 3-4	干摩擦 3 湿摩擦 3
婴幼儿针织服饰	FZ/T 73025—2019	纺织品	GB/T 3920—2008	干摩擦 4 湿摩擦 3-4	干摩擦 4 湿摩擦 3	干摩擦 4 湿摩擦 2-3
针织拼接服装	GB/T 26385—2011	纺织品	GB/T 3920—2008	干摩擦 4 湿摩擦 3	干摩擦 3-4 湿摩擦 3(深 2-3)	干摩擦 3 湿摩擦 2-3(深 2)

第八节 耐光、汗色牢度测试

近年来，消费者在实际生活中发现，有些纯棉 T 恤等外衣在服用过程中，接触人体易出汗的部位（如背部和衣领等处）经阳光照射后，颜色明显比其他部位浅，或发生颜色改变，其程度与染料应有的耐光色牢度很不一致，这使人们意识到某些染料在汗液存在下的耐光色牢度不同于常规条件下测得的耐光色牢度，从而提出了“耐光、汗复合色牢度”的概念。这种现象在夏季服装方面比较突出，因为在炎热的夏季，当人们着装在户外工作时，往往要大量出汗，服装不仅受到汗液的浸渍，同时也受到烈日的暴晒，这时单项的耐光或耐汗渍色牢度都不能如实地反映夏装色牢度的好坏。在国外，服装销售商也逐渐意识到运动衫及其他户外服装往往比较容易因这两个因素的综合影响而产生褪色，而不只是单项光照或汗液的影响。特别是近年，我国出口大批量棉或涤棉混纺的 T 恤衫或户外服，由于该类产品多为人们在户外运动时所穿着，作为贸易标准，越来越多的国外客户要求对服装面料的耐汗、光复合色牢度指标进行测试。

一、原理及相关标准

1. 原理

将经过人工汗液处理后的试样与蓝色羊毛标样同时放在耐光试验机中，并在规定条件下暴晒。当蓝色羊毛标样的褪色达到终点后，取出试样，用灰色样卡或仪器评定其变色级数。

2. 相关标准

主要标准有：GB/T 14576—2009《纺织品 色牢度试验 耐光、汗复合色牢度》；AATCC 125—2013（E2019）《耐汗光色牢度》；ISO 105-B07：2009《纺织品耐光、汗复合色牢度试验方法》。

二、检测仪器与材料

1. 检测仪器

（1）耐光试验机：符合 GB/T 8427 或 FZ/T 01096 的规定。详见耐光色牢度章节。

（2）天平：精度为0.01g。

（3）pH计：精确到0.01。

2. 试验材料

（1）人工汗液：耐光、汗复合色牢度分为碱性和酸性两种，需用三级水现配现用。

① 每升酸汗液1组分含量如下：

L-组氨酸盐酸盐一水合物（$C_6H_9N_3O_2 \cdot HCl \cdot H_2O$）	0.25g
氯化钠（NaCl）	10g
无水磷酸氢二钠（Na_2HPO_4）	1g
85%乳酸（$CH_3CHOHCOOH$）	1g

溶液的pH值应为4.3±0.2，否则需重新配制。

② 每升酸汗液2组分含量如下：

L-组氨酸盐酸盐一水合物（$C_6H_9N_3O_2 \cdot HCl \cdot H_2O$）	0.5g
氯化钠（NaCl）	5g
磷酸二氢钠二水合物（$NaH_2PO_4 \cdot 2H_2O$）	2.2g

用0.1mol/L氢氧化钠溶液调节pH值至5.5±0.2。

③ 每升碱汗液组分含量如下：

L-组氨酸盐酸盐一水合物（$C_6H_9N_3O_2 \cdot HCl \cdot H_2O$）	0.5g
氯化钠（NaCl）	5.0g
磷酸氢二钠十二水合物（$Na_2HPO_4 \cdot 12H_2O$）	5.0g 或
磷酸氢二钠二水合物（$Na_2HPO_4 \cdot 2H_2O$）	2.5g

用0.1mol/L氢氧化钠溶液调节pH值至8.0±0.2。

（2）评定变色用灰色样卡：符合GB/T 250的规定。

（3）蓝色羊毛标样：符合GB/T 730—2008《纺织品　色牢度试验　蓝色羊毛标样（1～7）级的品质控制》的规定。

（4）防水白板：不含荧光增白。

（5）三级水：符合GB/T 6682的规定。

三、检测方法与过程

1. 试样准备

试样尺寸取决于试样数量及所用耐光试验机试验架的形状和尺寸。试样尺寸不小于45mm×10mm。如试样是织物，应紧附于防水白板上；如试样是纱线，则紧密卷绕于防水白板上，或平行排列固定于防水白板上；如试样是散纤维，则梳压整理成均匀薄层固定于防水白板上。每种汗液对应制备一块试样。

2. 试验过程

（1）称取试样质量，精确至0.01g。

（2）将试样放入一适宜的容器中，加入50mL新配制的汗液。将试样完全浸没于汗液中，室温下浸泡（30±2）min，在此期间对试样稍加搅动，以保证试样完全润湿。

(3) 从汗液中取出试样，去除试样上多余的汗液，称取试样的质量，使其带液率为(100±5)%。

(4) 将浸泡过汗液的试样固定在防水白板上，不遮盖试样。把蓝色羊毛标样固定在另一块白板上，注意不要被汗液浸湿，按规定进行遮盖。

(5) 将固定好的试样和蓝色羊毛标样的白板分别装在试样架上。

(6) 将装有试样的蓝色羊毛标样的试验架置于耐光试验机的暴晒仓内，按照规定的任一个暴晒条件进行暴晒。

(7) 连续暴晒，直至蓝色羊毛标样的变色达到灰卡 4-5 级或由有关各方事先商定的褪色等级，用灰色样卡或仪器评定，暴晒即可终止。

(8) 取出试样，用室温的三级水清洗 1min，然后悬挂在不超过 60℃的空气中晾干。

3. 评定

用灰色样卡或仪器评定试样的变色。

四、相关产品标准

相关产品标准见表 3-8-1。

表 3-8-1 涉及耐光、汗复合色牢度检测的相关产品标准

产品名称	执行产品标准	产品分类	检测方法标准	耐光、汗复合色牢度分等要求/级≥		
				优等品	一等品	合格品
针织运动服	GB/T 22853—2019	纺织品	GB/T 14576—2009	碱性 4	碱性 3-4	碱性 3
针织休闲服装	FZ/T 73020—2019	纺织品	GB/T 14576—2009	碱性 4-5	碱性 3-4	碱性 3-4
针织拼接服装	GB/T 26385—2011	纺织品	GB/T 14576—2009	碱性 4-5	碱性 3-4	碱性 3-4
针织 T 恤衫	GB/T 22849—2014	纺织品	GB/T 14576—2009	碱性 4	碱性 3-4	碱性 3

第四章

服装物理性能检测

第一节　断裂强力和断裂伸长率测试

断裂强力和断裂伸长率的测试主要涉及两个标准方法。其一为 GB/T 3923.1—2013 标准，其规定了采用拆纱条样和剪割条样测定织物断裂强力和断裂伸长率的方法，包括试样在试验用标准大气中平衡或湿润两种状态的试验。该标准适用于机织物，也适用于其他技术生产的织物（如针织物、非织造布、涂层织物及其他类型的纺织织物）。其二为 GB/T 3923.2—2013 标准，其规定了采用抓样测定织物断裂强力的方法，包括试样在试验用标准大气中平衡或湿润两种状态的试验，该标准适用于机织物，也适用于针织物、涂层织物及其他纺织织物。本节主要介绍这两种方法：条样法和抓样法。

一、原理及相关标准

1. 原理

（1）条样法：对规定尺寸的织物试样，以恒定伸长速度拉伸直至断脱。记录断裂强力及断裂伸长率，如果需要，记录断脱强力及断脱伸长率。

（2）抓样法：用规定尺寸的夹钳夹持试样的中央部位，以恒定的速度拉伸试样至断脱，记录断裂强力。

2. 相关标准

主要标准有：我国国家标准 GB/T 3923.1—2013《纺织品　织物拉伸性能　第 1 部分：断裂强力和断裂伸长率的测定（条样法）》；我国国家标准 GB/T 3923.2—2013《纺织品　织物拉伸性能　第 2 部分：断裂强力的测定（抓样法）》。

二、检测仪器与材料

1. 条样法

（1）检测仪器：等速伸长（CRE）型强力试验仪的计量确认体系应符合 GB/T 19022—

2003《测量管理体系　测量过程和测量设备的要求》规定。等速伸长试验仪应具有以下的一般特性：

① 如果使用数据采集电路和软件获得力和伸长率的数值，数据采集的频率应不小于 8 次/s。

② 仪器应能设定 20mm/min 和 100mm/min 的拉伸速度，精度为±10%。

③ 仪器应能设定 100mm 和 200mm 的隔距长度，精度为±1mm。

④ 仪器两夹钳的中心点应处于拉力轴线上，夹钳的钳口线应与拉力线垂直，夹持面应在同一平面上。夹钳面应能握持试样而不使其打滑，不剪切或破坏试样。夹钳面应平整光滑，当平面夹钳夹持试样不能防止试样滑移时，可使用有纹路的沟槽夹钳。在平面或有纹路的夹钳面上可附加其他辅助材料（包括纸张、皮革、塑料和橡胶）以提高试样夹持力。夹钳面宽度至少 60mm，且应不小于试样宽度。

（2）试验材料

① 剪试样和拆除纱线的器具。

② 用于在水中浸湿试样的器具。

③ 符合 GB/T 6682 要求的三级水，用于浸湿试样。

④ 非离子湿润剂。

2. 抓样法

（1）检测仪器。等速伸长试验仪除夹钳外，与条样法设备要求一致。抓样法试验夹持试样面积的尺寸应为(25mm±1mm)×(25mm±1mm)，可使用下列方法之一达到该尺寸：两个夹片尺寸均为 25mm×40mm（建议为 50mm），一个夹片的长度方向与拉力线垂直，另一个夹片的长度方向与拉力线平行；一个夹片尺寸为 25mm×40mm（建议为 50mm），夹片长度方向与拉力线垂直，另一个夹片尺寸为 25mm×25mm。

（2）试验材料

① 裁剪试样的器具。

② 用于在水中浸湿试样的器具。

③ 符合 GB/T 6682 要求的三级水，用于浸湿试样。

④ 非离子湿润剂。

三、检测方法与过程

（一）条样法

1. 试样准备

（1）通则。从每一个实验室样品上剪取两组试样，一组为经向（或纵向）试样，另一组为纬向（或横向）试样。每组试样至少应包括 5 块试样，如果有更高精度的要求，应增加试样数量。按规定取样，试样应距布边至少 150mm。经向（或纵向）试样组不应在同一纬纱上取样，纬向（或横向）试样组不应在同一经纱上取样。

（2）尺寸。每块试样的有效宽度应为 50mm±0.5mm（不包括毛边），其长度应能满足隔距长度 200mm，如果试样的断裂伸长率超过 75%，隔距长度可为 100mm。

(3) 试样准备。对于机织物，试样的长度方向应平行于织物的经向或纬向，其宽度应根据留有毛边的宽度而定。从样条的两侧拆去数量大致相等的纱线，直至试样的宽度符合规定的尺寸。毛边的宽度应保证在试验过程中长度方向的纱线不从毛边中脱出。对于不能拆边纱的织物，应沿织物纵向或横向平行剪切宽度为 50mm 的试样。一些只有撕裂才能确定纱线方向的机织物，其试样不应采用剪切法达到要求的宽度。

(4) 湿润试样准备。如果还需要测定织物湿态断裂强力，则剪取试样的长度应至少为测定干态断裂强力试样的 2 倍。给每条试样的两端编号、扯去边纱后，沿横向剪为两块，一块用于测定干态断裂强力，另一块用于测定湿态断裂强力，确保每对试样包含相同根数长度方向的纱线。根据经验或估计浸水后收缩较大的织物，测定湿态断裂强力的试样的长度应比测定干态断裂强力的试样长一些。试样应放在温度为 20℃±2℃的符合 GB/T 6682 规定的三级水中浸渍 1h 以上，也可用每升含不超过 1g 非离子湿润剂的水溶液代替三级水。

2. 试验过程

(1) 隔距设定。对于断裂伸长率小于或等于 75％的织物，隔距长度为 200mm±1mm；对于断裂伸长率大于 75％的织物，隔距长度为 100mm±1mm。根据表 4-1-1 中的织物断裂伸长率，设定拉伸试验仪的拉伸速度或伸长速率。

表 4-1-1 拉伸速度或伸长速率

隔距长度 L_0/mm	织物断裂伸长率 E/％	伸长速率/(％/min)	拉伸速度/(mm/min)
200	＜8	10	20
200	≥8 且≤75	50	100
100	＞75	100	100

(2) 夹持试样。试样可采用在预张力下夹持，或者采用松式夹持，即无张力夹持。当采用预张力夹持试样时，产生的伸长率应不大于 200mm。如果不能保证，则采用松式夹持。在采用松式夹持方式夹持试样的情况下，在安装试样以及闭合夹钳的整个过程中其预张力应保持低于给出的预张力，且产生的伸长率不超过 2％，计算断裂伸长率所需的初始长度应为隔距长度与试样达到预张力的伸长之和。试样的伸长从强力-伸长曲线图上对应于给出的预张力处测得。如果使用电子装置记录伸长，应确保计算断裂伸长率时使用准确的初始长度。

(3) 采用预张力夹持，根据试样的单位面积质量采用如下预张力：

① ≤200g/m^2：2N；

② ＞200g/m^2 且≤500g/m^2：5N；

③ ＞500g/m^2：10N。

注：断裂强力较低时，可按断裂强力的 (1.0±0.25)％确定预张力。

(4) 测定和记录。在夹钳中心位置夹持试样，以保证拉力中心线通过夹钳的中点。启动试验仪，使可移动的夹持器移动，拉伸试样至断脱。记录断裂强力，单位为牛顿 (N)；记录断裂伸长或断裂伸长率，单位为毫米 (mm) 或百分率 (％)。如果需要，记录断脱强力、断脱伸长和断脱伸长率。记录断裂伸长或断裂伸长率至以下最接近的数值。

① 断裂伸长率＜8％时：0.4mm 或 0.2％；

② 断裂伸长率≥8％且≤75％时：1mm 或 0.5％；

③ 断裂伸长率＞75％时：2mm 或 1％。

3. 结果计算与表示

(1) 分别计算经纬向（或纵横向）的断裂强力平均值，如果需要，计算断脱强力平均值，单位为牛顿（N），计算结果按如下修约：

① ＜100N：修约至 1N；

② ≥100N 且＜1000N：修约至 10N。

③ ≥1000N：修约至 100N。

(2) 按公式(4-1-1) 和公式(4-1-3) 计算每个试样的断裂伸长率，以百分率表示。如果需要，按公式 (4-1-2) 和公式 (4-1-4) 计算断脱伸长率。

预张力夹持试样：

$$E=\frac{\Delta L}{L_0}\times 100\% \tag{4-1-1}$$

$$E_r=\frac{\Delta L_t}{L_0}\times 100\% \tag{4-1-2}$$

松式夹持试样：

$$E=\frac{\Delta L'-L'_0}{L_0+L'_0}\times 100\% \tag{4-1-3}$$

$$E_r=\frac{\Delta L'-L'_0}{L_0+L'_0}\times 100\% \tag{4-1-4}$$

式中 E——断裂伸长率,%；

ΔL——预张力夹持试样时的断裂伸长，mm；

L_0——隔距长度，mm；

E_r——断脱伸长率,%；

ΔL_t——预张力夹持试样时的断脱伸长，mm；

$\Delta L'$——松式夹持试样时的断裂伸长，mm；

L'_0——松式夹持试样达到规定预张力时的伸长，mm；

$\Delta L'_t$——松式夹持试样时的断脱伸长，mm。

(二) 抓样法

1. 试样准备

(1) 通则。从每一个实验室样品上剪取两组试样，一组为经向（或纵向）试样，另一组为纬向（或横向）试样。每组试样至少应包括 5 块试样，如果有更高精度的要求，应增加试样数量。按规定取样，试样应距布边至少 150mm。经向（或纵向）试样组不应在同一长度上取样，纬向（或横向）试样组不应在同一长度上取样。

(2) 尺寸。每块试样的宽度应为 100mm±2mm，长度应能满足隔距长度 100mm。

(3) 试样准备。在每一块试样上沿平行于试样长度方向的纱线画一标记线。该标记线距试样边 38mm，且贯通整个试样长度。

(4) 湿润试验试样与条样法要求一致。

2. 试验过程

(1) 隔距设定。设定拉伸试验仪的隔距长度为 100mm；或经有关各方同意，隔距长度也可为 75mm，精度为±1mm。

（2）设定拉伸速度。设定拉伸试验仪的拉伸速度为 50mm/min。

（3）夹持试样。夹持试样的中心部位，保证试样的纵向中心线通过夹钳的中心线，并与夹钳钳口线垂直，使试样上的标记线与夹片的一边对齐。夹紧上夹钳后，试样靠织物的自重下垂使其平置于下夹钳内，关闭下夹钳。

（4）湿润试验。将试样从液体中取出，放在吸水纸上吸去多余水分后，立即进行试验。

（5）测定和记录。启动试验仪，使可移动的夹持器移动，拉伸试样至断脱。记录断裂强力，单位为牛顿（N）。每个方向至少试验 5 块试样。如果试样在距钳口线 5mm 以内断裂，则记为钳口断裂。当 5 块试样试验完毕，若钳口断裂的数值大于最小的“正常”断裂值，可以保留；如果小于最小的“正常”断裂值，应舍弃，另加试验以得到 5 个“正常”断裂值。如果所有的试验结果都是钳口断裂，或得不到 5 个“正常”断裂值，应报告单值，且不必计算变异系数和置信区间。钳口断裂结果应在试验报告中说明。

3. 结果计算与表示

（1）分别计算经纬向（或纵横向）的断裂强力平均值，单位为牛顿（N）。数字修约与条样法一致。

（2）如果需要，计算断裂强力的变异系数，修约至 0.1%。

（3）如果需要，按公式(4-1-5) 确定断裂强力的 95%置信区间，修约方法同平均值。

$$X-S\times\frac{t}{\sqrt{n}}<\mu<X+S\times\frac{t}{\sqrt{n}} \tag{4-1-5}$$

式中　μ——置信区间；

X——平均值；

S——标准差；

t——由 t 分布表查得，当 $n=5$、置信度为 95%时，$t=2.776$；

n——试验次数。

四、相关产品标准

引用 GB/T 3923.1—2013 的常见产品标准及指标见表 4-1-2；引用 GB/T 3923.2—2013 的常用产品标准及指标见表 4-1-3。

表 4-1-2　引用 GB/T 3923.1—2013 的常见产品标准及指标

<table>
<tr><th>产品</th><th>产品标准</th><th>测试项目</th><th>测试方法</th><th colspan="3">判定指标</th></tr>
<tr><td rowspan="2">手帕</td><td rowspan="2">FZ/T 62003—2015</td><td rowspan="2">断裂强力</td><td rowspan="2">GB/T 3923.1—2013</td><td>优等品</td><td>一等品</td><td>合格品</td></tr>
<tr><td>≥100N</td><td colspan="2">≥80N</td></tr>
<tr><td rowspan="2">毛巾浴巾</td><td rowspan="2">FZ/T 62017—2009</td><td rowspan="2">断裂强力</td><td rowspan="2">GB/T 3923.1—2013</td><td>优等品</td><td>一等品</td><td>合格品</td></tr>
<tr><td>≥220N</td><td colspan="2">≥180N</td></tr>
<tr><td rowspan="2">防静电服</td><td rowspan="2">GB 12014—2019</td><td rowspan="2">断裂强力</td><td rowspan="2">GB/T 3923.1—2013</td><td colspan="2">经向＞780N(单位面积质量≥200g/m²)</td><td rowspan="2">纬向≥390N</td></tr>
<tr><td colspan="2">经向＞490N(单位面积质量＜200g/m²)</td></tr>
<tr><td>中小学生校服</td><td>GB/T 31888—2015</td><td>断裂强力</td><td>GB/T 3923.1—2013</td><td colspan="3">≥200N</td></tr>
<tr><td>丝织物</td><td>GB/T 15552—2015</td><td>断裂强力</td><td>GB/T 3923.1—2013</td><td colspan="3">—</td></tr>
</table>

续表

产品	产品标准	测试项目	测试方法	判定指标						
					航空航海类		列车与汽车、商用类		家用类	
					一等品	二等品	一等品	二等品	一等品	二等品
座椅用毛织品	FZ/T 24005—2010	断裂强力	GB/T 3923.1—2013	经向/N ≥	600	500	600	500	400	350
				纬向/N ≥	500	400	500	400	350	300

表 4-1-3　引用 GB/T 3923.2—2013 的常用产品标准及指标

产品	产品标准	测试项目	测试方法	判定指标	
牛仔服装	FZ/T 81006—2017	断裂强力	GB/T 3923.2—2013	原色产品	
				$339g/m^2$ 以上的织物	经向≥450N,纬向≥300N
				$245\sim339g/m^2$ 的织物	经向≥300N,纬向≥250N
				$245g/m^2$ 以下的织物	经向≥200N,纬向≥150N
				水洗产品	
				$339g/m^2$ 以上的织物	经向≥320N,纬向≥200N
				$245\sim339g/m^2$ 的织物	经向≥250N,纬向≥150N
				$245g/m^2$ 以下的织物	经向≥150N,纬向≥150N

第二节　撕破强力测试

撕破强力是纺织品物理性能测试中经常使用的一种力学性能测试方法，撕破强力的好坏对相关产品性能起到了非常重要的作用。现有撕破强力的测试方法有很多，主要分为冲击摆锤法、裤形试样（单缝）法、梯形试样法、舌形试样（双缝）法。其中，冲击摆锤法和裤形试样（单缝）法主要适用于机织物，本节主要介绍此两种方法。

一、原理及相关标准

1. 原理

（1）冲击摆锤法。试样固定在夹具上，将试样切开一个切口，释放处于最大势能位置的摆锤，可动夹具离开固定夹具时，试样沿切口方向被撕裂，把撕破织物一定长度所做的功换算成撕破力。

（2）裤形试样（单缝）法。夹持裤形试样的两条腿，使试样切口线在上下夹具之间成直线。开动仪器将拉力施加于切口方向，记录直至撕裂到规定长度内的撕破强力，并根据自动绘图装置绘出的曲线上的峰值或通过电子装置计算出撕破强力。

2. 相关标准

主要标准有：GB/T 3917.1—2009《纺织品　织物撕破性能　第 1 部分：冲击摆锤法撕破强力的测定》；GB/T 3917.2—2009《纺织品　织物撕破性能　第 2 部分：裤形试样（单缝）撕破强力的测定》；GB/T 3917.3—2009《纺织品　织物撕破性能　第 3 部分：梯形试样撕破强力的测定》；GB/T 3917.4—2009《纺织品　织物撕破性能　第 4 部分：舌形试样

（双缝）撕破强力的测定》。

3. 定义和术语

（1）撕破强力：在规定条件下，使试样上初始切口扩展所需的力。

（2）撕破长度：从开始施力至终止，切口扩展的距离。

（3）等速伸长试验仪：在整个试验过程中，一只夹具是固定的，另一只夹具做等速运动的一种拉伸试验仪。

（4）隔距长度：试验装置上两个有效夹持线之间的距离。

（5）峰值：在强力-伸长曲线上，斜率由正变负点处对应的强力值。

（6）裤形试样：按规定长度从矩形试样短边中心剪开，形成可供夹持的两个裤腿状的织物撕裂试验试样。

二、检测仪器与材料

1. 冲击摆锤法

（1）摆锤检测仪。试样被夹持在两个夹具之间，一只夹具可动，另一只固定在机架上，摆锤受重力作用落下，移动夹具附在摆锤上，试验时摆锤撕破试样但又不与试样接触。相关设备由以下部位组成。

① 刚性机架：装有摆锤、固定夹具、用于割缝的小刀和测量装置，试验前调节仪器水平和固定位置，防止任何移动。

② 摆锤：抬起摆锤至试验开始位置，并立即释放它，此时摆锤可绕装有轴承的水平轴自由摆动。摆锤的质量可通过附加另外的质量或调换摆锤而改变。

③ 机械或电子设备：测量第一次摆动的最大振幅，其能量用于撕裂试样。撕破力的读数可直接得到，通过仪器提供设零装置。

④ 夹具：移动夹具装在摆锤上，固定夹具装在机架上。为了允许小刀通过，两夹具间必须分开（3±0.5）mm，校准两只夹具的夹持面，使被夹持的试样位于平行摆锤轴的平面内。当摆锤自由悬挂时，两只夹具面必须在同一平面内，垂直于摆锤的摆动面，夹持面的状态和加于夹具的力要使试样被夹持而不打滑。

⑤ 刀片：锋利的小刀开始将两夹具中间的试样切开（20±0.5）mm 的切口。

（2）裁剪试样的设备。裁剪试样最好用中空的冲模或样板，如图 4-2-1 所示。

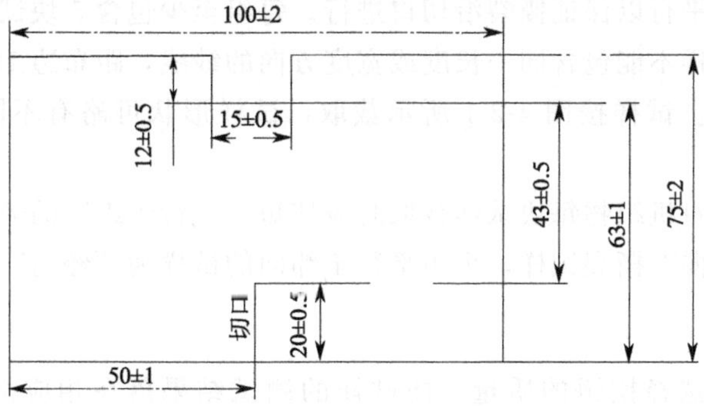

图 4-2-1　试样尺寸图（单位：mm）

2. 裤形试样（单缝）法

（1）等速伸长试验仪，应满足下列技术要求：

a. 拉伸速度可控制在（100±10)mm/min 范围内；

b. 隔距长度可设定为（100±1)mm；

c. 能够记录撕破过程中的撕破强力；

d. 在使用条件下，仪器应符合 GB/T 16825.1 精度要求，在仪器使用范围内的任何一点显示或记录最大撕破强力的误差不得超过±1%，显示或记录的夹具间距误差不得超过±1mm；

e. 若强力和伸长记录是通过数据采集芯片和软件获得，则数据采集频率至少为 8 次/s。

（2）夹持装置。仪器两只夹具的中心点应在拉伸直线内，夹具端线应与拉伸直线成直角，夹持面应在同一平面内。夹具应保证既能夹持住试样而不使其滑移，又不会割破或损坏试样。夹具有效宽度更适宜采用 75mm，但不应小于测试试样的宽度。

（3）裁样装置。所用装置最好是裁样器或样板，裤形试样裁取如图 4-2-2 所示。

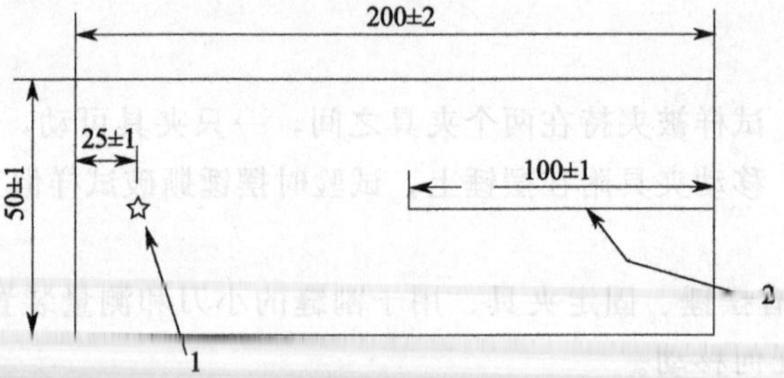

图 4-2-2　裤形试样尺寸（单位：mm）

1—撕裂终点；2—切口

三、检测方法与过程

（一）冲击摆锤法

1. 试样准备

（1）总则。每个实验室样品应裁取两组试验试样，一组为经向，另一组为纬向，试样的短边应与经向或纬向平行以保证撕裂沿切口进行。每组至少包含 5 块试样或符合合同规定的更多试样。每两块试样不能包含同一长度或宽度方向的纱线，距布边 150mm 内不得取样。

（2）形状与尺寸。试样按图 4-2-1 所示裁取，试样形状可略有不同，但撕裂长度保持(43±0.5)mm。

（3）试样裁取。对机织物每块试样裁取时应使短边平行于织物的经纱或纬纱，短边平行于经向的试样为“纬向”撕裂试样，短边平行于纬向的试样为“经向”撕裂试样。

2. 试验过程

（1）仪器调试。选择摆锤的质量，使试样的测试结果落在相应标尺满量程的 15%～85%范围内。校正仪器的零位，将摆锤升到起始位置。

（2）安装试样。试样夹在夹具中，使试样长边与夹具的顶边平行，将试样夹在中心位置，轻轻将其底边放至夹具的底部，在凹槽对边用小刀切一个（20±0.5）mm 的切口，余下的撕裂长度为（43±0.5）mm。

（3）操作。按下摆锤停止键，放开摆锤。当摆锤回摆时握住它，以免破坏指针的位置，从测量装置标尺分度值或数字显示器读出撕破强力，单位为牛顿（N）。每个方向至少重复试验 5 次。观察撕裂是否沿力的方向进行以及纱线是否从织物上滑移而不是被撕裂。满足以下条件的试验为有效试验：a. 纱线未从织物中滑移；b. 试样未从夹具中滑移；c. 撕裂完全且撕裂一直在 15mm 宽的凹槽内。

不满足以上条件的试验结果应剔除。如果 5 块试样中有 3 块或 3 块以上被剔除，则此方法不适用。

3. 结果计算

冲击摆锤法直接测量试验结果，通常以力值来表示织物的抗撕裂性能，单位为牛顿（N）。计算每个试验方向的撕破强力的算术平均值，保留两位有效数字。如有需要，计算变异系数（精确至 0.1%）和 95%的置信区间，保留两位有效数字。

（二）裤形试样（单缝）法

1. 试样制备

（1）总则。每块样品裁取两组试样，一组为经向，另一组为纬向。每组试样应至少有 5 块试样或按协议取更多一些试样。每两块试样不能含有同一根长度方向或宽度方向的纱线。不能在距布边 150mm 内取样。

（2）试样尺寸

① 50mm 宽试样。试样为矩形长条（图 4-2-2），长（200±2）mm，宽（50±1）mm，每个试样应从宽度方向的正中切开，长为（100±1）mm 的平行于长度方向的裂口。在样条中间距未切割端（25±1）mm 处标出撕裂终点。

② 200mm 宽的宽幅试样。按有关各方商议协定可以采用 200mm 宽的宽幅试样进行测试，当窄幅试样不适合或测定特殊抗撕裂织物的撕破强力时推荐使用宽幅试样。GB/T 3917.2—2009 附录 D 中描述了使用宽幅试样测定撕破强力的方法。

（3）试样裁取。对机织物，每个试样平行于织物的经向或纬向作为长边裁取，长边平行于经向的试样为“纬向”撕裂试样，长边平行于纬向的试样为“经向”撕裂试样。

2. 试验过程

（1）仪器设置。将拉伸试验仪的隔距长度设定为 100mm，拉伸速率设定为 100mm/min。

（2）试样的安装。将试样的每条裤腿各夹入一只夹具中，切割线与夹具的中心线对齐，试样的未切割端处于自由状态，整个试样的夹持状态如图 4-2-3 所示。注意保证每条“裤腿”固定于夹具中使撕裂开始时是平行于切口且在撕力所施的方向上，试验不用预加张力。

（3）试验步骤。开动仪器，以 100mm/min 的拉伸速率，将试样持续撕破至试样的终点标记处。记录撕破强力（N），如果想要得到试样的撕裂轨迹，可用记录仪或电子记录装置记录每个试样在每一织物方向的撕破长度和撕破曲线。

观察撕破是否沿所施加力的方向进行以及是否有纱线从织物中滑移而不是被撕裂。满足

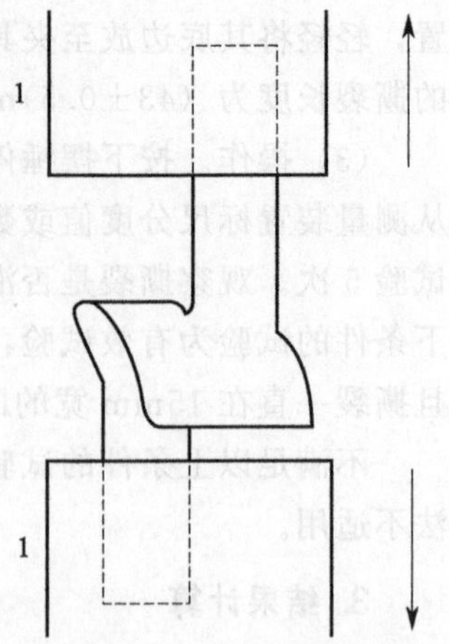

图 4-2-3 试样的夹持

以下条件的试验为有效试验：①纱线未从织物中滑移；②试样未从夹具中滑移；③撕裂完全且撕裂是沿着施力方向进行的。

不满足以上条件的试验结果应剔除：如果 5 个试样中有 3 个或更多个试样的试验结果被剔除，则可认为此方法不适用于该样品。

当窄幅试样不适用或测定特殊抗撕裂织物的抗撕破强力时，GB/T 3917.2—2009 附录 D 中描述了使用宽幅试样测定撕破强力的方法。如果窄幅试样和宽幅试样都不能满足测试需求，可以考虑应用其他方法，如双缝隙舌形试样法或翼形试样法。

3. 结果计算

冲击摆锤法直接测量试验结果，通常以力值来表示织物的抗撕裂性能，单位为牛顿（N）。计算每个试验方向的撕破强力的算术平均值，保留两位有效数字。如有需要，计算变异系数（精确至 0.1%）和 95% 的置信区间，保留两位有效数字，单位为牛顿（N）。

四、相关产品标准

引用 GB/T 3917.1 的冲击摆锤法常见产品标准及指标见表 4-2-1，引用 GB/T 3917.2 的裤形试样（单缝）法常见产品标准及指标见表 4-2-2。

表 4-2-1 引用 GB/T 3917.1 的冲击摆锤法常见产品标准及指标

产品	产品标准	测试方法	判定指标/N					
色织牛仔布	FZ/T 13001—2024	GB/T 3917.1—2009	200g/m² 以下	≥	经向	14	12	12
					纬向	12	10	10
			200～270g/m² 以下	≥	经向	18	15	15
					纬向	16	11	11
			270～339g/m²	≥	经向	24	20	20
					纬向	18	15	15
			339g/m² 及以下	≥	经向	30	25	25
					纬向	24	18	18
色织涤黏混纺布	FZ/T 13011—2024	GB/T 3917.1—2009				优等品	一等品	合格品
			150g/m² 及以下	≥		9.0	7.0	7.0
			150g/m² 以上	≥		15.0	12.0	12.0
棉印染帆布	FZ/T 14001—2024	GB/T 3917.1—2009	<240g/m²	≥	经向	11		
					纬向	9.0		
			240～340g/m²	≥	经向	13		
					纬向	10		
			>340g/m²	≥	经向	20		
					纬向	13		
再生纤维素纤维印染布	FZ/T 14004—2024	GB/T 3917.1—2009	经向	≥		9		
			纬向	≥		7		
涤黏混纺印染布	FZ/T 14005—2024	GB/T 3917.1—2009				优等品	一等品	二等品
			经向	≥		13	11	11
			纬向	≥		11	9	9

续表

产品	产品标准	测试方法	判定指标/N			
				优等品	一等品	二等品
棉涤混纺印染布	FZ/T 14007—2011	GB/T 3917.1—2009	150g/m^2 以上 ≥	11/11	11/9.0	9.0/7.0
			150g/m^2 及以下 ≥	10/10	9.0/7.0	7.0/6.0
服装理化性能的技术要求	GB/T 21295—2024	GB/T 21294—2024;GB/T 3917.1—2009	蚕丝织物 单位面积质量<100g/m^2 的化纤织物 单位面积质量<140g/m^2 的纯棉织物 ≥			7
			其他织物 ≥			10
衬衫	GB/T 2660—2017	GB/T 3917.1—2009	≥7			

表 4-2-2　引用 GB/T 3917.2 的裤形试样（单缝）法常见产品标准及指标

产品	产品标准	测试方法	判定指标/N			
色织棉布	FZ/T 13007—2016	GB/T 3917.2—2009	150g/m^2 及以下			≥7.0
			150g/m^2 以上			≥12.0
蓬盖用维纶本色帆布	FZ/T 13015—2024	GB/T 3917.2—2009	>500g/m^2	经向		≥120
				纬向		≥100
			400～500g/m^2	经向		≥90
				纬向		≥60
			300～400g/m^2	经向		≥45
				纬向		≥40
			≤300g/m^2	经向		≥35
				纬向		≥30
蓬盖用维纶染色防水帆布	FZ/T 14009—2024	GB/T 3917.2—2009	篷布用织物	经向		≥40
				纬向		≥35
			盖布用织物	经向		≥70
				纬向		≥40
精梳毛织品	FZ/T 24002—2006	GB/T 3917.2—2009		优等品	一等品	二等品
			一般精梳毛织品	15.0	10.0	≥10.0
			$70^S/2\times70^S/2$ 及单纬纱 高于等于 $35^S/1$	12.0	10.0	≥10.0
服装理化性能的技术要求	GB/T 21295—2024	GB/T 21294—2024;GB/T 3917.2—2009	蚕丝织物 单位面积质量<100g/m^2 的化纤织物 单位面积质量<140g/m^2 的纯棉织物			≥7
			其他织物			≥10
男西服、大衣	GB/T 2664—2017	GB/T 3917.2—2009	≥10			
女西服、大衣	GB/T 2665—2017	GB/T 3917.2—2009	≥10			
西裤	GB/T 2666—2017	GB/T 3917.2—2009	≥10			

第三节　干洗和水洗尺寸变化率

纺织品水洗和干洗变化率是指衣料经水洗或干洗后，织物发生收缩或伸长的百分率。尺寸变化率与衣料的纤维特性、织物的组织结构和生产加工工艺过程有着密切的关系。各种纤维的吸湿性不一样，吸湿性大的纤维，变化率就大；反之变化率就小。天然纤维如棉、毛、丝、麻的吸湿性相对较大，变化率也大；而涤纶、丙纶等化学纤维吸湿性小，变化率也小。织物结构的紧密、稀松也会影响其变化程度，稀松结构的衣料一般较紧密结构的变化率大。面料在生产过程中，不同的生产工艺对面料或纤维造成的拉伸也会影响纺织品的变化率。变化率直接影响服装造型的稳定性及服装的美观性，从而影响服装的使用和穿着效果。因此，变化率是服装的一个重要的质量考核指标。

一、原理及相关标准

1. 原理

织物试样在规定标准大气中调湿并测量尺寸，试样在水洗或干洗和干燥后，再次调湿；测量其尺寸，计算尺寸变化率，通常表示为原始尺寸变化的百分率，以百分数表示。

2. 相关标准

主要标准有：我国国家标准 GB/T 8629—2017《纺织品　试验用家庭洗涤程序和干燥程序》；我国国家标准 GB/T 8630—2013《纺织品　洗涤和干燥后尺寸变化的测定》；我国国家标准 GB/T 8628—2013《纺织品　测定尺寸变化的试验中织物试样和服装的准备、标记及测量》；我国行业标准 FZ/T 80007.3—2023《使用粘合衬服装耐干洗测试方法》。

二、检测仪器与材料

1. 检测仪器

（1）全自动洗衣机。按照 GB/T 8629—2017 方法中规定，全自动洗衣机分为 A、B、C 型标准，见表 4-3-1。

表 4-3-1　A、B、C 型标准洗衣机

项目	A 型洗衣机	B 型洗衣机	C 型洗衣机
仪器类型	水平滚筒 前门加料型	垂直搅拌 顶部加料型	垂直波轮 顶部加料型
净容积	A1 型 61L A2 型 65L	90.6L	50L
加热系统	5.4kW 恒温控制	无	无
常用洗涤水位	水位高度 100mm	中水位（297mm）	40L
洗涤载荷	总质量（试样＋陪洗物）应为（2.0±0.1）kg		

（2）干洗设备：干洗机一般要分为开启式和全封闭式两种，现在使用比较多的是全封闭式干洗机。使用四氯乙烯或烃类溶剂的全封闭双向转笼式的干洗机，旋转笼的直径在 600～1080mm 之间，深度应不小于 300mm，装有 3～4 个键槽，其转速产生的清洗系数 g 应在 0.5～0.8 之间。（g 系列参数由下式计算：$g=5.6n^2d\times10^{-7}$。其中，n 为旋转频率，r/min；d 为滚筒直径，mm。）

（3）织物干燥设备。

① 烘干设备：全自动翻转烘干机。全自动翻转烘干机规格参数见表 4-3-2。

表 4-3-2　全自动翻转烘干机规格参数

项目	参数	A1 型	A2 型	A3 型
干燥系统	—	通风式	冷凝式	鼓风式
温度控制	自动计时			
输入功率	—	最大 3.5kW	最大 3kW	最大 6kW
烘干速率	100%棉	最小 25mL/min	最小 25mL/min	最小 50mL/min
	棉/聚酯	最小 20mL/min	最小 20mL/min	最小 40mL/min
出风温度	正常	最大 80℃	最大 80℃	最大 80℃
	低温	最大 60℃	最大 60℃	最大 60℃
冷却阶段	最少 5min 或低于 50℃			
额定容量	装载率：1∶15 1∶25(100%棉)	5.3～8.7kg 3.2～5.2kg	5.3～8.7kg 3.2～5.2kg	10.6～13.3kg 6.4～8.0kg

② 平铺晾干或滴干法，使用约 16 目不锈钢筛网干燥架。

2. 试验材料

(1) 试验用水：水的硬度应低于 0.7mmol/L，按 GB/T 7477—1987《水质　钙和镁总量的测定　EDTA 滴定法》判定，以碳酸钙表示。注意，有关各方商定时，可以用低于 2.7mmol/L 的水。

(2) 测量尺寸变化率的仪器：直尺（单位 mm），其长度大于所测量的最大尺寸。

(3) 能精确标记的用具

① 不褪色的黄油笔或织物标记打印器，如有必要，可使用带有测试量格的模板；

② 缝进织物作为标记的细线，其颜色与织物颜色应能形成强烈对比；

③ 在热塑材料上刺小孔作为标记的热金属丝。

(4) 平滑测量台：工作台用于支撑服装，台面须足以放置整个样品。

(5) 电子天平（精确到 0.01g）。

(6) 洗涤剂的选择

① 加酶的含荧光增白剂无磷洗衣粉（又称为 IEC 标准洗涤剂 A）和不加酶的不含荧光增白剂无磷洗衣粉（称为 ECE 标准洗涤剂 98）用于 A 和 B 型；

② 不加酶不含荧光增白剂无磷洗衣粉（称 SDC 标准洗涤剂类型 4）用于 A 型洗衣机；

③ 1993 AATCC 无荧光增白剂标准洗涤剂 WOB 用于 B 型洗衣机；

④ 2003 AATCC 无荧光增白剂标准液体洗涤剂 WOB 和 2003 AATCC 含荧光增白剂标准液体洗涤剂用于 B 型洗衣机；

⑤ 加酶的含荧光增白剂无磷洗衣粉（又称 JIS K3371 类别 1）用于 C 型洗衣机。

(7) 陪洗布的规格见表 4-3-3。

(8) 干洗溶剂

① 四氯乙烯溶剂。四氯乙烯是氯化性化学合成溶剂，沸点 120～122℃，凝固点 −22.0℃，四氯乙烯为有毒物品，必须采取有效的预防措施；如在通风良好的条件下使用，避免用手直接与溶液接触等。

② 烃类溶剂。用于干洗的烃类溶液是脂肪族化合物（C_nH_{2n+2}，$n=10$～12）或同分异构和环状脂肪族化合物，闪点≥38℃，沸点范围在 150～210℃。

表 4-3-3 陪洗布的规格

项目	类型Ⅰ:100%MI 棉型陪洗布	类型Ⅱ:棉 50%/涤 50%型陪洗布	类型Ⅲ:100%涤陪洗布
纱线	34.1/1tex	40/1tex	
纱线结构	平纹织物	平纹织物	聚酯纤维针织物
经向密度	(259±20)根/10cm	(189±20)根/10cm	变形丝
纬向密度	(227±20)根/10cm	(189±20)根/10cm	
织物质量	(188±10)g/m²	(155±10)g/m²	(310±20)g/m²
每片尺寸	[92×92(±2)]cm	[92×92(±2)]cm	[20×20(±4)]cm
每片质量	(320±10)g/m²	(260±10)g/m²	(50±5)g/m²
尺寸变化率（经向和纬向）	±5%	±5%	±5%
水洗陪洗布缝制规格	2 层叠合沿四边缝合	2 层叠合沿四边缝合	4 层叠合沿四边包缝，沿对角线缝纫加固
干洗陪洗布	1. 增重陪试物； 2. 陪试物的尺寸不小于 500mm×500mm； 3. 陪试物由洗净的纺织布片或服装组成，其颜色应为白色或浅色；并由纯毛，或 80%羊毛和 20%棉，或再生纤维组成； 4. 每块布片为两层，沿布边缝合，布片形状为(300±30)mm 的正方形		

三、检测方法与过程

1. 试样准备

（1）取样。应在距布匹端 1m 以上取样，每块试样包含不同长度和宽度上的纱线。裁样之前标出试验的长度方向，样品为衣片或小样时，取样应不少于 3 块。取有代表性试样。

（2）尺寸。裁剪试样，每块至少 500mm×500mm，各边分别与织物经向和纬向方向相平行。如果幅宽小于 650mm，经有关各方商定，可采取全幅试样进行试验。对于较大长度和宽度的纺织制品，按照 GB/T 4666—2009《纺织品 织物长度和幅宽的测定》进行测量。注意如织物在试验中可能脱散，应使用尺寸稳定的缝纫线对试样进行锁边。

（3）调湿。试样放置在按照 GB/T 6529 规定的温度（21±2)℃、相对湿度（65±5)%标准大气中，在自然松弛状态下，调湿至少 4h 或达到恒重（当以 1h 间隔称重，质量的变化不大于 0.25%时，即认为达到恒重)。

（4）面料类样品的标记和测量。将试样放在平滑量台上，在试样的经向和纬向方向上，至少做三对标记。每对标记点之间的距离至少 350mm，标记距离试样边缘应不小于 50mm（图 4-3-1)。使用能精确标记的工具，如带有测量格的模板、缝纫线或订书钉等，对试样进行标记。如果试样幅宽不足 500mm，根据织物宽度，在每块试样的长度方向做至少一对标记点，每对标记之间的间距不小于 350mm。根据标记距试样边，长度方向不小于 50mm，宽度方向不小于 35mm，各对标记相互分开，使测量值能代表整个试样。宽度方向标记距离可根据试样宽度与有关各方协议确定，可采取图 4-3-2 方法进行标记。

（5）服装样品的标记和测量

① 标记。根据服装类型和式样决定，通常可按照产品标准规定进行标记。

a. 测量规定部位之间，最好是接缝之间或接缝交点之间的距离。如有需要，可使用规

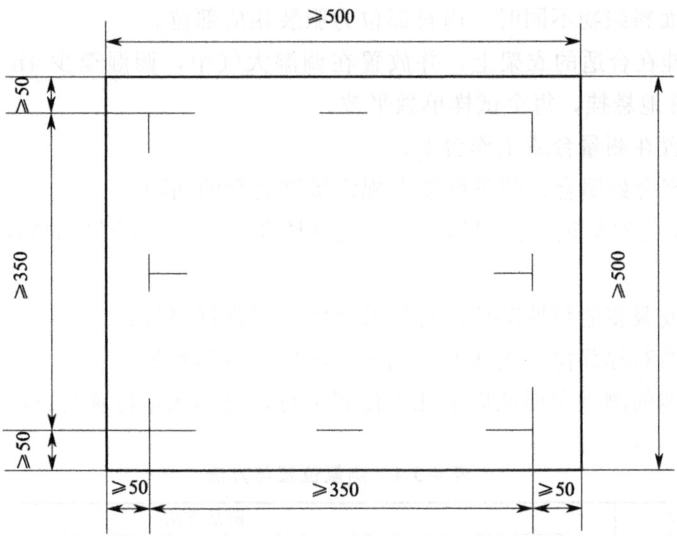

图 4-3-1　织物试样标记举例（单位：mm）

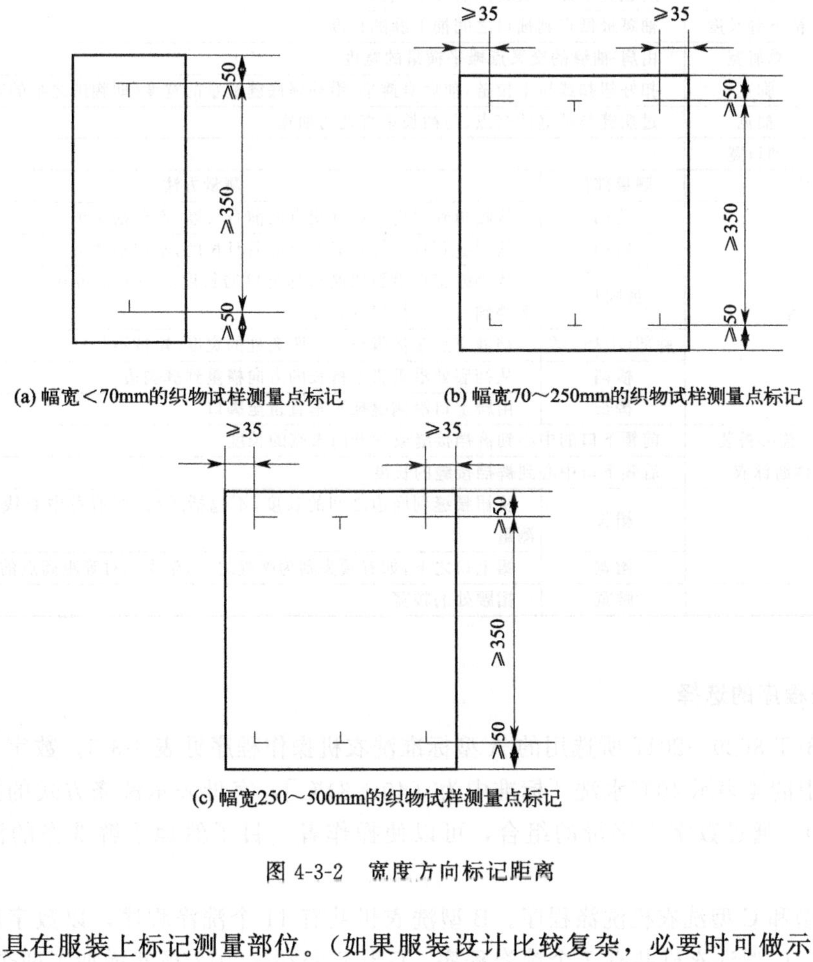

图 4-3-2　宽度方向标记距离

定的标记工具在服装上标记测量部位。（如果服装设计比较复杂，必要时可做示意图表示测量部位。）

b. 当内衬与面料织物不同时，内衬部位为服装相应部位。

c. 将服装悬挂在合适的衣架上，并放置在调湿大气中，调湿至少 4h 或直至达到恒重。如果服装不能正常地悬挂，每个试样单独平放。

d. 将服装放置在测量台或工作台上。

e. 将所有可闭合处闭合，测量服装上规定接缝之间的间距。

f. 用量尺测量每对标记部位间的间距，记录精度为 1mm 或更高的精度。测量时，无必要的拉伸。

g. 弹性服装或服装的弹性部位在自然松弛状态下进行测量。

h. 被检服装的对称部位（例如两只袖子）应作对应的测量。

② 测量。服装的测量主要从以下几个位置进行，具体测量位置与方法见表 4-3-4。

表 4-3-4 测量位置与方法

类别	部位	测量方法
上衣(包括女便服、外衣、睡衣、衬衣和内衣)	领圈长度	服装领口闭合处的领子长度，可以使用合适的领圈模型
	摆缝长	从袖窿最低点到服装底边的垂直距离
	前片衣长	从领肩缝交点垂直到底边的前片长度
	后片衣长	后领缝中点到底边的后片中线长度
	袖下缝长度	袖窿最低点到袖口之间袖下缝的长度
	总肩宽	由肩-袖缝的交叉点摊平横量的宽度
	胸宽	扣好纽扣或拉上拉链，前后身摊平，沿袖窿底缝横量的宽度(即胸围之半的宽度)
	袖宽	过摆缝与袖缝的交点、与袖长垂直处的袖宽
	袖口宽	
类别	**测量部位**	**测量方法**
裤类服装	前裆	从腰缝到腿内侧裆缝交点的前身长度，不包括腰头
	后裆	从腰缝到腿内侧裆缝交点的后身长度，不包括腰头
	裤腿长	从裆缝交点沿腿内侧到裤脚口的长度。如果是短裤，则为从一个裤口经裤裆到另一个裤口的长度
	膝部(中裆)宽	裆缝交点至裤脚口一半距离处的宽度(短裤不测)
	横裆	从裆底处沿垂直于裤长的方向横量到裤侧边
	裤长	由腰上口沿侧缝摊平垂直量至脚口
连衫裤工作装，连衫裤装，工装裤，连体游泳衣		前领下口的中心到裤裆接缝或到开门末端的长度
		后领下口中心到裤裆接缝的长度
裙子	裙长	从裙腰缝到底边之间的长度，不包括腰头，在前身中心线和后身中心线测量
	裙宽	裙上口之下，如有腰头则为腰缝之下，至少三对等距离点的宽度
	腰宽	裙腰处的腰宽

2. 洗涤程序的选择

(1) GB/T 8629—2017 所选用的 A 型标准洗衣机操作程序见表 4-3-5。数字表示水洗温度，如 4N 中的 4 表示 40℃水洗［标准中为（40±3）℃］，字母表示洗涤方式的搅拌剧烈程度（见表注），通过数字＋字母的组合，可以使操作者一目了然地了解洗涤的温度与洗涤方式。

(2) B 型和 C 型洗衣机洗涤程序。B 型洗衣机共有 11 个洗涤程序，以数字序号加字母 B 进行区分。C 型洗衣机共有 7 个洗涤程序。GB/T 8629—2017 虽然增加了两个洗涤程序，但在各个产品标准中，基本使用 A 型洗衣机的洗涤程序。

表 4-3-5 A 型标准洗衣机洗涤程序参数

程序编号	加热、洗涤和漂洗中的搅拌	洗涤				漂洗 1		漂洗 2			漂洗 3			漂洗 4		
		温度	水位	洗涤时间	冷却	水位	漂洗时间	水位	漂洗时间	脱水时间	水位	漂洗时间	脱水时间	水位	漂洗时间	脱水时间
		a	bc	d	f	bc	dg	bc	dg	d	bc	dg	d	b	eg	d
		℃	mm	min		mm	min	mm	min	min	mm	min	min	mm	min	min
9N[h]	正常	92±3	100	15	要[i]	130	3	130	3	—	130	2	—	130	2	5
7N[h]	正常	70±3	100	15	要[i]	130	3	130	3	—	130	2	—	130	2	5
6N[h]	正常	60±3	100	15	不要	130	3	130	3	—	130	2	—	130	2	5
6M[h]	缓和	60±3	100	15	不要	130	3	130	2	—	130	2	2[i]	—	—	—
5N[h]	正常	50±3	100	15	不要	130	3	130	3	—	130	2	—	130	2	5
5M[h]	缓和	50±3	100	15	不要	130	3	130	2	—	130	2	2[i]	—	—	—
4N	正常	40±3	100	15	不要	130	3	130	3	—	130	2	—	130	2	5
4M	缓和	40±3	100	15	不要	130	3	130	2	—	130	2	2[i]	—	—	—
4G	柔和[e]	40±3	130	3	不要	130	3	130	3	1	130	2	6	—	—	—
3N	正常	30±3	100	15	不要	130	3	130	3	—	130	2	—	130	2	5
3M	缓和	30±3	100	15	不要	130	3	130	2	—	130	2	2[i]	—	—	—
3G	柔和[e]	30±3	130	3	不要	130	3	130	3	—	130	2	2[i]	—	—	—
4H	柔和[e]	40±3	130	1	不要	130	2	130	2	2	—	—	—	—	—	—

注：N 正常搅拌：滚筒转动 12s，静止 3s。

M 缓和搅拌：滚筒转动 8s，静止 7s。

G 柔和搅拌：滚筒转动 3s，静止 12s。

H 仿手洗：柔和搅拌，滚筒转动 3s，停顿 12s。

a. 洗涤温度即停止加热温度。

b. 机器运转 1min，停顿 30s 后，自滚筒底部测量液位。

c. 对于 A1 型洗衣机，采用容积法测量更为精准。

d. 时间允差为 20s。

e. 低于设定温度 5℃以下的升温过程不进行搅拌，从低于设定温度 5℃开始升温至设定温度的过程进行缓和搅拌。

f. 冷却：注水至 130mm 水位，继续搅拌 2min。

g. 漂洗时间自达到规定液位时计。

h. 加热至 40℃，保持该温度并搅拌 15min，再进一步加热至洗涤温度。

i. 仅适用于具备安全防护设施的实验室试验。

j. 短时间脱水或滴干。

(3) 水洗洗涤方法。选择标准所规定的标准陪洗物（纯棉，聚酯纤维/棉混纺或纯聚酯纤维织物），确保每桶织物总重为 2kg±50g。洗涤用水为城市用水。经测定，水体硬度为 (140±20)μg/g。整个洗涤过程由洗衣机自动控制。

(4) 干燥方式（根据产品标准和耐久性标签选择干燥方式）

① 悬挂晾干。从洗衣机中取出试样，将每个脱水后的试样展平悬挂，长度方向为垂直方向，以免扭曲变形。试样悬挂在绳、杆上，在自然环境的静态空气中晾干。试样的经向或纵向应垂直悬挂，制成品应按使用方向悬挂。

② 挂干。用夹子夹住试样的两个角，经向朝上挂起，放在室温没有流动风的环境中挂干。

③ 滴干。用夹子夹住试样的两个角，经向朝上挂起，放在室温没有流动风的环境中滴干。

④ 平干。将洗涤好的试样摊平放在筛网上，抹平皱褶，在室温没有流动风的环境中平干。

⑤ 翻滚烘干。

⑥ 烘箱干燥。

(5) 干洗操作程序

① 常规干洗法

a. 按滚筒容积计算总载物量为 $(50\pm2)kg/m^3$，每次试样重量不足部分由陪试织物补充。

b. 经调湿后的试样放入机器笼内。加入含有 1g/L 山梨糖醇酐单月桂酸酯的四氯乙烯（全氯乙烯）或烃类溶剂，其液体比为 $(5.5\pm0.5)L/kg$（负载，溶剂的液面高度为内桶直径的 30%），整个清洗过程中溶剂温度保持在 (30 ± 3)℃。

c. 配制新鲜乳液，按每千克负载加 10mL 去污剂与 30mL 四氯乙烯（全氯乙烯）或烃类溶剂混合，添加 20mL 水并不断搅拌。关闭过滤器电路并启动机器，在 2～12min 时间内，缓缓地将乳液加入机器内桶和外桶，液面高度不超过溶剂高度。

d. 合上开关后，保持机器运转 15min，试验时不使用过滤器回路。

e. 排出溶剂，并用离心法抽取溶剂 2min（至少 1min 为满速抽取）。

f. 在机器中，试样在循环的热空气中翻滚使之烘干，外部温度不超过 60℃，内部温度不超过 80℃；干燥过程结束后，关闭加热装置，降低风速，而负载物则反向在筒内至少旋转 5min，冷却至环境温度。

g. 从机器中立刻取出样品，服装挂在衣架上，衣片或小样铺在平面上。

h. 按照 GB/T 8629—2017 程序 A（悬挂晾干）或自然挥发后，当采用 GB/T 8629—2017 程序 F（烘箱干燥）有争议时，建议采用 GB/T 8629—2017 程序 A（悬挂晾干）。

② 缓和干洗法

a. 载物量为 $(33\pm2)kg/m^3$。

b. 洗涤剂按规定。

c. 机器运转时间按规定降低至 10min。

d. 试验程序按规定将满速抽取时间降低至 1min。

3. 结果表示

(1) 计算尺寸变化百分率

$$D=\frac{X_0-X_t}{X_0}\times100\%$$

式中 D——尺寸变化率，%；

X_0——试样的初始尺寸，mm；

X_t——试样处理后的尺寸，mm。

分别记录每对标记点的测量值，并计算尺寸变化量相对于初始尺寸的百分数、尺寸变化率的平均值，结果按 GB/T 8170—2008 修约到小数点后一位，修约至 0.1%。使用"+"号表示伸长，使用"-"号表示收缩。

(2) 试验报告应包括下述内容：试验名称；取样部位；所采用的洗涤方法；实验室环境条件；测试样品的描述、标识和尺寸；每个测量部位的描述；处理方法的描述；试验结果；注明任何偏离本标准的情况。

四、相关产品标准

在现行使用的服装产品标准中，很多的产品标准中都规定了洗涤方法和干燥方法，其中有一些产品标准中规定的洗涤和干燥方法也很明确清晰（表 4-3-6）。在产品标准没有提供洗涤方法的情况下，可根据类似的产品标准、面料成分或者水洗标准选择测试方法。但是，测试的方法不同，易导致检测结果的差异。

表 4-3-6　不同标准的洗涤和干燥方法

标准编号与产品名称	洗涤方法	干燥方法
FZ/T 73026—2014，针织裙、裙套	洗涤方法按 GB/T 8629—2017 中 4N 程序执行，毛含量≥30%或再生纤维素纤维含量≥50%的产品按 4G 执行，蚕丝含量≥50%的产品或明示“手洗”的产品按“仿手洗”的程序执行。蚕丝含量≥50%的产品采用摊平晾干	
GB/T 2664—2017，男西服、大衣	选用 4G	采用 A 法——悬挂晾干
GB/T 2665—2017，女西服、大衣	选用 4G	采用 A 法——悬挂晾干
GB/T 2660—2017，衬衣	洗涤程序 4N，明示手洗的采用洗涤程序仿手洗	采用 A 法——悬挂晾干
GB/T 2662—2017，棉服装	洗涤程序 4N，明示手洗的采用洗涤程序仿手洗	采用 A 法——悬挂晾干
GB/T 2666—2017，西裤	明示手洗的采用洗涤程序 4H，洗涤程序选用 4G	采用 A 法——悬挂晾干
GB/T 18132—2016，丝绸服装	明示可水洗的采用程序 4G，明示手洗的采用仿手洗	采用 A 法——悬挂晾干
GB/T 22700—2016，水洗整理服装	洗涤程序 4N	采用 A 法——悬挂晾干
FZ/T 73010—2016，针织工艺衫	仿手洗	干燥方法 C——摊平晾干
FZ/T 81006—2017，牛仔服装	洗涤程序 4N	采用转笼翻转干燥，干燥温度为(50±5)℃
FZ/T 81007—2022，单、夹服装	洗涤方法 4N(面料中毛和蚕丝的纤维含量≥50%的成品采用 4G)	采用 A 法——悬挂晾干
FZ/T 81008—2021，茄克衫	洗涤方法 4N(面料中毛和蚕丝的纤维含量≥50%的成品采用 4G)	采用 A 法——悬挂晾干
FZ/T 73025—2019，婴幼儿针织服饰	4N	采用 A 法——悬挂晾干
GB/T 22796—2021，床上用品	4N	采用 A 法——悬挂晾干
FZ/T 73020—2019，针织休闲服装	4N；明示手洗的采用仿手洗	采用 A 法——悬挂晾干
FZ/T 73059—2017，双面穿服装	用 4N 洗涤方法。面料含毛或蚕丝≥50%的成品采用 GB/T 8629—2017 的 4G 程序洗涤。明示“只可手洗”的产品按 GB/T 8629—2017 中“仿手洗”程序执行	面料含毛或蚕丝≥50%的成品采用烘箱烘燥，其他采用悬挂晾干
FZ/T 81001—2016，睡衣套	4G，明示手洗的采用洗涤程序仿手洗	采用 A 法——悬挂晾干
GB/T 23328—2009，机织学生服	未明示	未明示
FZ/T 81010—2018，风衣	未明示	未明示

当产品标准未明示洗涤程序，但注明水洗尺寸变化率按照 GB/T 8629—2017 测试时，具体程序选择建议如下。

1. 建议依据不同纤维特性选择洗涤程序和干燥方法

（1）按 GB/T 8628—2013、GB/T 8629—2017、GB/T 8630—2013 规定，可机洗的成品采用 4N 的洗涤方法，面料含毛或蚕丝≥50％的成品采用 4G 的洗涤方法。洗涤方法明示手洗的产品，按仿手洗程序进行测试。干燥方式采用悬挂晾干。

（2）羊绒松弛织物尺寸按照 FZ/T 70009—2021《毛纺织产品经洗涤后松弛尺寸变化率和毡化尺寸变化率试验方法》执行，洗涤程序采用 4G 洗涤程序，建议平摊恒温（50±5）℃烘干。含毛大于 30％不建议水洗。

（3）以棉、麻成分为主的面料，用轻柔的洗涤方式分开洗涤，洗涤时间不超过 30min；干燥方式采用悬挂晾干。

（4）以化纤成分为主的面料，洗涤温度应控制在 45℃以下，按照 GB/T 8629—2017 规定的、可机洗的建议，采用 4N 洗涤方法，干燥方式采用悬挂晾干。

（5）丝绸产品按 GB/T 18132—2016《丝绸服装》规定执行，洗涤温度建议控制在 30℃以下的温水，蚕丝含量≥50％的产品摊平晾干。建议干洗。

（6）含有氨纶混纺的面料建议洗涤温度应控制在 20～40℃，随着温度的升高，氨纶的弹性会下降，变化率变化大。

（7）含有再生纤维素纤维的产品，洗涤过程中洗液温度掌握在 40℃，再生纤维素纤维含量≥50％的产品建议按程序编号 4G 执行。

2. 建议依据产品使用说明中的洗涤符号选择洗涤程序和干燥方法

一般机洗标识采用 4N 程序，缓和、非常缓和机洗标识采用 4G 程序，手洗标识采用仿手洗 4H 程序。

第四节　黏合衬剥离测试

为改善服装的风格造型和服用性能，常在服装的特殊部位加一层或多层纺织材料，称其为服装衬布。服装衬布发展到现在，已经历了 4 次换代，黏合衬是继毛麻衬（黑炭衬、马尾衬）、塑料衬（硬领衬、赛璐珞衬）、树脂衬之后的第四代服装衬布。黏合衬是通过在基布上均匀涂抹热熔胶而制成，它可在热压条件下与服装面料相黏合。黏合衬因基布、热熔胶和涂布方法的不同，可分为不同的种类，具有不同的性能。黏合衬改变了过去用针线将衬布与面料缝合在一起的手工操作的历史，简化了服装加工工艺，实现了流水作业和机械化大生产，提高了生产效率和服装的性能。

黏合衬有以下特点：以粘接代缝，简化了服装加工工艺，使服装加工更加合理、省力；防止穿着变形，具有加固补强作用，防止因穿着和洗涤而变形，保持服装结构稳定、造型持久；弥补面料某些性能方面的不足，改善服装的服用性能。目前现代服装正在向轻、薄、软、挺、舒适和尺寸稳定方向发展，黏合衬使服装具有造型、保型、加固、保暖等性能。

由于黏合衬的利用，服装质量的高低，除了考虑面料性能、缝制品质等传统项目外，还会涉及如何评价衬布与面料的黏合质量问题。表征黏合质量的指标有：黏合牢度、收缩率、耐洗性、回弹性、硬挺度等，其中最重要的是黏合牢度，将直接影响产品的内在品质。因此，如何科学准确地测试黏合牢度非常重要，检测中反映面料与衬布黏合牢度的指标是剥离强力。剥离强力是使织物与黏合衬布分离所需要的力，是反映面料和黏合衬布黏合牢固程度的综合性指标，也是影响服装产品内在品质的重要指标之一。本文主要介绍使用黏合衬服装剥离强力的测试原理和方法。

一、原理及相关标准

1. 原理

测试剥离强力通常在强力机上进行。测试时，将试样沿夹持线夹于拉力试验机两钳口之间，随着拉力机两夹钳的逐步拉开，试样纬向或经向处的各粘接点开始相继受力，并沿剥离线渐次地传递受力而离裂，直至试样被剥离，根据仪器记录的剥离曲线求得平均剥离强力。

在面料和衬布剥离的过程中，并不是整个黏合面同时受力，当织物断裂强度大于剥离强力，同时黏合衬布是不连续的涂层织物时，其热熔胶分布规律多样，且各粘接点间存在间隙。因此，在粘接胶粒较集中的部位，应克服较大的力才能剥离，在剥开过程中力呈增大趋势，表现在剥离曲线上就是曲线呈上升趋势。当剥离至胶粒较少的间隙处时，力开始减小，即曲线又从上升高处开始下降。因此，用等速牵引型强力机记录黏合试样的剥离的受力情况，可绘出一个由许多波峰和波谷组成的受力曲线。试样在剥离过程中所需力的大小是不断变化的，并且曲线上各峰值的分布比较随机。测试中用剥离曲线的剥离力的平均值来反映剥离强力的大小。

2. 相关标准

主要标准有：我国行业标准 FZ/T 80007.1—2023《使用粘合衬服装剥离强力测试方法》；我国行业标准 FZ/T 01085—2018《粘合衬剥离强力试验方法》。

二、检测仪器与材料

等速伸长型拉力试验机：强力精度为±1.0%，可按照标准要求调节夹钳距离、夹持宽度和移动速度。拉力试验机的两个夹钳的中心点应在同一铅垂线上，夹钳的钳口线应与铅垂线垂直，其夹持线与试样应在一个平面上。夹钳应能夹住试样，使其无法滑动，且试样不能受到明显的损伤。夹钳的夹持宽度不得小于 30mm，夹持面应平整光滑。

三、检测方法与过程

1. 试样准备

成品取样至少为 1 件，以面料经、纬向决定试样经、纬向。在服装覆有黏合衬的部位任意取样。使用不同黏合衬的部位，经、纬向各取 3 块，尺寸为 150mm×25mm。试样按 GB/T 6529 规定的条件进行调湿处理，在试样一端以手工分离二层织物，各剥离点应在同一直线上。

2. 试验过程

（1）参数设置。将拉力试验机的上、下夹钳之间的距离调节为 50mm，牵引速度调节为（100±5）mm/min。通过少量的预备试验来选择适宜的强力范围。已有经验数据的产品，则可以免去预测程序。

（2）将试样的面料端与黏合衬端分别夹在拉力机的上、下夹钳，使剥离线位于两夹钳中点处，且试样的纵向轴与仪器夹头加持样品的夹持面成直角。

（3）开启拉力机，记录拉伸 100mm 内的各个峰值。如试样从夹钳中滑出，或在剥离口延长线上呈不规则断裂等原因，导致试验结果有显著变化时，应剔除此次试验数据，并在原样上重新取样试验。

3. 试验结果

（1）测定 100mm 剥离长度内的平均剥离强力，至少取五个最高和最低峰值（图 4-4-1）的平均值作为一块面料的剥离强力。分别计算 3 块经、纬向的平均剥离强力，结果按 GB/T 8170 修约至小数点后一位。

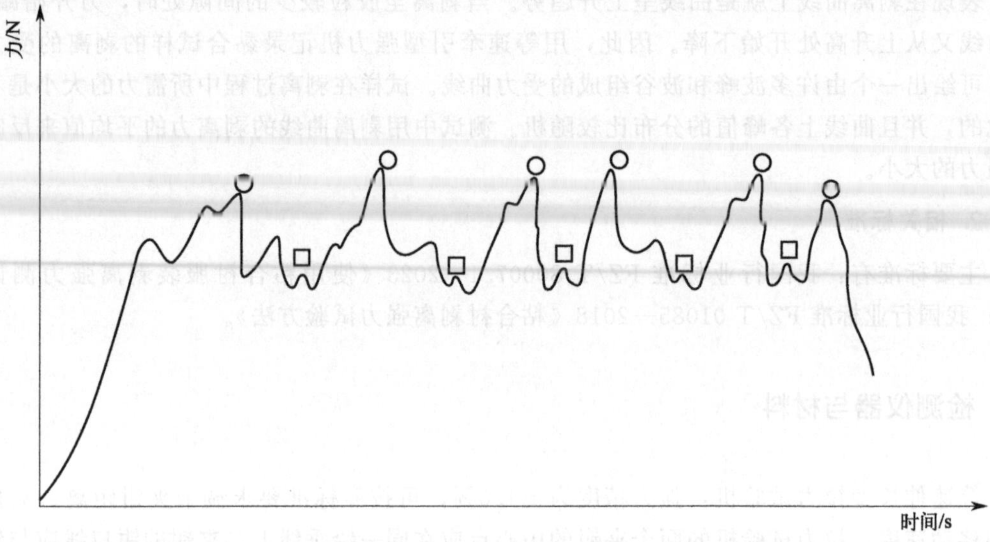

图 4-4-1　剥离曲线示意图

□—极小峰值；○—极大峰值

（2）试验过程中可能出现异常现象，如试验中发生黏合衬经纱或纬纱断裂现象，则称为黏合衬撕破现象。此撕破现象发生在一个试样时，则应剔除该试样结果。若两个及两个以上试样均发生撕破现象，则试样的剥离强力应记为“黏合衬撕破”。

四、相关产品标准

不同产品对黏合衬的测试方法标准及相关要求见表 4-4-1。

表 4-4-1 不同产品对黏合衬的测试方法标准及相关要求

标准编号与产品名称或要求	引用方法标准	限值
GB/T 21295—2024，服装理化性能的技术要求	FZ/T 80007.1—2023	≥6N 只考核上衣的领子和大身部位，且不考核复合、涂层、粗纺毛织物产品的剥离。黏合衬如在试验中无法剥离则不考核此项目
FZ/T 81007—2022，单、夹服装	FZ/T 80007.1—2023	优等品、一等品、合格品均≥6N 只考核上衣的领子和大身部位，且不考核复合、喷涂面料的剥离，非织造布黏合衬如在试验中无法剥离则不考核此项目
FZ/T 81004—2022，连衣裙、裙套	FZ/T 80007.1—2023	优等品、一等品、合格品均≥6N 只考核上衣的领子和大身部位，且不考核复合、喷涂面料的剥离，非织造布黏合衬如在试验中无法剥离则不考核此项目
FZ/T 81010—2018，风衣	GB/T 21295—2024	
GB/T 2665—2017，女西服、大衣	FZ/T 80007.1—2023	优等品、一等品、合格品均≥6N 不考核无纺衬
GB/T 2662—2017，棉服装	GB/T 21295—2024	
GB/T 2664—2017，男西服、大衣	FZ/T 80007.1—2023	优等品、一等品、合格品均≥6N 不考核无纺衬
GB/T 22703—2019，旗袍	GB/T 21295—2024	
FZ/T 81018—2014，机织人造革服装	GB/T 21294—2024 FZ/T 80007.1—2023	优等品、一等品、合格品均≥12N 建议：试验中无法剥离则不考核此项目
FZ/T 81008—2021，茄克衫	FZ/T 80007.1—2023	优等品、一等品、合格品均≥6N 上衣的领子和大身部位，如在试验中无法剥离则不考核此项指标

注：1. 部分产品标准对于非织造黏合衬不考核，但是还有部分产品按标准要求考核非织造黏合衬（这部分产品标准仅仅为非织造衬布在试验过程中无法剥开时不考核），这一点需要注意。

2. 建议不论是非织造黏合衬还是织造黏合衬，如在试验过程中出现无法剥开的情况都不考核此项目。

第五节 接缝性能测试

纺织面料间通过缝纫线连接的部位称为接缝或缝口，接缝性能的好坏直接影响产品的整体外观和内在品质。接缝性能主要包括接缝处纱线抗滑移性能和接缝拉伸性能。接缝拉伸性能是指织物的接缝在受到外力拉伸、冲顶或膨胀作用时抵抗外力作用的性能，接缝处纱线抗滑移性能在机织（梭织）面料的产品中进行考核。面料或者成衣，由于揉搓、拉伸或摩擦等外力作用，织物接缝处易出现纬（经）纱在经（纬）纱上的移动，致使缝口脱开形成稀缝或裂口，织物抵抗这种滑移破坏的性能称为接缝处纱线抗滑移性能（简称接缝滑移性能）。在服装上常见的纰裂表现形式有两种，即缝纫纰裂和摩擦纰裂。缝纫纰裂是指发生在服装的肩胛缝口、肋下缝口、侧缝口、直缝口等部位的纰裂，摩擦纰裂是指发生在裤子臀部、腿膝部及衣服胳膊肘部等平面部位的纰裂。现有服装的产品标准主要考核缝子的缝纫纰裂。

一、原理及相关标准

1. 原理

对于服装产品，则依照产品标准规定的方法测试缝口纰裂程度。其测试原理类似定负荷拉伸强力，即在规定拉伸负荷下测定缝口的纱线滑移量。具体而言，是在垂直于服装（或缝制样）接缝的方向上施加一定的负荷，使接缝处的纱线滑脱，测量其脱开的最大距离。当出现织物断裂、滑脱、缝纫线断裂等现象时，记录此现象作为测试结果。常用的测试方法有定滑移量法、定负荷法、摩擦法、针夹法，其原理如下。

（1）定滑移量法。将试样用夹持器具夹持好，使用拉伸试验仪分别对同一个试样的缝合部分和未缝合部分进行拉伸，将试样缝合部分和未缝合部分的两条伸长曲线记录在同一坐标图上。在伸长轴上找到规定的滑移量，这一点在两曲线上的力值差就是试样的滑移阻力。定滑移量法以滑移阻力表征测试结果。

（2）定负荷法。将一块长方形试样沿其宽度方向折叠后缝合，再沿折线剪开，将试样用夹持器夹持在拉伸试验仪上，沿织物长度方向进行定负荷拉伸，测量定负荷下缝口处的纱线滑移量。定负荷法以滑移量表征测试结果。

（3）摩擦法。在一定预加张力下将试样夹持在一对摩擦辊之间，在两摩擦辊间施加规定的压力值，摩擦辊以规定的速度与试样之间发生相对单向摩擦，织物中的纱线在摩擦力作用下会发生位置滑移。试样经过规定的摩擦次数后，摩擦区的纱线发生的滑移距离就是滑移量。摩擦法以滑移量表征测试结果。

（4）针夹法。将试样夹持在拉伸试验仪的上下两个夹持器中，一端夹持在普通夹具中，另一端由针排夹具垂直于试样平面，插入方式固定，采取定负荷拉伸试样的方式进行试验，并记录力的伸长曲线，与上下夹持器均为普通夹具试样的伸长曲线进行对比。在施加固定负荷时两曲线间伸长量的差异，就是滑移量。针夹法以滑移量表征测试结果。

2. 相关标准

主要标准有：GB/T 13772.1—2008《纺织品　机织物接缝处纱线抗滑移的测定　第1部分：定滑移量法》；GB/T 13772.2—2018《纺织品　机织物接缝处纱线抗滑移的测定　第2部分：定负荷法》；GB/T 13772.3—2008《纺织品　机织物接缝处纱线抗滑移的测定　第3部分：针夹法》；GB/T 13772.4—2008《纺织品　机织物接缝处纱线抗滑移的测定　第4部分：摩擦法》。

二、检测仪器与材料

（1）电子织物强力机：具有指示或记录施加于试样上使其拉伸直至破坏的最大力的功能，可按照标准要求调节夹钳距离、夹钳无载荷时移动速度、预加张力、夹钳对试样的有效夹持面积、负荷等参数。

（2）游标卡尺：精度为 0.02mm。

（3）钢直尺：精度为 0.5mm。

三、检测方法与过程

1. 试样准备

（1）取样。对于不同标准的产品，其纰裂的测试部位和方法有差异，部分产品标准上直接规定了具体的测试方法，个别产品按照标准 GB/T 21294—2024《服装理化性能的检验方法》或 FZ/T 20019—2006《毛机织物脱缝程度试验方法》的规定执行。对于有产品执行标准的织物，在服装产品上取样或者依产品标准缝制后取样，取经向、纬向各 3 块试样进行测试。不同的样品根据其用途，适用于不同的测试方法测试其接缝性能。其中，以定负荷法为原理的测试方法较为常用。下面重点介绍以服装纰裂为主的定负荷测试方法，由于大部分服装产品标准将缝子纰裂的具体测试方法详细地列在每一个产品标准中，所以笔者在此将一些常见产品标准的缝子纰裂的测试方法列在表 4-5-1 中。

(2) 准备。接缝滑移性能测试的试样制备要求按照表 4-5-1 进行，接缝滑移性能测试的缝纫规格按照表 4-5-2 执行。对于应用产品标准测试的未缝制面料，建议根据具体产品生产工艺制备样品进行检测。为保证测试数据的准确性和可溯源性，试样应注意以下几点：①严格按照产品具体裁剪工艺准备面料；②使用与实际生产相同的缝纫线和缝纫针及针迹密度；③采用与实际生产中相一致的缝制工艺（如单缝、双缝、包边等）；④样品制备的量不应过少，否则难以保证测试结果的客观性。

表 4-5-1 接缝滑移性能测试的试样制备要求

样品	标准编号	制备方法
未缝制面料	GB/T 13772.2—2018	(1)试样尺寸 200mm×100mm，经纬各 5 块，短边平行于经纱或纬纱；(2)试样正面朝内对折，折痕平行于宽度方向，在距折痕 20mm 处缝制一条直形缝迹，缝迹平行于折痕线；(3)在折痕端距缝迹线 12mm 处剪开试样
未缝制面料	GB/T 21294 或 FZ/T 20019 或 相关产品标准 FZ/T 81007	根据相关产品标准制样，试样尺寸为 50mm×200mm，经纬各 3 块，短边平行于经纱或纬纱，其他要求同上
缝制面料		根据相关产品标准制样，试样尺寸 50mm×200mm，经纬各 3 块
成衣		根据相关产品标准，对需测试部位剪样测试，如摆缝、袖缝、后背缝、裤侧缝等；试样尺寸为 50mm×200mm(FZ/T 20019 为 175mm×100mm)；每个部位至少测试 2 块试样

表 4-5-2 接缝滑移性能测试的缝纫规格

检测标准	织物分类		缝纫线线密度/tex	缝针规格		针迹密度/(针/100mm)
				公制机针号数	直径/mm	
GB/T 13772 系列标准	服用织物		100%涤纶包芯纱(长丝芯，短纤包覆)45±5	90	0.90	50±2
	装饰用织物		100%涤纶包芯纱(长丝芯，短纤包覆)74±5	110	1.10	32±2
FZ/T 20019	服用织物	≤220g/m^2	棉丝光线 9.7×3	75	0.75	56
		>220g/m^2	棉丝光线 16.2×3	90	0.90	
	装饰用织物		棉丝光线 16.2×3	90	0.90	

注：用放大装置检查缝针确保其完好无损；公制机针号 75 相当于习惯称谓的 11 号，90 相当于习惯称谓的 14 号，110 相当于习惯称谓的 18 号。缝合装饰用织物是用圆形缝针。

(3) 调湿。按标准要求取样后，在温度 20℃±2℃、湿度（65±4）%的环境下调湿 24h。

2. 试验过程

(1) 仪器参数设置。选用“缝脱”夹具，有效夹持面积 25mm×25mm，夹钳距离 100mm±1mm，拉伸速度 50mm/min，预加张力 2N。以产品标准为测试依据的测试过程的定负荷值详见表 4-5-3。

(2) 试样夹持。将试样固定在夹钳中间（预加张力为 2N），使试样直向中心线与夹钳边缘相互垂直（缝迹线位于两夹钳中间）。以 50mm/min 的拉伸速度逐渐增加至规定负荷，或未达到最大负荷而试样伸长率达到 30%时，停止夹钳的移动，然后在试样上垂直量取其接缝脱开的最大距离（图 4-5-1）。若测试过程中出现纱线从试样中滑脱，织物断裂、撕裂或缝线断裂现象，在原始记录中予以描述。

表 4-5-3　接缝滑移性能测试的负荷要求

测试标准编号	测试数量	织物分类	定负荷值/N	结果
GB/T 13772.2—2018	5 经 5 纬	服用织物≤55g/m²	45	分别计算经纱滑移与纬纱滑移平均值，修约至最接近的 1mm
		服用织物≤220g/m²，且>55g/m²	60	
		服用织物>220g/m²	120	
		装饰用织物	180	
FZ/T 20019—2006	3 经 3 纬	服用织物≤140g/m²	59	分别计算经纱滑移与纬纱滑移平均值，修约至最接近的 0.5mm
		服用织物≤220g/m²，且>140g/m²	78	
		服用织物>220g/m²	118	
		装饰用织物	176	

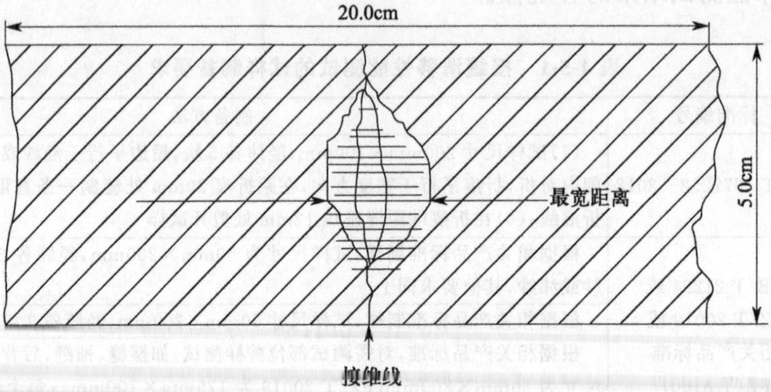

图 4-5-1　纰裂试验示意图

3. 试验结果

（1）分别计算各测试结果的算术平均值，计算结果按 GB/T 8170—2008 修约至 1mm 或 0.5mm（不同产品标准规定有所不同）。

（2）在检测过程中不可避免会出现滑脱、织物断裂、缝线断裂等异常现象。其中，滑脱（绽线）是指在缝合处，由于纱线滑移而使至少 1 根纱线从原来的线缝中滑脱出来。织物断裂是指由于拉伸作用使织物中纱线在接缝或其他部位断裂。缝线断裂是指因拉伸作用而使连接面料的缝纫线断裂。若 3 块试样中仅有 1 块出现滑脱、织物断裂或缝线断裂现象，则计算另外 2 块试样的平均值。若 3 块试样中有 2 块以上出现滑脱、织物断裂或缝线断裂现象，则结果为滑脱/缝线滑脱、织物断裂或缝线断裂/缝纫线断裂。

四、相关产品标准

多数机织服装产品标准要求缝子纰裂程度不大于 0.6cm，按如下原则判定：若样品在试验中未出现异常现象，试验结果应根据产品标准限值进行判定，例如 FZ/T 81007—2022 单、夹服装中要求纰裂不大于 0.6cm；若样品试验结果为经向 0.3cm、纬向 0.9cm，则纬向已大于 0.6cm，因此判定该样品纰裂项目为不合格；若样品在试验中出现产品标准中规定的异常现象，试验结果应根据产品标准相关规定进行判定；若样品在试验中出现产品标准中未提及的异常现象，建议相关双方进行协商后作出判定，或不作判定仅出示试验结果和数据。

第六节　耐磨性能测试

日常生活中，人们穿着的服装会出现很多种损坏的情况，最常见的就是磨损，从而直接影响了服装的服用性能。根据服用织物的实际情况，不同部位的磨损情况不同，测试织物的耐磨试验仪器的种类和形式也很多，大体可分为平磨、曲磨和折磨三类。本节主要介绍使用马丁代尔耐磨试验仪的试样破损测定方法。

一、原理及相关标准

1. 原理

安装在马丁代尔耐磨试验仪试样夹具内的圆形试样，在规定的负荷下，以轨迹为李莎茹(Lissajous，又译李萨如、利萨如）图形的平面运动与磨料（即标准织物）进行摩擦，试样夹具可绕其与水平面垂直的轴自由转动。根据试样破损的总摩擦次数，确定织物的耐磨性能。

2. 相关标准

主要标准有：GB/T 21196.1—2007《纺织品　马丁代尔法织物耐磨性的测定第 1 部分：马丁代尔耐磨试验仪》；GB/T 21196.2—2007《纺织品　马丁代尔法织物耐磨性的测定第 2 部分：试样破损的测定》；GB/T 21196.3—2007《纺织品　马丁代尔法织物耐磨性的测定第 3 部分：质量损失的测定》；GB/T 21196.4—2007《纺织品　马丁代尔法织物耐磨性的测定第 4 部分：外观变化的评定》；GB/T 21295—2024《服装理化性能的技术要求》；FZ/T 81006—2017《牛仔服装》。

3. 定义与术语

试样破损：当试样出现机织物中至少两根独立的纱线完全断裂；针织物中一根纱线断裂造成外观上的一个破洞；起绒或割绒织物表面绒毛被磨损至露底或有绒簇脱落；非织造布上因摩擦造成的孔洞，其直径至少为 0.5mm；涂层织物的涂层部分被破坏至露出基布或有片状涂层脱落时作为摩擦终点，即为试样破损。

二、检测仪器与材料

（1）检测仪器与材料应符合 GB/T 21196.1 的规定，对于涂层织物应选用 No.600 水砂纸作为标准磨料。

（2）放大镜或显微镜，例如 8 倍放大镜。

三、检测方法与过程

1. 试样准备

（1）取样前将试验室样品在松弛状态下置于平整的、空气流通的平面上，在标准规定的标准大气中放置至少 18h。平衡后，距布边至少 100mm 处取样，取样要求在整幅实验室样品上剪取足够数量的试样，一般至少 3 块。对机织物，所取的每块试样应包含不同的经纱或纬纱。对提花织物或花式组织的织物，应注意试样包含图案各部分的所有特征，保证试样中包括有可能对磨损敏感的花型部位，每个部分分别取样。

(2) 试样直径应为 (38.0±0.5)mm。辅助材料磨料的直径或边长应至少为 140mm，磨料机织羊毛毡底衬的直径应为 (140±0.5)mm。试样夹具泡沫塑料衬垫的直径应为 (38.0±0.5)mm。

(3) 特殊织物试样准备

① 弹性织物。含有弹性纤维的织物按以下步骤准备试样。剪切或模切尺寸为 60mm×60mm 的正方形试样，试样边平行于针迹或纱线。调湿试样并将摩擦面朝下放在尺寸为 45mm×45mm 的方形试验台上。试样的四边突出于方形台，每边夹一个夹口长度为 30mm 的夹子，每个夹子挂一个配重块（挂重物时注意不使试样伸长）。将 4 个配重块放在可降低的托架上。每个配重块与夹子的总质量应为 100g。连续快速地降低和升起托架（配重块也随之升降）三次，试样在 4 个配重块负荷的作用下伸长三次，然后释放负荷。再次降低托架，给试样重新施加负荷使其伸长。在这种状态下，在拉伸试样上压一个尺寸为 50mm×50mm，粘接有双面胶带，其中心有一直径为 30mm 孔的方形薄片，并用胶条将其固定。再次升起托架，取下试样上的配重块，从安装装置上取下试样，模切用于磨损试验的、直径为 38mm 的试样。应当注意，要准确地对准薄片上直径为 30mm 的孔，使得模切试样在稍拉伸的状态下，被一个 4mm 宽的环形薄片固定。为了防止圆圈粘接区域散开，切下试样后立即将其安装在试样夹具内。见图 4-6-1。

② 灯芯绒织物和起绒织物。单位面积质量大于或等于 500g/m²，不需要衬垫进行试验的灯芯绒和起绒织物，按以下方法预处理试样。

将一块直径或边长为 140mm 的实验室样品反面朝上安装在磨台的毛毡衬上，将一块尺寸为 (38.0±0.5)mm 的磨料连同泡沫塑料装在试样夹具内。对服用织物，在 595g 摩擦负荷下，摩擦织物反面 1000 次。对家具织物，在 795g 摩擦负荷下，摩擦织物反面 4000 次。完成规定的摩擦次数。

根据灯芯绒或起绒织物的结构或质量的不同，在预处理过程中会产生轻微或明显的绒毛损失，这将影响是否还需要继续试验。如果继续进行正常磨损试验，在试验报告中，需要记录预处理后的任何显著变化。如果绒毛损失明显，例如织物正面外观变化超过约定的限度，或织物经摩擦预处理后的质量损失超过极限值（以克或百分率表示），应经委托方同意后采取相应措施。

起绒或割绒织物以表面绒毛被磨损至露底或有绒簇脱落为终点。

(4) 试样及辅料准备和安装

① 准备。从样品上模压或剪切试样，要特别注意切边的整齐状况，以避免在下一步处理时发生不必要的材料损失。以相同的方式准备磨料织物、毛毡和泡沫塑料辅助材料。

② 试样安装。将试样夹具压紧螺母放在仪器台的安装装置上，试样摩擦面朝下，居中放在压紧螺母内。当试样的单位面积质量小于 500g/m² 时，将泡沫塑料衬垫放在试样上。将试样夹具嵌块放在压紧螺母内，再将试样夹具接套放上后拧紧。

③ 磨料安装。移开试样夹具导板，将毛毡放在磨台上，再把磨料放在毛毡上。放置磨料时，要使磨料织物的经纬向纱线平行于仪器台的边缘。将质量为 (2.5±0.5)kg、直径为

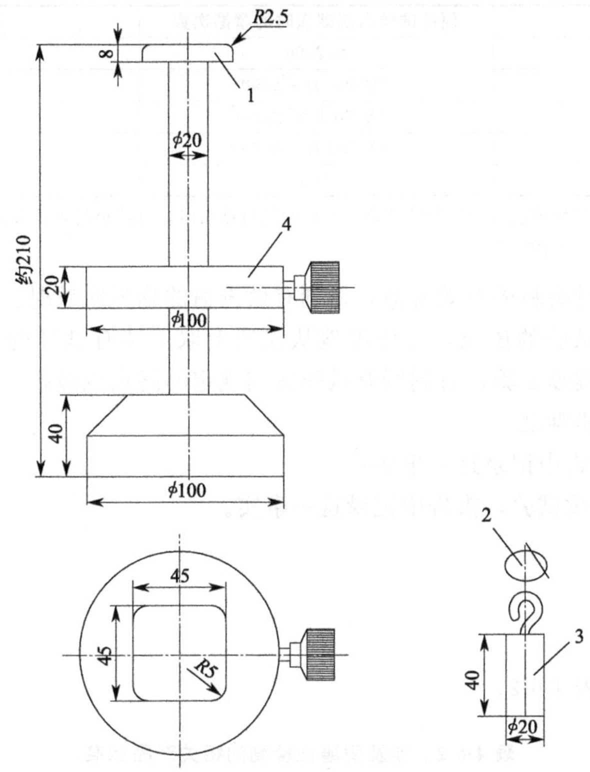

图 4-6-1　易伸长织物的安装装置（单位：mm）

1—试验台；2—夹子；3—配重块；4—可升降托架

(120±10)mm 的重锤压在磨台上的毛毡和磨料上面，拧紧夹持环，固定毛毡和磨料，取下加压重锤。

(5) 辅料的有效寿命。每次试验需更换新磨料。如在一次磨损试验中，羊毛标准磨料摩擦次数为每 50000 次更换一次磨料，水砂纸标准磨料摩擦次数为每 6000 次更换一次磨料。每次磨损试验后，检查毛毡上的污点和磨损情况。如果有污点或可见磨损，更换毛毡，毛毡的两面均可使用。对使用泡沫塑料的磨损试验，每次试验时使用一块新的泡沫塑料。

2. 试验过程

(1) 耐磨仪的准备。安装试样和辅助材料后，将试样夹具导板放在适当的位置，准确地将试样夹具及销轴放在相应的工作台上，将耐磨试验规定的加载块放在每个试样夹具的销轴上。

(2) 试验步骤。启动仪器，对试样进行连续摩擦，直至达到预先设定的摩擦次数。从仪器上小心地取下装有试样的试样夹具，不要损伤或弄歪纱线，检查整个试样摩擦面内的破损迹象。如果还未出现破损，将试样夹具重新放在仪器上，开始进行下一个检查间隔的试验和评定，直到摩擦终点即观察到试样破损。

对于熟悉的织物，试验时根据试样预计耐磨次数的范围选择和设定检查间隔（表 4-6-1）。如果有必要，按特殊织物的试样准备进行试样预处理。

表 4-6-1　磨损试验的检查间隔

试验系列	预计试样出现破损时的摩擦次数	检查间隔/次
0	≤2000	200
a	＞2000 且≤5000	1000
b	＞5000 且≤20000	2000
c	＞20000 且≤40000	5000
d	＞40000	10000

注：1. 以确定破损的确切摩擦次数为目的的试验，当试验接近终点时，可减小间隔，直到终点。
2. 选择检查间隔应经有关方面同意。

如果摩擦次数超过磨料的有效寿命，每到有效寿命的临界次数时，需更换新磨料。对未达到临界次数就中断试验的情况，要仔细地从仪器上取下装有试样的试样夹具，以避免损伤。更换新磨料后，继续试验，直到所有试样达到规定的终点或破损。如果试样经摩擦后出现起球，可采用下列步骤之一：

① 继续试验，报告中记录这一事实；

② 剪掉球粒，继续试验，报告中记录这一事实。

四、相关产品标准

相关产品标准见表 4-6-2。

表 4-6-2　涉及耐磨性检测的相关产品标准

<table>
<tr><th rowspan="2">产品</th><th rowspan="2">产品标准</th><th rowspan="2">测试项目</th><th rowspan="2">测试方法</th><th colspan="3">判定指标</th></tr>
<tr><th>织物克重/(g/m²)</th><th>优等品</th><th>一等品/合格品</th></tr>
<tr><td rowspan="2">牛仔裤</td><td rowspan="2">FZ/T 81006</td><td rowspan="2">耐磨性能</td><td rowspan="2">按 GB/T 21196.2—2007 规定测试，以至少两根独立的纱线完全断裂为止。测试部位为衣服下摆向上 100mm 处，裤子裤腿向上 100mm 处，裙子下摆向上 100mm 处，负荷为(595±7)g(名义压力为 9kPa)</td><td>＞339</td><td>≥25000 次</td><td>≥20000 次</td></tr>
<tr><td>≤339</td><td>≥15000 次</td><td>≥10000 次</td></tr>
<tr><td rowspan="2">机织物为主的服装</td><td rowspan="2">GB/T 21295</td><td rowspan="2">耐磨性能</td><td rowspan="2">按 GB/T 21196.2—2007 规定测试</td><td>上装</td><td colspan="2">≥10000 次</td></tr>
<tr><td>下装</td><td colspan="2">≥15000 次</td></tr>
</table>

第七节　起球性能测试

纺织服装的起球性能是服装内在质量要求中重要的物理性能指标。服装在穿着过程中不断受到外力的摩擦作用，织物表面的一根或多根纤维形成了毛绒，然后随着摩擦的继续作用相互纠缠形成球形的状态，从而产生起毛起球的现象。织物表面的纤维受到一些摩擦与钩挂等外部摩擦作用，就会使纤维产生断裂、位移或勾丝，于是产生起毛现象。这个时候如果不及时进行清理，继续摩擦，当外部的摩擦力大于纤维纱线的抱合力时，毛羽会在摩擦力的作用下纠缠而形成毛球。起球性能的优劣会直接影响服装在人们穿着过程中的外观。

织物的起球性能测试方法有四种，分别为：圆轨迹法、改型马丁代尔法、起球箱法、随机翻滚法。根据产品特性的不同，在相应的考核起毛起球的产品标准中分别引用其中一种起毛起球的测试方法。本节分别讲解这四种起毛起球测试方法。

一、原理及相关标准

1. 原理

(1) 圆轨迹法。按规定方法和试验参数，采用尼龙刷和织物磨料或仅用织物磨料，使试样摩擦起毛起球。然后在规定的光照条件下，对起毛起球性能进行视觉描述评定。

(2) 改型马丁代尔法。在规定压力下，圆形试样以李莎茹图形的轨迹与相同织物或羊毛织物磨料织物进行摩擦。经规定的摩擦阶段后，采用视觉描述方式评定试样的起毛或起球等级。

(3) 起球箱法。将试样安装在聚氨酯管上，以恒定转速，在衬有软木的木箱内任意翻转。经过规定的翻转次数后，对起毛起球性能进行视觉描述评定。

(4) 随机翻滚法。将织物放置于随机翻滚式起球箱内，箱内铺有软木衬垫，并填有少量圆筒状的灰色短棉，按照规定的转速随意翻滚摩擦。在规定光源条件下，对起毛起球性能进行视觉描述评定。

2. 相关标准

主要标准有：GB/T 4802.1—2008《纺织品　织物起毛起球性能的测定　第 1 部分：圆轨迹法》；GB/T 4802.2—2008《纺织品　织物起球性能的测定　第 2 部分：改型马丁代尔法》；GB/T 4802.3—2008《纺织品　织物起毛起球性能的测定　第 3 部分：起球箱法》；GB/T 4802.4—2020《纺织品　织物起毛起球性能的测定　第 4 部分：随机翻滚法》。

3. 定义和术语

(1) 起毛：织物表面纤维突出或纤维端伸出形成毛绒所产生的明显表面变化。

(2) 毛球：纤维缠结形成突出于织物表面、致密的且光线不能透过并可产生投影的球。

(3) 起球：织物表面产生毛球的过程。

(4) 起球次数：马丁代尔耐磨试验仪两个外侧驱动轮转动的圈数。

(5) 起球周期：其轨迹形成一个完整李莎茹图形的平面运动，包括 16 次摩擦，即马丁代尔耐磨试验仪两个外侧驱动轮转动 16 圈，内侧驱动轮转动 15 圈。

二、检测仪器与材料

(一) 圆轨迹法

1. 检测仪器

(1) 圆轨迹起球仪。试样夹头与磨台做相对垂直运动，其动程均为 (40±1)mm；试样夹头与磨台相对运动的轨迹为直径 (40±1)mm 的圆，相对运动速度为 (60±1)r/min；试样夹环内径为 (90±0.5)mm，夹头能对试样施加压力，压力误差为±1%。仪器装有自停开关。

(2) 评级箱。用白色荧光管照明，保证在试样的整个宽度上均匀照明，并且应满足观察者不直视光线。光源的位置与试样的平面应保持5°～15°，观察方向与试样平面应保持90°±10°（图4-7-1）。正常矫正视力的眼睛与试样的距离应在30～50cm。

2. 试验材料

（1）磨料。织物磨料为2201全毛华达呢，组织为2/2右斜纹，线密度为19.6tex×2，捻度为Z625～S700，密度为445根/10cm×244根/10cm，单位面积质量为305g/m²。

（2）尼龙刷。尼龙丝直径0.3mm；尼龙丝的刚性应均匀一致，植丝孔径4.5mm，每孔尼龙丝150根，孔距7mm；刷面要求平齐，刷上装有调节板，可调节尼龙丝的有效高度，从而控制尼龙刷的起毛效果。

（3）泡沫塑料垫片。单位面积质量约270g/m²，厚度约8mm，试样垫片直径约105mm。

（4）裁样用具。可裁取直径为（113±0.5）mm的圆形试样。试样可用模板、笔、剪刀剪取。

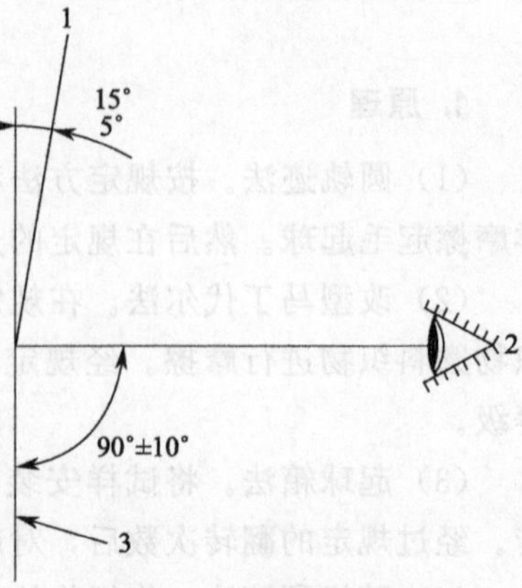

图4-7-1　试样的评级

1—光源；2—观察者；3—试样

（二）改型马丁代尔法

1. 检测仪器

（1）马丁代尔耐磨试验仪。按GB/T 21196.1—2007《纺织品马丁代尔法织物耐磨性的测定第1部分：马丁代尔耐磨试验仪》标准中5.2进行改进，由承载起球台的基盘和传动装置组成。仪器配有可预置的计数装置，以记录每个外轮的转数，旋转一次为一个摩擦过程，16个摩擦过程形成一个完整的李莎茹图形。

起球台基盘：包括起球台（图4-7-2）、夹持环（图4-7-3）、固定夹持环的夹持装置组件，不锈钢盘状加载块（图4-7-5），其质量为（260±1）g，带手柄的加压重锤，其质量为（2.5±0.5）kg、直径为（120±10）mm，以确保安装在起球台上的试样或磨料没有折叠或不起褶皱。

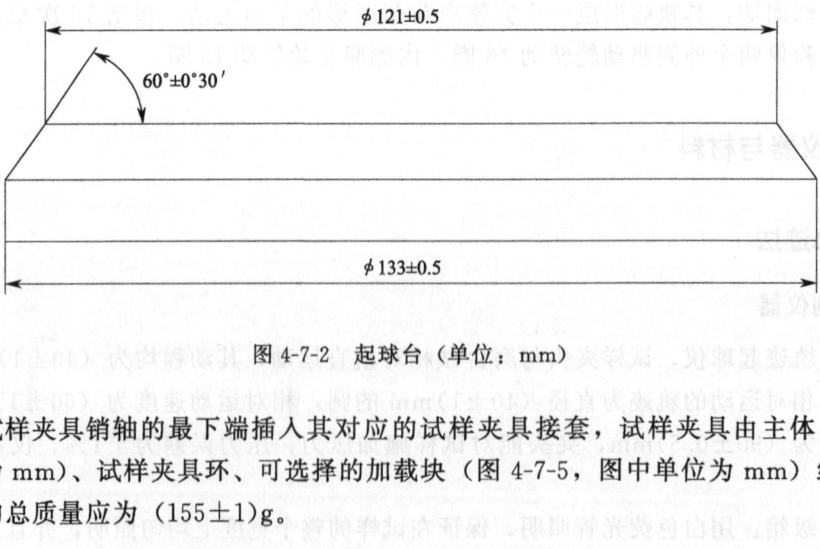

图4-7-2　起球台（单位：mm）

每个试样夹具销轴的最下端插入其对应的试样夹具接套，试样夹具由主体（图4-7-4，图中单位为mm）、试样夹具环、可选择的加载块（图4-7-5，图中单位为mm）组成，试样夹具组件的总质量应为（155±1）g。

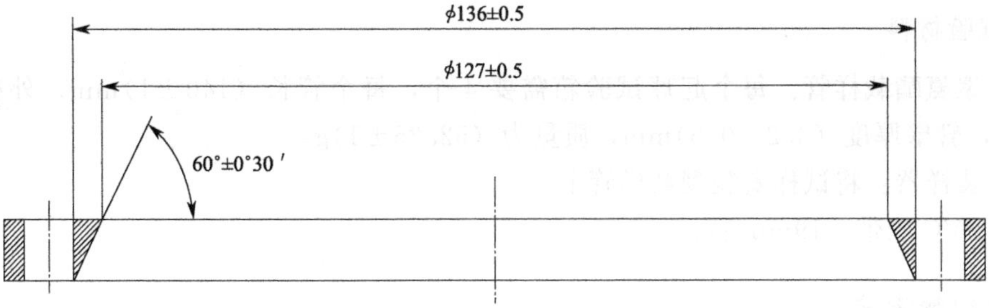

图 4-7-3 夹持环（单位：mm）

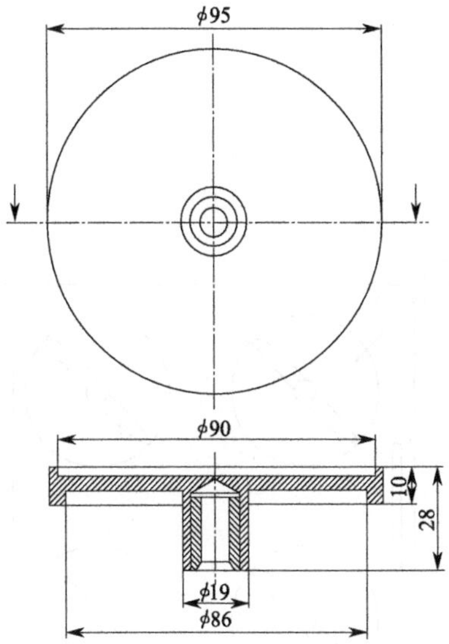

图 4-7-4 试样夹具主体

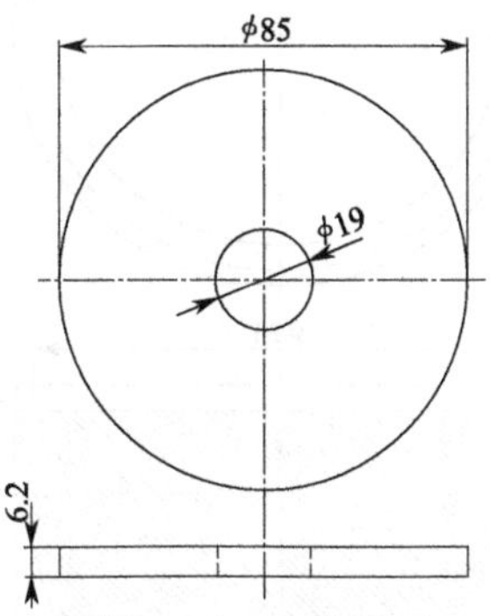

图 4-7-5 加载块

（2）试样安装辅助装置：保证安装在试样夹具内的试样无褶皱所需要的设备（图 4-7-6）。

2. 试验材料

（1）毛毡作为一组试样的支撑材料，有两种尺寸：顶部（试样夹具）直径为（90±1）mm、底部（起球台）直径为 140mm。

（2）磨料用于摩擦试样，一般与试样织物相同。在某些情况下，如装饰织物，采用羊毛织物磨料，每次试验时需更换新磨料。在试验报告中应说明所选的磨料。将直径为 140mm 的圆形磨料或边长为（150±2）mm 的方形磨料安装在每个磨台上。

（三）起球箱法

1. 检测仪器

（1）起球试验箱。立方体箱，未衬软木前内壁每边长为 235mm，箱体的所有内表面应衬有厚度 3.2mm 的软木，箱子应绕穿过箱子两对面中心的水平轴转动，转速为（60±2）r/min。箱的一面应是可打开的，用于试样取放。软木衬垫应定期检查，当出现可见的损伤或有影响其摩擦性能的污染时应更换软木衬垫。

（2）缝纫机。

2. 试验材料

（1）聚氨酯载样管。每个起球试验箱需要 4 个，每个管长（140±1）mm，外径（31.5±1）mm，管壁厚度（3.2±0.5）mm，质量为（52.25±1）g。

（2）装样器：将试样安装到载样管上。

（3）PVC 胶带：19mm 宽。

（四）随机翻滚法

1. 检测仪器

（1）起球箱，见图 4-7-7。

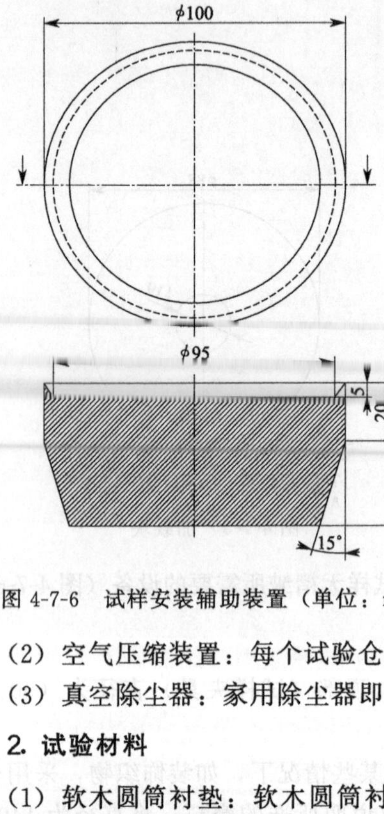

图 4-7-6 试样安装辅助装置（单位：mm）

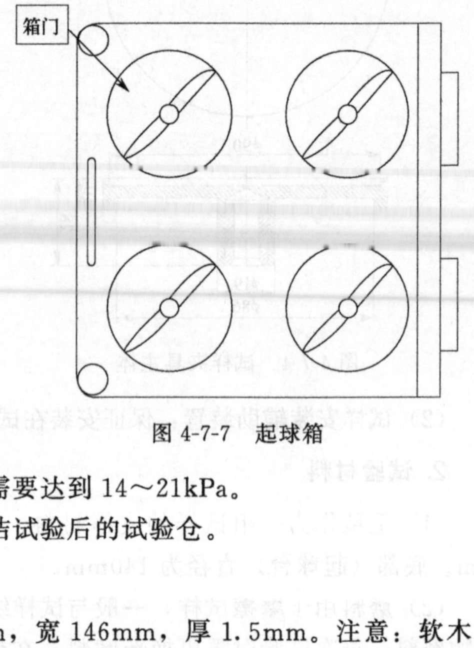

图 4-7-7 起球箱

（2）空气压缩装置：每个试验仓的空气压力需要达到 14～21kPa。

（3）真空除尘器：家用除尘器即可，用来清洁试验后的试验仓。

2. 试验材料

（1）软木圆筒衬垫：软木圆筒衬垫长 452mm，宽 146mm，厚 1.5mm。注意：软木圆筒衬垫使用 1h 后需要更换。

（2）胶黏剂：用来封合试样的边缘。

（3）灰色短棉：灰色短棉用来改善试样的起球性能。

三、检测方法与过程

（一）圆轨迹法

1. 试样准备

（1）试样。从样品上剪取 5 个圆形试样，每个试样的直径为（113±0.5）mm。在每个试样上标记织物反面。当织物没有明显的正反面时，两面都要进行测试。另剪取 1 块评级所需的对比样，尺寸与试样相同。

（2）预处理。如需要预处理，可采用双方协议的方法水洗或干洗样品。其中，GB/T 8629 或 GB/T 19981.1—2014《纺织品　织物和服装的专业维护、干洗和湿洗　第 1 部分：清洗和整烫后性能的评价》和 GB/T 19981.2—2014《纺织品　织物和服装的专业维护、干洗和湿洗　第 2 部分：使用四氯乙烯干洗和整烫时性能试验的程序》中的程序可能是合适的。如果进行水洗或干洗，按 GB/T 4802.1 中第 9 章规定的评级程序，对预处理前和处理后试样进行评定。

（3）调湿：在 GB/T 6529 规定的标准大气中调湿平衡，一般至少调湿 16h，并在同样的大气条件下进行试验。

2. 试验过程

（1）试验前仪器应保持水平，尼龙刷保持清洁，可用合适的溶剂（如丙酮）清洁刷子。如有突出的尼龙丝，可用剪刀剪平；如已松动，则可用夹子夹去。

（2）分别将泡沫塑料垫片、试样和织物磨料装在试验夹头和磨台上，试样应正面朝外。

（3）根据织物类型选取试验参数进行试验，见表 4-7-1。

表 4-7-1　试验参数及适用织物类型示例

参数类别	压力/cN	起毛次数	起球次数	适用织物类型示例
A	590	150	150	工作服面料、运动服装面料、紧密厚重织物等
B	590	50	50	合成纤维长丝外衣织物等
C	490	30	50	军需服（精梳混纺）面料等
D	490	10	50	化纤混纺、交织织物等
E	780	0	600	精梳毛织物、轻起绒织物、短纤维编针织物、内衣面料等
F	490	0	50	粗梳毛织物、绒类织物、松结构织物等

注：1. 表中未列的其他织物可以参照表中所列类似织物或按有关各方商定选择参数类别。

2. 根据需要或有关各方协商同意，可以适当选择参数类别，但应在报告中说明。

3. 考虑到所有类型织物测试或穿着时的起球情况是不同的，因此有关各方可以采用取得一致意见的试验参数，并在报告中说明。

（4）取下试样准备评级，注意不要使试验面受到任何外界影响。

3. 评定

评级箱应放置在暗室中。沿织物经（纵）向将一块已测试样和未测试样并排放置在评级箱的试样板的中间，如果需要，可采用适当方式固定在适宜的位置，已测试样放置在左边，未测试样放置在右边。如果测试样在测试前未经过预处理，则对比样应为未经过预处理的试样；如果测试样在起球测试前经过预处理，则对比样也应为经过预处理的试样。

为防止直视灯光，在评级箱的边缘，从试样的前方直接观察每一块试样进行评级。依据表 4-7-2 中列出的视觉描述对每一块试样进行评级。如果介于两级之间，记录半级，如 3.5。

4. 结果

记录每一块试样的级数，单个人员的评级结果为其对所有试样评定等级的平均值。样品的试验结果为全部人员评级的平均值，如果平均值不是整数，修约至最近的 0.5 级，并用“-”表示，如 3-4。如单个测试结果与平均值之差超过半级，则应同时报告每一块试样的级数。

表 4-7-2 视觉描述评级

级数	状态描述
5	无变化
4	表面轻微起毛和(或)轻微起球
3	表面中度起毛和(或)中度起球,不同大小和密度的球覆盖试样的部分表面
2	表面明显起毛和(或)起球,不同大小和密度的球覆盖试样的大部分表面
1	表面严重起毛和(或)起球,不同大小和密度的球覆盖试样的整个表面

（二）改型马丁代尔法

1. 试样准备

（1）取样。试样夹具中的试样是直径为 140mm 的圆形试样或边长为（150±2）mm 的方形试样。在取样和试样准备整个过程中应保证样品不被拉伸。试样之间不应包括相同的经纱和纬纱。

（2）数量。至少取 3 组试样，每组含 2 块试样，1 块安装在试样夹具中，另 1 块作为磨料安装在起球台上。如果起球台上选用羊毛织物磨料，则至少需要 3 块试样进行测试。如果试验 3 块以上的试样，应取奇数块试样。另多取 1 块试样用于评级时的比对样。

（4）标记。取样前在需评级的每块试样背面的同一点作标记，确保评级时沿同一个纱线方向评定试样。标记应不影响试验的进行。

（5）预处理。如需预处理，可采用双方协议的方法水洗或干洗样品（GB/T 8629 或 GB/T 19981.1 和 GB/T 19981.2 中的程序可能是合适的）。

（6）调湿。调湿和试验用大气采用 GB/T 6529 规定的标准大气。

2. 试验过程

（1）总则：依据 GB/T 21196.1 的规定检查马丁代尔耐磨试验仪。在每次试验后检查试验所用辅助材料，并替换沾污或磨损的材料。

（2）试样安装。从试样夹具上移开试样夹具环和导向轴，将试样安装辅助装置小头朝下放置在平台上，将试样夹具环套在辅助装置上。翻转试样夹具，在试样夹具内部中央放入直径为（90±1）mm 的毡垫，将直径为 140mm 的试样正面朝上放在毡垫上，允许多余的试样从试样夹具边上延伸出来，以保证试样完全覆盖住试样夹具的凹槽部分。将带有毡垫和试样的试样夹具放置在辅助装置的大头端的凹槽处，保证试样夹具与辅助装置紧密接合在一起，拧紧试样夹具环到试样夹具上，保证试样和毡垫不移动、不变形。重复上述步骤，安装其他试样，如果需要，在导板上、试样夹具的凹槽上放置加载块。

起球台上试样的安装：在起球台上放置直径为 140mm 的一块毛毡，其上放置试样或羊毛织物磨料，试样或羊毛织物磨料的摩擦面向上，放上加压重锤并用固定环固定。

（3）起球测试。测试直到第一个摩擦阶段结束（见 GB/T 4802.2 附录 A），根据 GB/T 4802.2 第 10 章中的要求进行第一次评定。评定时不取出试样、不清除试样表面。评定完成后，将试样夹具按取下的位置重新放置在起球台上，继续进行测试。在每一个摩擦阶段都要进行评估，直至达到 GB/T 4802.2 附录 A 规定的试验终点。

3. 评定

评级箱应放置在暗室中。沿织物纵向将已测试样和一块未测试样（经过或不经过前处理）并排放置在评级箱的试样板的中间。如果需要，采用胶带固定在正确的位置上。已测试样放置在左边，未测试样放置在右边。如果测试样在起球测试前经过预处理，则对比样也应为经过预处理的试样。如果测试样在测试前未经过预处理，则对比样应为未经过预处理的试样。为防止直视灯光，在评级箱的边缘，从试样的前方直接观察每一块试样进行评级。

4. 结果

记录每一块试样的级数，单个人员的评级结果为其对所有试样评定等级的平均值。样品的试验结果为全部人员评级的平均值，如果平均值不是整数，修约至最近的 0.5 级，并用“-”表示，如 3-4。如单个测试结果与平均值之差超过半级，则应同时报告每一块试样的级数。

（三）起球箱法

1. 试样准备

(1) 取样。从样品上剪取 4 个试样，每个试样的尺寸为 125mm×125mm。在每个试样上标记织物反面和织物纵向。当织物没有明显的正反面时，两面都要进行测试。另剪取 1 块尺寸为 125mm×125mm 的试样作为评级所需的对比样。取样时，试样之间不应包括相同的经纱和纬纱。

(2) 数量。取 2 个试样，如可以辨别，每个试样正面向内折叠，距边 12mm 缝合，其针迹密度应使接缝均衡，形成试样管，折的方向与织物的纵向一致。取另 2 个试样，分别向内折叠，缝合成试样管，折的方向应与织物的横向方向一致。

(3) 安装。将缝合试样管的里面翻出，使织物正面成为试样管的外面。在试样管的两端各剪 6mm 端口，以去掉缝纫变形。将准备好的试样管装在聚氨酯载样管上，使试样两端距聚氨酯管边缘的距离相等(图 4-7-8)，保证接缝部位尽可能平整。用 PVC 胶带缠绕每个试样的两端，使试样固定在聚氨酯管上，且聚氨酯管的两端各有 6mm 裸露。固定试样的每条胶带长度应不超过聚氨酯管周长的 1.5 倍。

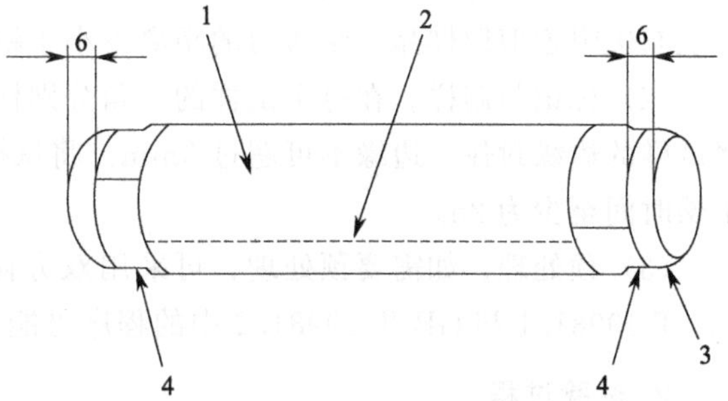

图 4-7-8 聚氨酯载样管上的试样（单位：mm）

1—测试样；2—缝合线；3—聚氨酯载样管；4—胶带

(4) 预处理。如需要预处理，可采用双方协议的方法水洗或干洗样品。如果进行水洗或干洗，按 GB/T 4802.3 中第 9 章规定的评级程序，对预处理前和处理后试样进行评定（GB/T 8629 或 GB/T 19981.1 和 GB/T 19981.2 中的程序可能是合适的）。为了保护起球箱的摩擦面和试样管免受可能引起不一致结果的润滑剂或整理剂的影响，推荐使用洗涤和干洗程序。

(5) 试样的调湿。按 GB/T 6529 规定的标准大气调湿试样至少 16h，并在同样的大气条件下进行试验。

2. 试验过程

把4个安装好的试样放入同一起球箱内关紧盖子。启动仪器，转动箱子至协议规定的次数。试验前保证起球箱内干净、无绒毛。

3. 评定

评级箱应放置在暗室中。在评级箱的试样板的中间，沿织物纵向放置1块已测试样和1块未测试的对比样。如果需要，采用胶带固定在正确的位置。已测试样放置在左边，未测试样放置在右边。如果测试样在起球测试前经过预处理，则对比样也应为经过预处理的试样。如果测试样在测试前未经过预处理，则对比样应为未经过预处理的试样。为防止直视灯光，在评级箱的边缘，从试样的前方直接观察每一块试样。

4. 结果

记录每一块试样的级数，单个人员的评级结果为其对所有试样评定等级的平均值。样品的试验结果为全部人员评级的平均值，如果平均值不是整数，修约至最近的0.5级，并用“-”表示，如3-4。如单个测试结果与平均值之差超过半级，则应同时报告每一块试样的级数。

（四）随机翻滚法

1. 试样准备

（1）取样。每个样品中各取3个试样，尺寸为(105±2)mm×(105±2)mm。在整幅实验室样品中均匀取样或从服装样品上3个不同衣片剪取试样，避免每两块试样中含有相同的经纱或纬纱，试样应具有代表性，且避开织物的褶皱、疵点部位。如果没有特别的要求，不要从布边附近剪取样品（距布边的距离不小于幅宽的1/10）。

（2）标记与制样。在每个试样的一角分别标注“1”“2”或“3”以作区分。使用胶黏剂将试样的边缘封住，边缘不可超过3mm。将试样悬挂在架子上直到试样边缘完全干燥为止，干燥时间至少为2h。

（3）预处理。如需要预处理，可采用双方协议的方法水洗或干洗样品（GB/T 8629或GB/T 19981.1和GB/T 19981.2中的程序可能是合适的）。

2. 试验过程

（1）同一个样品的试样应分别在不同的试验仓内进行试验。

（2）将取自同一样品中的3个试样，与质量约为25mg、长度约为6mm的灰色短棉一起放入试验仓内。每一个试验仓内放入一个试样，盖好试验仓盖，并将试验时间设置为30min。

（3）启动仪器，打开气流阀。

（4）在运行过程中，应经常检查每个试验仓。如果试样缠绕在叶轮上不翻转或卡在试验仓的底部、侧面静止，关闭空气阀，切断气流，停止试验，并将试样移出；同时，记录试验的意外停机或者其他不正常情况。

（5）当试样被叶轮卡住时，停止测试，移出试样，并使用清洁液或水清洗叶轮片。待叶轮干燥后，继续试验。

（6）试验结束后取出试样，并用真空除尘器清除残留的棉絮。

（7）重复以上过程测试其余试样，并在每次试验时重新分别放入一份质量约为 25mg、长度约为 6mm 的灰色短棉。

（8）测试经硅胶处理的试样时，可能会污染软木衬垫从而影响最终的起球结果。实验室处理这类问题时，需要采用实验室内部标准织物在已使用过的衬垫表面（已测试过经硅胶处理的试样）再做一次对比试验。如果软木衬垫被污染，那么此次结果与采用实验室内部标准织物在未被污染的衬垫表面所做的试验结果会不相同，分别记录两次测试的结果，并清洁干净或更换新的软木衬垫对其他试样进行测试。

3. 评定

评级箱应放置在暗室中。在评级箱的试样板的中间，沿织物纵向放置 1 块已测试样和 1 块未测试的对比样。如果需要，采用胶带固定在正确的位置。已测试样放置在左边，未测试样放置在右边。如果测试样在起球测试前经过预处理，则对比样也应为经过预处理的试样。如果测试样在测试前未经过预处理，则对比样应为未经过预处理的试样。为防止直视灯光，在评级箱的边缘，从试样的前方直接观察每一块试样。

4. 结果

记录每一块试样的级数，单个人员的评级结果为其对所有试样评定等级的平均值。样品的试验结果为全部人员评级的平均值，如果平均值不是整数，修约至最近的 0.5 级，并用“-”表示，如 3-4。如单个测试结果与平均值之差超过半级，则应同时报告每一块试样的级数。

四、相关产品标准

圆轨迹法常见产品标准及指标见表 4-7-3。

表 4-7-3　引用 GB/T 4802.1 的常见产品标准及指标

产品	产品标准	测试项目	测试方法	判定指标
户外运动服装 冲锋衣	GB/T 32614—2023	起毛起球	GB/T 4802.1	优等品≥4；一等品≥4；合格品≥3
男西服、大衣	GB/T 2664—2017	面料起毛起球	GB/T 4802.1	精梳（绒面）：优等品≥3-4；一等品≥3；合格品≥3 精梳（光面）：优等品≥4；一等品≥3-4；合格品≥3-4 粗梳：优等品≥3-4；一等品≥3；合格品≥3
女西服、大衣	GB/T 2665—2017	面料起毛起球	GB/T 4802.1	精梳（绒面）：优等品≥3-4；一等品≥3；合格品≥3 精梳（光面）：优等品≥4；一等品≥3-4；合格品≥3-4 粗梳：优等品≥3-4；一等品≥3；合格品≥3
西裤	GB/T 2666—2017	面料起毛起球	GB/T 4802.1	精梳（绒面）：优等品≥3-4；一等品≥3；合格品≥3 精梳（光面）：优等品≥4；一等品≥3-4；合格品≥3-4 粗梳：优等品≥3-4；一等品≥3；合格品≥3
旗袍	GB/T 22703—2019	面料起毛起球	GB/T 4802.1	优等品≥4；一等品≥4；合格品≥3
机织学生服	GB/T 23328—2009	起毛起球	GB/T 4802.1	优等品≥4；一等品≥4；合格品≥3
连衣裙、裙套	FZ/T 81004—2022	面料起球	GB/T 4802.1	优等品≥4；一等品≥3-4；合格品≥3
单、夹服装	FZ/T 81007—2022	面料起球	GB/T 4802.1	优等品≥4；一等品≥3-4；合格品≥3

续表

产品	产品标准	测试项目	测试方法	判定指标
茄克衫	FZ/T 81008—2021	起毛起球	GB/T 4802.1	优等品≥4;一等品≥3-4;合格品≥3
针织拼接服装	GB/T 26385—2011	起球	GB/T 4802.1 GB/T 4802.3	优等品≥3-4;一等品≥3;合格品≥3
针织棉服装	GB/T 26384—2011	起球	GB/T 4802.1	优等品≥4;一等品≥3;合格品≥3
针织T恤衫	GB/T 22849—2014	起球	GB/T 4802.1 GB/T 4802.3	优等品≥3-4;一等品≥3;合格品≥3
针织运动服	GB/T 22853—2019	起球	GB/T 4802.1	优等品≥3-4;一等品≥3;合格品≥3
针织学生服	GB/T 22854—2009	起球	GB/T 4802.1	优等品≥4;一等品≥3.5;合格品≥3
针织衬衫	FZ/T 73043—2020	起球	GB/T 4802.1	优等品≥4;一等品≥3-4;合格品≥3
针织保暖内衣絮片型	FZ/T 73016—2020	起球	GB/T 4802.1	优等品≥3-4;一等品≥3;合格品≥3
针织家居服	FZ/T 73017—2023	起球	GB/T 4802.1	优等品≥3-4;一等品≥3;合格品≥2-3
针织休闲服装	FZ/T 73020—2019	起球	GB/T 4802.1	优等品≥3-4;一等品≥3;合格品≥3
针织保暖内衣	FZ/T 73022—2019	起球	GB/T 4802.1	优等品≥3-4;一等品≥3;合格品≥3
针织裙、裙套	FZ/T 73026—2014	面料起球	GB/T 4802.1 GB/T 4802.3	优等品≥4;一等品≥3-4;合格品≥3
针织裤	FZ/T 73029—2019	起球	GB/T 4802.1	优等品≥3;一等品≥2-3;合格品≥2-3
针织牛仔服装	FZ/T 73032—2017	起球	GB/T 4802.1	优等品≥3-4;一等品≥3;合格品≥2-3
针织彩棉内衣	FZ/T 73035—2010	起球	GB/T 4802.1	优等品≥4;一等品≥3;合格品≥3
针织瑜伽服	FZ/T 74005—2016	起球	GB/T 4802.1	优等品≥3-4;一等品≥3;合格品≥3

引用 GB/T 4802.3 的常见产品标准及指标见表 4-7-4。

表 4-7-4 引用 GB/T 4802.3 的常见产品标准及指标

产品	产品标准	测试项目	测试方法	判定指标
针织拼接服装	GB/T 26385—2011	起球	GB/T 4802.1 GB/T 4802.3	优等品≥3-4;一等品≥3;合格品≥3
针织T恤衫	GB/T 22849—2014	起球	GB/T 4802.1 GB/T 4802.3	优等品≥3-4;一等品≥3;合格品≥3
低含毛混纺及仿毛针织品	FZ/T 73005—2021	起球	GB/T 4802.3	优等品≥3-4;一等品≥3;合格品≥2-3
山羊绒针织品	FZ/T 73009—2021	起球	GB/T 4802.3	优等品≥3-4;一等品≥3;合格品≥2-3
毛针织品	FZ/T 73018—2021	起球	GB/T 4802.3	优等品≥3-4;一等品≥3;合格品≥2-3
针织裙、裙套	FZ/T 73026—2014	面料起球	GB/T 4802.1 GB/T 4802.3	优等品≥4;一等品≥3-4;合格品≥3
半精纺毛针织品	FZ/T 73034—2021	起球	GB/T 4802.3	优等品≥3-4;一等品≥3;合格品≥2-3
亚麻针织品	FZ/T 73015—2009	起球	GB/T 4802.3	优等品≥4;一等品≥3-4;合格品≥3

第八节 胀破性能测试

织物顶破强力或胀破强力的测试方法主要有三种：胀破法、弹子顶破法、钢球法。三种方法具有相似的破坏机理，织物破坏后的裂口形状也基本相同。目前美国、日本、韩国、加拿大、澳大利亚等国家主要采用胀破法测试。胀破法测试包含液压法和气压法，由于在实际检测中采用液压法测试较气压法测试织物的胀破性能更加广泛，因此本节主要介绍液压法。

一、原理及相关标准

1. 原理

织物顶破强力或胀破强力的破坏机理符合弱环理论，织物在受到顶破或胀破作用时，会在某一强力最弱处首先产生破坏，进而在此破坏处产生应力集中。随着试验的进行，平纹织物在破坏的周围会有大量的线圈沿横向脱散，裂口沿纵向不断扩展。

2. 相关标准

主要标准有：GB/T 7742.1—2005《纺织品　织物胀破性能　第1部分：胀破强力和胀破扩张度的测定　液压法》；GB/T 7742.2—2015《纺织品　织物胀破性能　第2部分：胀破强力和胀破扩张度的测定　气压法》；ISO 13938-1：2019《纺织品　织物胀破特性　第1部分：胀破强力测定的液压方法》；ISO 13938-2：2019《纺织品　织物胀破特性　第2部分：胀破强力测定的气压方法》；ASTM D3786—2018《织物破裂强度试验方法　薄膜破裂强度试验器法》。

3. 术语和定义

（1）试验面积：试样在圆环夹持器内的面积。

（2）胀破压力：施加于与下垫片夹持在一起的试样上，直至试样破裂时的最大压力。

（3）胀破强力：从平均胀破压力减去膜片压力得到的压力。

（4）膜片压力：在无试样情况下，施加于膜片上使其达到试样平均胀破扩张度所需压力。

（5）胀破扩张度：试样在胀破压力下的膨胀程度，以胀破高度或胀破体积表示。

（6）胀破高度：膨胀前试样的上表面与在胀破压力下试样的顶部之间的距离。

（7）胀破体积：胀破压力时所需要的液体体积（液压法测试时）。

（8）胀破时间：膨胀到试样破裂时所需的时间。

二、检测仪器与材料

1. 检测仪器

相关仪器性能指标如下。

（1）在100～500cm^3/min范围内的恒定体积增长速率，精度为±10%。如果仪器没有配备调节液体体积的装置，可采用胀破时间20s±5s来控制速度，这种情况应在试验报告中注明。胀破压力大于满量程的20%时，其精度为满量程的±2%。

（2）胀破高度小于70mm时，其精度为±1mm。试验开始时，测量隔距的零点应可调节，以适应试样厚度。

（3）如果可显示胀破体积，精度应不超过示值的±2%。

（4）试验面积应使用50cm^2（直径79.8mm）。如果优先的试验面积在现有设备上不适用，或由于织物具有较大或较小的延伸性能，或有多方协议的其他要求，也可使用100cm^2（直径112.8mm）、10cm^2（直径35.7mm）、7.3cm^2（直径30.5mm）等其他试验面积。

（5）夹持装置应当提供可靠的试样夹持，使试验过程中没有试样的损伤、变形和滑移。夹持环应使高延伸织物（其胀破高度大于试样直径的一半）的圆拱不受阻碍。试样夹持环的内径应精确至±0.2mm。为避免试样损坏，建议夹持环与试样接触的内径边缘呈圆角。

2. 试验材料

（1）在试验过程中，安全罩应能包围夹持装置，并能清楚地观察试验过程中试样的延伸情况。

（2）膜片应符合：厚度小于2mm；具有高延伸性；膜片使用数次后，在胀破高度范围内应具有弹性（在试验过程中观察）；抵抗加压液体的性能。

三、检测方法与过程

1. 试样准备

（1）根据产品标准规定或有关各方协议取样。如果产品标准中没有规定，应按照图4-8-1中给出一个合适的选取试验面积的方法。试验面积应避免折叠、折皱、布边或不能代表织物的面积。使用的夹持系统一般不需要裁剪试样即可进行试验。

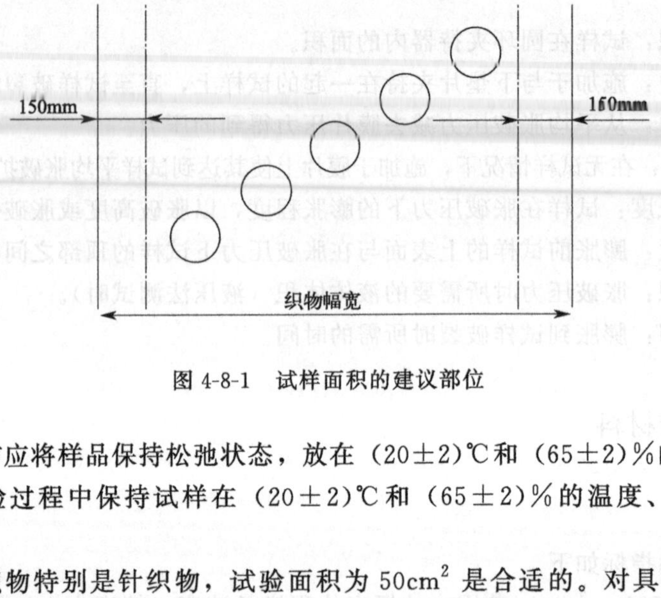

图4-8-1　试样面积的建议部位

（2）在试验前应将样品保持松弛状态，放在（20±2）℃和（65±2）%的温度、湿度环境下进行调湿。试验过程中保持试样在（20±2）℃和（65±2）%的温度、湿度环境下进行测试。

（3）大多数织物特别是针织物，试验面积为50cm^2是合适的。对具有低延伸的织物，如产业用织物，推荐试验面积至少为100cm^2。当该条件不能满足或者不合适的情况下，也可使用100cm^2（直径112.8mm）、10cm^2（直径35.7mm）、7.3cm^2（直径30.5mm）等其他试验面积。

（4）每个试样取10个样品，每个样品至少125mm^2。

2. 试验过程

（1）设定恒定的体积增长速率为100～500cm^3/min。或进行预试验，调整试验的胀破时间为20s±5s。

（2）将试样放置在膜片上，使其处于平整无张力状态，避免在其平面内的变形。用夹持环夹紧试样，避免损伤，防止在试验中滑移。将扩张度记录装置调整至零位，根据仪器的要求拧紧安全盖，对试样施加压力直至其破坏。试样破坏后立即将仪器复位，记录胀破压力、胀破高度或胀破体积。如果试样的破坏接近夹持环的边缘，这种情况应在试验报告中注明。

(3) 在织物不同部位重复试验以达到至少 5 个试验数量。

(4) 膜片压力测定采用与上述试验相同的试验面积、体积增长速率或胀破时间。在没有试样的条件下，首先进行膜片的膨胀，并记录此时的膜片状态（如初始高度或体积）。然后，在有试样的条件下，进行膜片胀破试验，并记录平均胀破高度或平均胀破体积，以此胀破压力作为“膜片压力”。

(5) 要求在相同试验面积和相同的体积增长速率下进行比较试验。

(6) 湿润试验的试样放在温度 (20±2)℃、符合 GB/T 6682 的三级水中浸渍 1h，也可用每升不超过 1g 的非离子湿润剂的水溶液代替三级水。将试样从液体中取出，放在吸水纸上吸去多余的水后，立即按第(2)～(5)步骤进行试验。

3. 结果计算与表示

(1) 计算胀破压力的平均值，以千帕 (kPa) 为单位。从该值中减去膜片压力，得到胀破强力，结果修约至三位有效数字。

(2) 计算胀破高度的平均值，以毫米 (mm) 为单位，结果修约至二位有效数字。

(3) 如果需要计算胀破体积的平均值，以立方厘米 (cm^3) 为单位，结果修约至三位有效数字。如果需要计算胀破压力和胀破高度的变异系数 (*CV*) 和 95% 的置信区间，修约变异系数至最接近的 0.1%，置信区间与平均值的有效数字相同。

四、相关产品标准

相关产品标准见表 4-8-1。

表 4-8-1 涉及胀破性能检测的相关产品标准

标准代号	产品标准名称	测试项目	测试方法	判定指标
FZ/T 73015—2009	亚麻针织品	胀破强度	GB/T 7742.1—2005	≥323kPa
GB/T 31888—2015	中小学生校服	胀破强度	GB/T 7742.1—2005	≥245kPa
GB/T 24248—2009	纺织品合成革用非织造基布	胀破强度	GB/T 7742.1—2005	M≤100 ≥500kPa 100g/m^2<M≤150g/m^2 ≥800kPa 150g/m^2<M≤200g/m^2 ≥1100kPa M≥200g/m^2 ≥1200kPa M 表示为单位面积质量
FZ/T 62011.1—2016	布艺类产品 第 1 部分 帷幔	胀破强度	GB/T 7742.1—2005	合格品 ≥200kPa 一等品 ≥220kPa 优等品 ≥250kPa
GB/T 19817—2005	纺织品 装饰用织物	胀破强度	GB/T 7742.1—2005	合格品 ≥500kPa 一等品 ≥350kPa 优等品 ≥250kPa
GB/T 17591—2006	阻燃织物	胀破强度	GB/T 7742.1—2005	座椅 ≥250kPa 其他 ≥220kPa

第九节 顶破性能测试

顶破强力是考核部分针织物内在质量的项目之一，也是反映某些织物力学性能的重要指标。织物顶破时往往同时受到经向、纬向、斜向等方面的外力，特别是某些针织品具有纵向延伸、横向收缩的特征，纵向和横向相互影响较大。

一、原理及相关标准

1. 原理

在织物四周固定的情况下，从织物的一面给予垂直作用力使其破坏的现象，称为顶破。顶破强力是模拟膝盖、肘关节对面料的作用，所以受力方式与单向拉伸断裂不同，它属于多向受力破坏。

2. 相关标准

主要标准有：GB/T 19976—2005《纺织品 顶破强力的测定 钢球法》；TWC TM 29：2002《顶破强力试验法》。

3. 定义和术语

（1）顶破强力：以球形顶杆垂直于试验平面的方向顶压试样，直至其破坏，在此过程中测得的最大力。

（2）等速伸长试验仪：在整个试验过程中，夹持试样的夹持器一个固定，另一个以恒定速度移动。

二、检测仪器与材料

1. 检测仪器

（1）等速伸长（CRE）型强力试验仪：精度不超过示值的±1%。包括一个试样夹持器和一个球形顶杆组件。在试验过程中，试验夹持器固定，球顶杆以恒定速度移动。

（2）顶破装置：由夹持试样的环形夹持器和钢质球形顶杆组成。环形夹持器内径为(45±0.5)mm，表面应有同心沟槽，以防止试样滑移。顶杆的头端为抛光钢球，钢球直径为（38±0.02)mm或（25±0.02)mm，与试验机连接部分的尺寸应根据试验机夹具的尺寸确定。

（3）进行湿润试验所需器具。

2. 试验材料

湿润试验所需的三级水、非离子湿润剂。

三、检测方法与过程

1. 试样准备

（1）干态试验试样。试样取样如图 4-9-1 所示，应具有代表性，试验区域应避开布边，避免折叠、折皱。如果使用的夹持系统不需要裁剪试样即可进行试验，则可不裁成小试样。

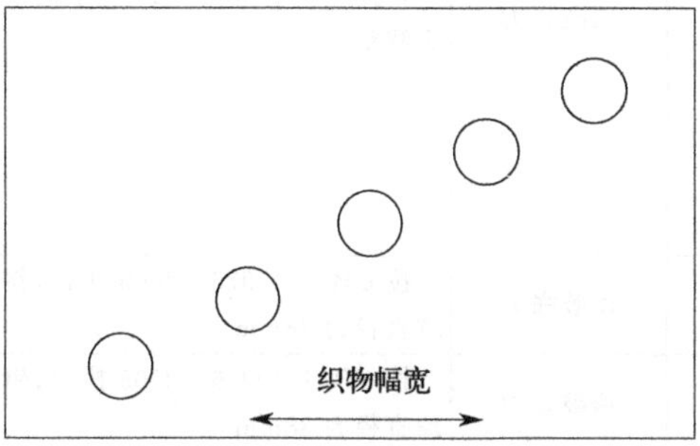

图 4-9-1　试样取样

（2）湿态试验试样。湿润试验需裁剪试样，试样尺寸应满足大于环形夹持装置面积，试样数量至少 5 块。用于进行湿态试验的试样应浸入温度 20℃±2℃（或 23℃±2℃，或 27℃±2℃）的水中，使试样完全润湿。为使试样完全润湿，也可以在水中加入不超过 0.05%的非离子中性润湿剂。

2. 试验过程

（1）仪器的安装及设置。选择直径为 25mm 或 38mm 的球形顶杆。将球形顶杆和夹持器安装在试验机上，保证环形夹持器的中心在顶杆的轴心线上。选择力的量程使输出值为满量程的 10%～90%。设定试验机的速度为（300±10）mm/min。

（2）试样的安装。将试样反面朝向顶杆，夹持在夹持器上，保证试样平整、无张力、无折皱。

（3）测定顶破强力

① 干态试验。启动仪器直至试样被顶破，记录其最大值作为该试样的顶破强力，以牛顿（N）为单位。如果测试过程中出现纱线从环形夹持器中滑出或试样滑脱时，应舍弃该试验结果。在样品的不同部位重复上述试验，至少获得 5 个试验值。

② 湿润试验：将试样从液体中取出，放在吸水纸上吸去多余的水后，立即进行试验。

3. 结果计算

计算顶破强力的平均值，以牛顿（N）为单位，结果修约至整数位。如果需要计算顶破强力的变异系数（*CV*），修约至 0.1%。

四、相关产品标准

相关产品标准见表 4-9-1。

表 4-9-1 涉及顶破性能检测的相关产品标准

产品	产品标准	测试项目	测试方法	判定指标
棉针织内衣	GB/T 8878—2023	弹子顶破强力	按 GB/T 19976—2005 执行，钢球直径为 38mm	≥250N
免烫纺织品	GB/T 18863—2002	顶破强力	暂按 GB/T 8878—1997 中的规定测定	纤维素纤维及其混纺交织免烫纺织品物理性能要求，针织物洗涤前： 1. 男式针织套装、衬衣、便装、便裤、茄克衫、运动衫、浴衣、晨衣、睡衣等 ≥180N 2. 女式针织外衣、运动服、内衣、晨衣、睡衣、长衬衫等单面织物≥140N，双面织物≥180N 3. 床单床罩 针织≥230N
纺织品 服用涂层织物	GB/T 28464—2012	顶破强力	按 GB/T 19976—2005 执行，钢球直径为 38mm	Ⅰ型≥260N，Ⅱ型≥300N，Ⅲ型≥500N，Ⅳ型≥500N
针织成品布	GB/T 22848—2022	顶破强力	按 GB/T 19976—2005 执行，钢球直径为 38mm	≥250N
针织 T 恤衫	GB/T 22849—2014	顶破强力	按 GB/T 19976—2005 执行，钢球直径为(38±0.02)mm	≥250N
针织运动服	GB/T 22853—2019	顶破强力	按 GB/T 19976—2005 执行，钢球直径为(38±0.02)mm	≥250N
针织学生服	GB/T 22854—2009	顶破强力	按 GB/T 19976—2005 执行，钢球直径为(38±0.02)mm	≥180N
针织拼接服装	GB/T 26385—2011	顶破强力	按 GB/T 19976—2005 执行，钢球直径为(38±0.02)mm	≥140N
中小学生校服	GB/T 31888—2015	顶破强力	按 GB/T 19976—2005 执行，钢球直径为 38mm	针织类≥250N
桑蚕丝纬编针织绸	FZ/T 43004—2013	弹子顶破强力	按 GB/T 19976—2005 执行，钢球直径为(38±0.02)mm	纯桑蚕长丝织物≥380N，其他≥200N
桑蚕丝针织服装	FZ/T 43015—2021	顶破强力	按 GB/T 19976—2005 执行，钢球直径为(38±0.02)mm	纯桑蚕长丝织物≥380N，其他≥250N
静电植绒织物	FZ/T 64011—2012	顶破强力	按 GB/T 19976—2005 执行，钢球直径为 38mm	优等品≥240N，一等品、合格品≥220N
纬编腈纶毛毯	FZ/T 61006—2019	顶破强力	按 GB/T 19976—2005 执行，钢球直径(25±0.02)mm	≥343N，对双层缝合纬编毛毯，顶破强力指每层分别测得强力
涤纶针织面料	FZ/T 72001—2009	顶破强力	按 GB/T 19976—2005 执行，钢球直径为(38±0.02)mm	80～110g/m^2≥150N，110g/m^{2}以上≥250N
针织天鹅绒面料	FZ/T 72003—2015	顶破强力	按 GB/T 19976—2005 执行，钢球直径为(38±0.02)mm	≥250N
羊毛针织人造毛皮	FZ/T 72005—2006	弹子顶破强力	暂按 GB/T 8878—2002 执行	≥250N
针织牛仔布	FZ/T 72008—2015	顶破强力	按 GB/T 19976—2005 执行，钢球直径为(38±0.02)mm	≥250N
针织吸湿牛仔布	FZ/T 72009—2008	弹子顶破强力	按 FZ/T 72004.2 执行	优等品≥300N，一等品≥250N 合格品≥200N
腈纶针织内衣	FZ/T 73006—1995	弹子顶破强力	按 GB/T 8878—1996 中规定执行	绒织物类≥250N，单、双面织物≥180N

续表

产品	产品标准	测试项目	测试方法	判定指标
针织工艺衫	FZ/T 73010—2016	顶破强力	按 GB/T 19976—2005 执行，钢球直径为(38±0.02)mm	≥250N
针织家居服	FZ/T 73017—2014	顶破强力	按 GB/T 19976—2005 执行，钢球直径为(38±0.02)mm	≥250N
针织休闲服装	FZ/T 73020—2019	顶破强力	按 GB/T 19976—2005 执行，钢球直径为(38±0.02)mm	≥250N
针织保暖内衣	FZ/T 73022—2019	顶破强力	按 GB/T 19976—2005 执行，钢球直径为(38±0.02)mm	≥250N
针织裙、裙套	FZ/T 73026—2014	顶破强力	按 GB/T 19976—2005 执行，钢球直径为(38±0.02)mm	≥250N
针织牛仔服装	FZ/T 73032—2017	顶破强力	按 GB/T 19976—2005 执行，钢球直径为(38±0.02)mm	≥250N
大豆蛋白复合纤维针织内衣	FZ/T 73033—2009	顶破强力	按 GB/T 19976—2005 执行，钢球直径为(38±0.02)mm	单面、罗纹织物≥120N，双面、绒织物≥180N
针织彩棉内衣	FZ/T 73035—2010	顶破强力	按 GB/T 19976—2005 执行，钢球直径为(38±0.02)mm	单面、罗纹织物、绒织物≥135N，双面≥220N
针织衬衫	FZ/T 73043—2020	顶破强力	按 GB/T 19976—2005 执行，钢球直径为(38±0.02)mm	≥250N
针织儿童服装	FZ/T 73045—2013	顶破强力	按 GB/T 19976—2005 执行，钢球直径为(38±0.02)mm	≥250N
针织西服	FZ/T 73056—2016	顶破强力	按 GB/T 19976—2005 执行，钢球直径为(38±0.02)mm	≥250N
针织瑜伽服	FZ/T 74005—2016	顶破强力	按 GB/T 19976—2005 执行，钢球直径为(38±0.02)mm	≥250N

第五章

服装功能性测试

第一节　透湿率测试

服装的服用功能除了满足保暖性能外，透湿性能越来越受到人们的关注，尤其是户外运动服装。当服装的透湿率较低时，身体因为运动产生的汗液无法及时扩散，会使身体在运动时产生闷热不适。透湿性能一般有 3 个表征指标，透湿率、透湿度和透湿系数。透湿率（WVT）指在试样两面保持规定的温度、湿度条件下，规定时间内垂直通过单位面积试样的水蒸气质量，通常以 $g/(m^2 \cdot 24h)$ 为单位。透湿度（WVP）指在试样两面保持规定的温度、湿度条件下，在单位水蒸气压差下，规定时间内垂直通过单位面积试样的水蒸气质量，以 $g/(m^2 \cdot Pa \cdot h)$ 为单位。透湿系数（PV）指在试样两面保持规定的温度、湿度条件下，在单位水蒸气压差下，单位时间内垂直透过单位厚度、单位面积试样的水蒸气质量，以 $g \cdot cm/(cm^2 \cdot s \cdot Pa)$ 为单位。其中，透湿率和透湿度可以根据单位直接换算，透湿系数需要测得织物的厚度后进行数据换算。

一、原理及相关标准

1. 原理

通过测量在规定环境下组合试样的质量变化来计算透湿率。组合试样由特定规格的透湿杯、介质和待测试样组成。其中，介质主要有两种：氯化钙和蒸馏水。氯化钙常用作干燥剂，具有高吸湿性。根据介质的不同，又可分为吸湿法和蒸发法两种测试类型。吸湿法是将盛有干燥剂并封以织物试样的透湿杯放置于规定温度和湿度的密封环境中，根据一定时间内透湿杯质量的增加量，计算试样透湿率。蒸发法是将盛有经过一定温度蒸馏并封以织物试样的透湿杯，放置于规定温度和湿度的密封环境中，根据一定时间内透湿杯质量的减少量计算出试样透湿率。测试时根据透湿杯的放置方向，又可分为正杯法和倒杯法。

2. 相关标准

相关主要标准见表 5-1-1。

表 5-1-1　相关主要标准

<table>
<tr><th>检测标准</th><th colspan="2">测试条件</th><th>备注</th><th>介质</th><th>测试时透湿杯方向</th></tr>
<tr><td rowspan="3">GB/T 12704.1—2009《纺织品 织物透湿性试验方法 第 1 部分：吸湿法》</td><td>a</td><td>温度(38±2)℃，相对湿度(90±2)%</td><td rowspan="3">优先采用 a 组试验条件，根据需要可采用 b 组和 c 组或其他试验条件</td><td rowspan="3">干燥剂</td><td rowspan="3">正杯</td></tr>
<tr><td>b</td><td>温度(23±2)℃，相对湿度(50±2)%</td></tr>
<tr><td>c</td><td>温度(20±2)℃，相对湿度(65±2)%</td></tr>
<tr><td rowspan="3">GB/T 12704.2—2009《纺织品 织物透湿性试验方法 第 2 部分：蒸发法》</td><td>a</td><td>温度(38±2)℃，相对湿度(50±2)%</td><td rowspan="3">优先采用 a 组试验条件，根据需要可采用 b 组和 c 组或其他试验条件</td><td rowspan="3">蒸馏水</td><td rowspan="3">正杯或倒杯</td></tr>
<tr><td>b</td><td>温度(23±2)℃，相对湿度(50±2)%</td></tr>
<tr><td>c</td><td>温度(20±2)℃，相对湿度(65±2)%</td></tr>
<tr><td rowspan="6">ASTM E96/E96M：2016《材料透湿性测试方法》</td><td>A</td><td>温度 73.4℉(23℃)</td><td rowspan="6">相对湿度为(50±2)%。可根据情况选择其他条件，如温度(38±1)℃，相对湿度(90±2)%</td><td>干燥剂</td><td>正杯</td></tr>
<tr><td>B</td><td>温度 73.4℉(23℃)</td><td>蒸馏水</td><td>正杯</td></tr>
<tr><td>BW</td><td>温度 73.4℉(23℃)</td><td>蒸馏水</td><td>倒杯</td></tr>
<tr><td>C</td><td>温度 90℉(32.2℃)</td><td>干燥剂</td><td>正杯</td></tr>
<tr><td>D</td><td>温度 90℉(32.2℃)</td><td>蒸馏水</td><td>正杯</td></tr>
<tr><td>E</td><td>温度 100℉(37.8℃)</td><td>干燥剂</td><td>正杯</td></tr>
<tr><td rowspan="2">JIS L 1099：2012《织物的透湿性能测试方法》</td><td>A-1</td><td>温度(40±2)℃，相对湿度(90±5)%</td><td>可根据情况选择其他条件</td><td>干燥剂</td><td>正杯</td></tr>
<tr><td>A-2</td><td>温度(40±2)℃，相对湿度(50±5)%</td><td>可根据情况选择其他条件</td><td>蒸馏水</td><td>正杯</td></tr>
<tr><td>ISO 15496：2018《纺织品 质量控制用纺织品水蒸气渗透率的测量》</td><td>—</td><td>温度(23±2)℃</td><td>—</td><td>干燥剂</td><td>倒杯</td></tr>
</table>

二、检测仪器与材料

本节主要介绍国标 GB/T 12704.1—2009 吸湿法（正杯法）和 GB/T 12704.2—2009 蒸发法的方法 A（正杯法）和方法 B（倒杯法）。

GB/T 12704.1—2009 和 GB/T 12704.2—2009 使用的试验设备为配有可旋转仓架（图 5-1-1）的恒温恒湿透湿箱（图 5-1-2）。该设备要求温度控制精度为±2℃，相对湿度控制精度为±4%，风速为 0.3～0.5m/s，同时要求箱内工作空间中温度、湿度均匀，并且每次关闭试验箱门后，在 3min 内温度和湿度可重新达到规定的测试条件，试验期间不应在样品表面产生凝露现象。

透湿箱主要提供透湿测试的标准环境，包括温度、相对湿度和风速。为保证试验箱内各试验透湿杯的环境条件状态一致，在测试过程中，透湿杯在试样架上需要缓慢旋转。经过研究发现，虽然标准对风向没有进行要求，但检测过程中发现风向对结果存在一定的影响，建议风向与透湿杯口平面平行，以增强方法的可重现性。

图 5-1-1 可旋转仓架

图 5-1-2 恒温恒湿透湿箱

三、检测方法与过程

（一）吸湿法（GB/T 12704.1—2009）

1. 试验前准备

（1）试样。在测试前先按 GB/T 6529—2008 规定将样品进行调湿。调湿后从样品上裁剪不在同一经纱和纬纱的 3 块子样，直径约为 70mm（图 5-1-3）。对两面材质不同的样品（如涂层织物），应在两面各取 3 块子样或跟客户确认测试面。对于测试精度要求较高的样品，应取另一个子样用于空白试验。

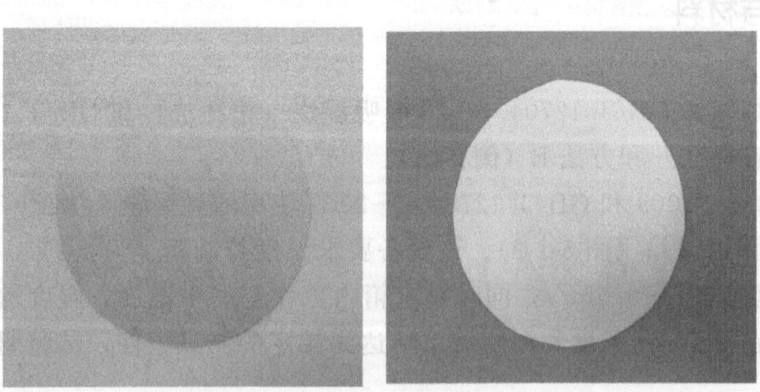

(a) 正面　(b) 反面

图 5-1-3 样品裁剪后示意图

（2）干燥剂。使用标准中规定的标准筛筛选无水氯化钙（分析纯），粒径要求为 0.63～2.5mm。测试前在 160℃的烘箱中干燥 3h，干燥后放在干燥皿中冷却备用。

(3) 透湿杯由杯体、压环、杯盖、螺栓、螺帽构成（图 5-1-4），均以不透气、不透湿、耐腐蚀的轻质材料制成。透湿杯的尺寸为内径 60mm，杯深 22mm。使用前应充分干燥。

2. 测试过程

(1) 向清洁、干燥的透湿杯内装入干燥并冷却后的干燥剂约 35g，并振荡均匀，使干燥剂成为一平面。干燥剂装填高度为距试样下表面位置 4mm 左右。如果进行空白试验，则空白试验的杯中不加干燥剂。

图 5-1-4　透湿杯示意图

图 5-1-5　样品安装示意图

(2) 将试样测试面（一般为织物的反面）朝上放置在透湿杯上，装上垫圈和压环，旋上螺帽，再用宽度不小于 10mm 的聚四氟乙烯胶黏带从侧面封住压环、垫圈和透湿杯，组成试验组合体（图 5-1-5）。这两步尽可能在短时间内完成。组合试样的质量应小于 210g。

(3) 迅速将试验组合体水平放置在已达到规定试验条件的试验箱内（图 5-1-6），经过 1h 平衡后取出。

(4) 迅速盖上对应的杯盖，放在 20℃左右的硅胶干燥器中平衡 30min（图 5-1-7），按编号逐一称重，精确至 0.001g。每个试验组合体称量时间不超过 15s。

图 5-1-6　样品安装后旋转架照片

图 5-1-7　样品干燥照片

（5）称量后轻微振动杯中的干燥剂，使其上下混合，以免长时间使用上层干燥剂使其干燥效用减弱。在振动过程中，应避免干燥剂与试样接触。

（6）迅速将试验组合体放入试验箱内，除去杯盖，经过 1h 试验后取出，按步骤称量。每次称量试验组合体的先后顺序应一致。

若试样透湿度过小，可延长步骤（6）的试验时间，并在试验报告中说明干燥剂吸湿总增量不得超过 10%。

（二）蒸发法（GB/T 12704.2—2009）

1. 试验前准备

（1）试样。在测试前先按 GB/T 6529 规定将样品进行调湿。调湿后从样品上裁剪不在同一经纱和纬纱的 3 块子样，直径约为 70mm。对两面材质不同的样品（如涂层织物），应在两面各取 3 块子样或跟客户确认测试面。对于测试精度要求较高的样品，应取另一个子样用于空白试验。

（2）蒸馏水。调节蒸馏水温度，使水温与测试条件温度相同。

（3）透湿杯由杯体、压环、杯盖、螺栓、螺帽构成，均以不透气、不透湿、耐腐蚀的轻质材料制成（图 5-1-8）。透湿杯的尺寸为内径 60mm，杯深 22mm。

2. 测试过程

（1）用 50mL 的量筒精确量取与试验条件温度相同的蒸馏水 34mL，注入清洁、干燥的透湿杯内，使水距试样下表面位置 10mm 左右。

（2）将试样测试面朝下放置在透湿杯上，装上垫圈和压环，旋上螺帽，再用宽度不小于 10mm 的聚四氟乙烯胶黏带从侧面封住压环、垫圈和透湿杯，组成试验组合体（图 5-1-9）。

图 5-1-8 试样组合部件

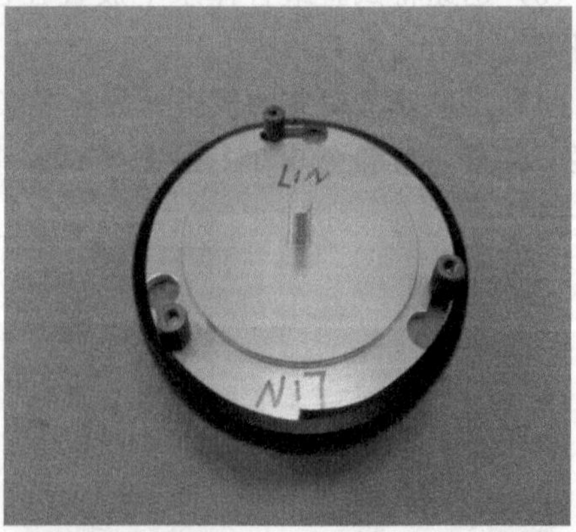

图 5-1-9 样品安装组合照片

（3）迅速将试验组合体水平放置在规定的试验条件的试验箱内，经过 1h 平衡后，按编号在箱内逐一称量，精确至 0.001g。若在箱外称重，每个试验组合体称量时间不超过 15s，称量后放回箱内。

注意：透湿杯放置在试验箱内时，方法 A（正杯法）透湿杯口朝上，方法 B（倒杯法）透湿杯口朝下（图 5-1-10）。

（4）试验 1h 后，按步骤（3）规定以同一顺序称量。

注意：方法 A（正杯法）整个试验过程中要保持试验组合体水平，避免杯内的水接触试样的内表面；若试样透湿率过小，可延长步骤（4）的试验时间，并在试验报告中注明。

3. 结果计算

按下列公式计算透湿率，试验结果以 3 块试样的平均值标识，结果按 GB/T 8170 修约至三位有效数字：

$$WVT=\frac{\Delta m-\Delta m'}{A\times t}$$

式中　WVT——透湿率，$g/(m^2 \cdot 24h)$；

Δm——同一试验组合体两次称量之差，取正数，g；

$\Delta m'$——空白试样同一试验组合体两次称量之差，取正数，不做空白试验时 $\Delta m'=0$，g；

A——有效试验面积（本部分中的装置为 $0.00283m^2$），m^2；

t——试验时间，h。

4. 测试中易遇到的问题

由于透湿率项目的试验参数较多，测试步骤较多，经过多年的比对发现，实验室结果存在一定的差异。为减小差异，在测试过程中应注意以下事项。

（1）试验箱应稳定，箱内气流方向宜与试样表面平行，当气流吹向试样表面时结果偏大。

（2）吸湿法测试时，干燥剂应保证烘干时间；若烘干时间不足，结果偏小。

（3）吸湿法测试时，干燥剂的粒径应保证在要求范围内，使用后应再次过筛后才能烘干使用。粒径偏小时由于干燥剂的比表面积较大，更易吸湿，结果偏大。但当吸湿量超过一定范围后，表面又易结块，导致后续吸湿不足。对于透湿率较大的织物，由于平衡阶段干燥剂吸湿过多，测试阶段吸湿不足，导致结果偏小。

（4）吸湿法测试时，透湿杯中的干燥剂表面应保持平整。干燥剂凸起则会减小干燥剂与试样下表面的距离，结果偏大。另外，测试过程中振动杯体时，应避免干燥剂与试样接触。

（5）吸湿法测试时，部分轻薄针织物容易塌陷。如果试样与干燥剂接触，会使结果明显偏大。测试完成后应观察和判断试样中心是否与干燥剂接触湿润。

（6）蒸发法方法 A（正杯法）测试时，应确保试样不与蒸馏水接触，接触后则结果偏大。测试完成后可拆开试样进行观察确认。

（7）蒸发法方法 B（倒杯法）仅适用于防水透湿织物。为避免织物防水性能不足导致结果偏大，测试结束时应仔细观察，是否有液态蒸馏水渗出。另外，如果织物表面带有沟槽或带绒毛的复合织物，应确保试样边缘的密封。这类试样易在边缘渗水，导致结果异常或离散。

样品放置如图 5-1-10 所示。

四、相关产品标准

相关产品标准见表 5-1-2。

(a) 正杯法　　(b) 倒杯法

图 5-1-10　样品放置

表 5-1-2　涉及透湿率性能检测的相关产品标准

<table>
<tr><th>产品名称</th><th>标准编号</th><th>检测方法</th><th colspan="3">透湿率指标/[g/(m²·24h)]</th></tr>
<tr><td>机织类服装</td><td>GB/T 21295—2024</td><td>涂层产品按 GB/T 12704.1—2009 吸湿法，覆膜产品按 GB/T 12704.2—2009 方法 A(正杯法)</td><td colspan="3">≥2200</td></tr>
<tr><td rowspan="2">冲锋衣</td><td rowspan="2">GB/T 32614—2023</td><td rowspan="2">GB/T 12704.2—2009 规定的试验条件 a)；方法 B(倒杯法)</td><td>Ⅰ级面料（洗前/洗后）</td><td colspan="2">≥6000</td></tr>
<tr><td>Ⅱ级面料（洗前/洗后）</td><td colspan="2">≥4000</td></tr>
<tr><td rowspan="2">针织专业运动服装</td><td rowspan="2">GB/T 29869—2013</td><td rowspan="2">GB/T 12704.2—2009 方法 A(正杯法)</td><td>防风透湿性能（洗前/洗后）</td><td colspan="2">≥3500</td></tr>
<tr><td>防水透湿性能（洗前/洗后）</td><td colspan="2">≥5000</td></tr>
<tr><td rowspan="2">针织保暖内衣絮片型</td><td rowspan="2">FZ/T 73016—2020</td><td rowspan="2">GB/T 12704.1—2009 规定的吸湿法试验条件 a)</td><td>优等品</td><td>一等品</td><td>合格品</td></tr>
<tr><td>≥5000</td><td>≥3000</td><td>≥2500</td></tr>
<tr><td rowspan="2">针织儿童服装</td><td rowspan="2">FZ/T 73045—2013</td><td rowspan="2">GB/T 12704.1—2009 规定的吸湿法试验条件 a)</td><td>优等品</td><td>一等品</td><td>合格品</td></tr>
<tr><td colspan="3">≥2500</td></tr>
<tr><td>保暖袜</td><td>FZ/T 73054—2015</td><td>GB/T 12704.1—2009 规定的吸湿法试验条件 a)</td><td colspan="3">≥7000</td></tr>
</table>

第二节　拒水性能测试

防水性是指织物抵抗被水润湿和渗透的性能。织物防水性能的表征指标有沾水等级、抗静水压等级、水渗透量等。其中，拒水指织物抵抗吸收液态水的性能，常用沾水等级来表示。拒水溶液性能，如拒水/醇溶液试验，是采用一系列具有不同表面张力的水/醇溶液测试织物的拒水/醇溶液性能的方法。

一、原理及相关标准

1. 原理

将试样安装在环形夹持器上，保持夹持器与水平面成 45°，试样中心位置距喷嘴下方一定的距离。用一定量的蒸馏水或去离子水喷淋试样。喷淋后，通过试样外观与沾水现象描述及图片的比较，确定织物的沾水等级，并以此评价织物的防水性能。

2. 相关标准

主要标准有：GB/T 4745—2012《纺织品 防水性能的检测和评价 沾水法》；ISO 4920：2012《纺织织物 表面抗湿性测定方法 沾水试验》；AATCC 22：2017《拒水性：喷淋试验》；JIS L 1092：2009 7.2《纺织品的防水性测试方法 沾水性测试（喷淋试验）》。各标准关键测试参数见表 5-2-1。

表 5-2-1　各标准关键测试参数

检测标准编号	水温	水量	喷淋时间	结果表示
GB/T 4745—2012	(20±2)℃或(27±2)℃或相关各方同意的其他温度	(250±2)mL	25～30s	共10个等级，1级和5级之间有整数级和半级；最低级为0级，无0.5级
ISO 4920：2012	(20±2)℃或(27±2)℃或相关各方同意的其他温度	(250±2)mL	25～30s	共10个等级，1级和5级之间有整数级和半级；最低级为0级，无0.5级
AATCC 22：2017	(27±1)℃	250mL	25～30s	共10个等级，分为0分、50分、60分、70分、75分、80分、85分、90分、95分、100分
JIS L 1092：2009 7.2	(20±3)℃	250mL	25～30s	1～5级，无中间级和0级

二、检测仪器与材料

1. 检测仪器

(1) 喷淋装置，由一个垂直夹持的直径为 (150±5)mm 漏斗和一个金属喷嘴组成，漏斗与喷嘴由 10mm 口径橡胶皮管连接，漏斗顶部到喷嘴底部的距离为 (195±10)mm，见图 5-2-1。

(2) 金属喷嘴。金属喷嘴为凸圆面，表面均匀分布 19 个直径为 (0.86±0.05)mm 的孔（图 5-2-2），(250±2)mL 水注入漏斗后其持续喷淋时间应为 25～30s。

2. 试验材料

试样夹持器：圆形，可把试样固定在样品架上（图 5-2-3）。

三、检测方法与过程

1. 试验前准备

(1) 试样。在测试前先按 GB/T 6529 的规定调湿至少 4h。从织物的不同部位至少取 3 块试样，每块试样尺寸至少为 180mm×180mm。试样应具有代表性，取样部位不应有折皱或折痕。

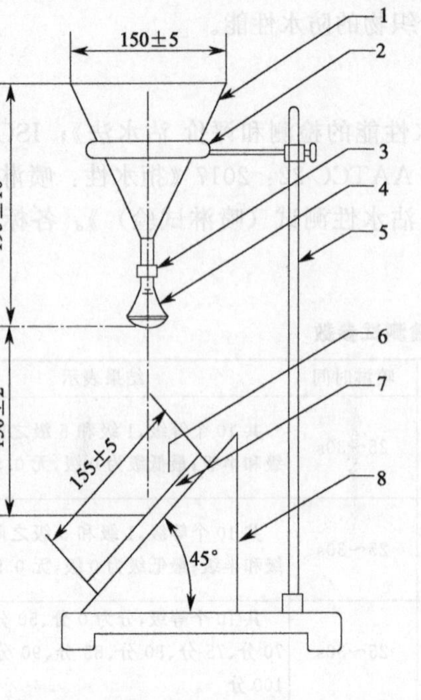

图 5-2-1 喷淋装置（单位：mm）

1—漏斗；2—支撑环；3—橡胶管；4—淋水喷嘴；
5—支架；6—试样；7—试样夹持器；8—底座

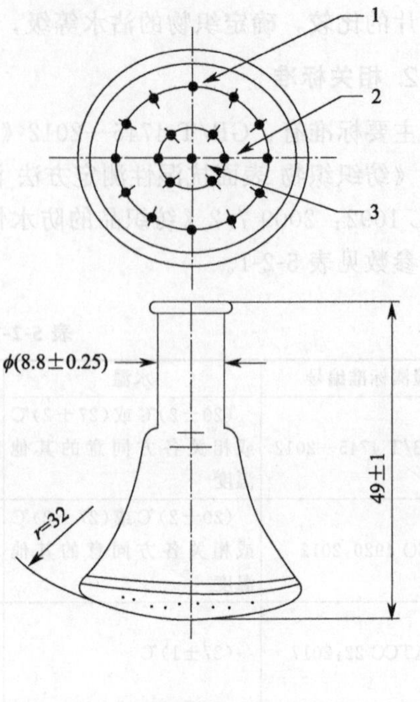

图 5-2-2 金属喷嘴（单位：mm）

1—直径为（21±0.5）mm 的圆周上均匀分布着 12 个直径为（0.86±0.05）mm 的孔；
2—直径为（10±0.5）mm 的圆周上均匀分布着 6 个直径为（0.86±0.05）mm 的孔；
3—1 个中心孔，直径为（0.86±0.05）mm

（2）水。准备规定温度试验用水，测试前应用温度计核查其温度是否在标准要求的范围内。

（3）仪器核查。每天试验前宜对仪器进行核查，核查以下 3 个方面：

① 仪器摆放是否水平；

② 喷嘴下端与试样中心位置的距离是否在要求范围内；

③ 规定量的水注入漏斗后喷淋时间是否达标，喷淋水是否连续，喷淋范围是否正常。

2. 试验过程

（1）试样调湿后用夹持器夹紧试样，放在支座上，试样正面朝上。除另有要求，织物经向或长度方向应与水流方向平行。

（2）将 250mL 试验用水迅速而平稳地倒入漏斗，持续喷淋 25～30s（图 5-2-4）。

（3）喷淋停止后，立即将夹有试样的夹持器拿开，使织物正面向下几乎成水平，然后对着一个固体硬物轻轻敲打一下夹持器，水平旋转夹持器 180°后再次轻轻敲打夹持器一下。

（4）敲打结束后，根据沾水现象描述表立即对夹持器上的试样正面润湿程度进行评级。

（5）重复步骤(1)～(4)，对剩余试样进行测定。

注意：每次测试新的试样前应将仪器重新擦干后才能测试下一块试样。避免手触摸试样的测试区域。

3. 结果表述

详见沾水现象描述（表 5-2-2）。

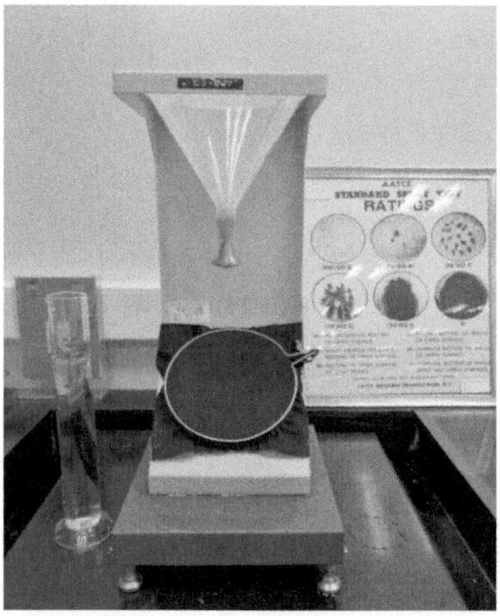

图 5-2-3　试样夹持器

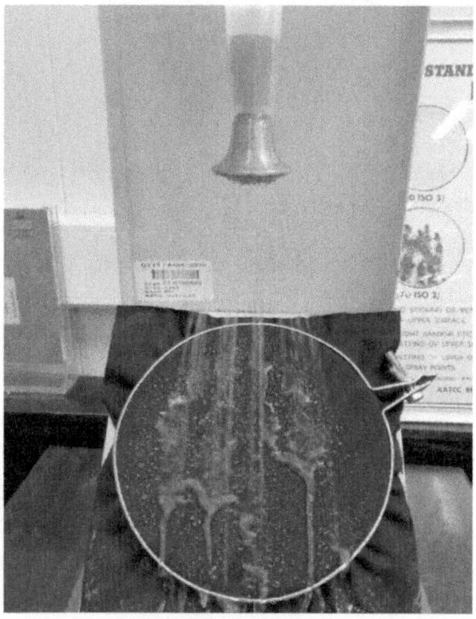

图 5-2-4　持续喷淋

表 5-2-2　沾水现象描述

沾水等级	沾水现象描述
0 级	整个试样表面完全润湿
1 级	受淋表面完全润湿
1-2 级	试样表面超出喷淋点处润湿，润湿面积超出受淋表面一半
2 级	试样表面超出喷淋点处润湿，润湿面积约为受淋表面一半
2-3 级	试样表面超出喷淋点处润湿，润湿面积低于受淋表面一半
3 级	试样表面喷淋点处润湿
3-4 级	试样表面等于或低于半数的喷淋点处润湿
4 级	试样表面有零星的喷淋点处润湿
4-5 级	试样表面没有润湿，有少量水珠
5 级	试样表面没有水珠或润湿

图 5-2-5 给出了表 5-2-2 中整数等级对应的图片。本标准中规定的等级与 ISO 等级以及 AATCC 的图片等级关系如下：

GB 0＝ISO 0＝AATCC0——整个试样表面完全润湿；

GB 1＝ISO 1＝AATCC50——受淋表面完全润湿；

GB 2＝ISO 2＝AATCC70——试样表面超出喷淋点处润湿，润湿面积约为受淋表面一半；

GB 3＝ISO 3＝AATCC80——试样表面喷淋点处润湿；

GB 4＝ISO 4＝AATCC90——试样表面有零星的喷淋点处润湿；

GB 5＝ISO 5＝AATCC100——试样表面没有水珠或润湿。

4. 防水性能评价

GB/T 4745—2012 给出了防水性能评价，ISO 和 AATCC 均无此评价。按照 GB/T 4745—2012 的要求对样品进行防水性能评价。进行评价时，计算所有试样沾水等级的平均

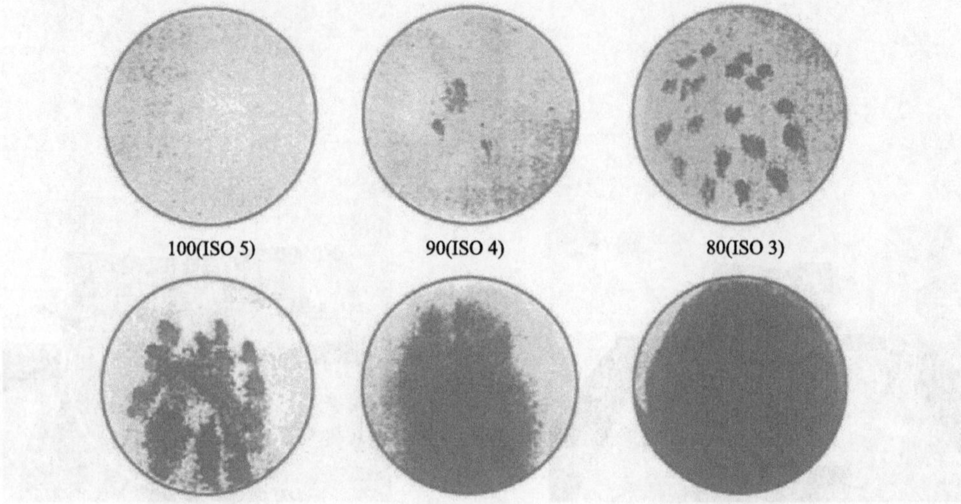

图 5-2-5　基于 AATCC 图片的 ISO 沾水等级图

值，修约至最接近的整数级或半级，样品的防水性能评价详见表 5-2-3。

注意：计算试样沾水等级平均值时，半级以数值 0.5 计算。

表 5-2-3　样品的防水性能评价

沾水等级	防水性能评价
0 级	不具有抗沾湿性能
1 级	
1-2 级	抗沾湿性能差
2 级	
2-3 级	抗沾湿性能较差
3 级	具有抗沾湿性能
3-4 级	具有较好的抗沾湿性能
4 级	具有很好的抗沾湿性能
4-5 级	具有优异的抗沾湿性能
5 级	

5. 测试中需注意的问题

(1) 本标准的结果为目光评级，受主观影响比较大，建议两人评级，并且人员需要经常比对以保持评级的能力。

(2) 沾水等级描述中“润湿”的理解。这里的“润湿”指水珠与织物的接触角小于 90°，而非指织物吸湿。接触角越小，织物越亲水；接触角越大，织物越拒水。如纯涤纶织物，虽然涤纶不吸湿，但当水珠在涤纶织物上的接触角小于 90°时，即认为试样已润湿。

(3) 测试洗后试样时，由于不同试样的后整理工艺不同，不同的整理剂之间可能有相互影响。洗涤时建议单机洗涤，避免交叉影响，以免试样的洗后结果无法复现。

(4) 部分特殊试样，按沾水现象描述给出等级，举例如图 5-2-6 所示。其中，情况 C 为覆膜织物，水进入织物与膜之间，建议只给出描述，不进行评级。

（5）报告出具每个试样的沾水等级，当需要判定时按平均值判定。

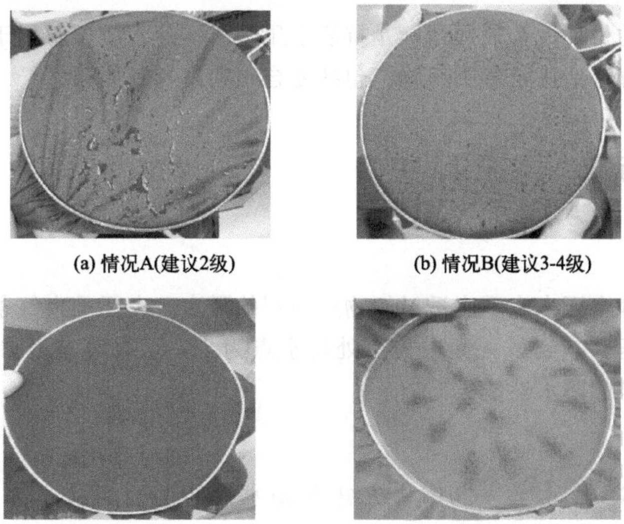

(a) 情况A(建议2级)　(b) 情况B(建议3-4级)

(c) 情况C(正面)　(d) 情况C(反面)

图 5-2-6 特殊试样

四、相关产品标准

相关产品标准见表 5-2-4。

表 5-2-4 涉及拒水性能检测的相关产品标准

<table>
<tr><th>产品名称</th><th>现行产品标准</th><th>检测方法标准</th><th colspan="4">沾水等级</th></tr>
<tr><td rowspan="3">风衣</td><td rowspan="3">FZ/T 81010—2018</td><td rowspan="3">按 GB/T 4745 测试。水洗方法仍为 GB/T 8629—2001 洗涤程序 5A，连续洗涤 3 次，悬挂晾干</td><td>优等品</td><td colspan="2">一等品</td><td>合格品</td></tr>
<tr><td colspan="4">≥4 级</td></tr>
<tr><td colspan="4">明示具有防水（雨）性能的产品应同时考核耐静水压性能和沾水等级；明示具有拒水性能、表面抗湿性能的产品仅考核沾水等级</td></tr>
<tr><td rowspan="4">冲锋衣</td><td rowspan="4">GB/T 32614—2023</td><td rowspan="4">按 GB/T 4745 测试。水洗方法为 GB/T 8629—2017 洗涤程序 4N，连续洗涤 3 次，悬挂晾干</td><td rowspan="2">Ⅰ级</td><td>洗前</td><td colspan="2">≥4 级</td></tr>
<tr><td>洗后</td><td colspan="2">≥3 级</td></tr>
<tr><td rowspan="2">Ⅱ级</td><td>洗前</td><td colspan="2">≥4 级</td></tr>
<tr><td>洗后</td><td colspan="2">不考核</td></tr>
<tr><td rowspan="2">服用涂层织物</td><td rowspan="2">GB/T 28464—2012</td><td rowspan="2">按 GB/T 4745 测试</td><td>Ⅰ型</td><td>Ⅱ型</td><td>Ⅲ型</td><td>Ⅳ型</td></tr>
<tr><td>≥3</td><td>≥4</td><td>≥3</td><td>≥4</td></tr>
<tr><td>服装理化性能</td><td>GB/T 21295—2024</td><td>按 GB/T 4745—2012 测试</td><td colspan="4">≥4 级</td></tr>
<tr><td rowspan="2">羽绒羽毛睡袋</td><td rowspan="2">QB/T 1195—2023</td><td rowspan="2">按 GB/T 4745 测试</td><td>婴幼儿</td><td colspan="2">室内型</td><td>户外野营型</td></tr>
<tr><td colspan="3">不考核</td><td>≥3 级</td></tr>
</table>

第三节　耐静水压性能测试

织物防水性能的另外一个表征指标是抗静水压等级。静水压试验用于表征织物抵抗被水渗透的性能。测试方法适用于各类织物（包括复合织物）及其制品。

一、原理及相关标准

1. 原理

以织物承受的静水压来表示水透过织物所遇到的阻力。在标准大气条件下，试样的一面承受持续上升的水压，直到另一面出现三处渗水点为止，记录第三处渗水点出现时的压力值，并以此评价试样的防水性能。

2. 相关标准

主要标准有：GB/T 4744—2013《纺织品 防水性能的检测和评价 静水压法》；FZ/T 01004—2008《涂层织物 抗渗水性的测定》；ISO 811：2018《纺织品 抗渗水性的测定 静水压法》；AATCC 127：2018《防水性：静水压试验》；AATCC 208：2019《防水性：使用约束装置的静水压试验》；JIS L 1092：2009 7.1《纺织品的防水性测试方法 渗水性测试：静水压法》。

各标准测试条件与过程见表 5-3-1。

表 5-3-1　各标准测试条件与过程

检测标准编号	水温	测试面积	测试过程
GB/T 4744—2013	(20±2)℃或(27±2)℃	$100cm^2$	以(6.0±0.3)kPa/min速率增压，直至第三处水珠出现
FZ/T 01004—2008	(20±2)℃	$100cm^2$	当定压值≤30kPa时，应在1min±10s内加压到规定压力值，保持2min±10s；当定压值＞30kPa时，应在2min±20s内加压到规定压力值，保持5min±20s；或以指定速度增压测试，直至出现渗水
ISO 811：2018	(20±2)℃或(27±2)℃	$100cm^2$	以(10±0.5)cmH_2O/min或(60±3)cmH_2O/min速率增压，直至第三处水珠出现
AATCC 127：2018	(21±2)℃	$100cm^2$	Suter测试仪(已停售)：以10mm/s速率提升水位，当水流出时关闭气孔，第三处水珠出现停止测试
			Textest测试仪：以60mbar/min速率增压，直至第三处水珠出现
AATCC 208：2019	(21±2)℃	$100cm^2$	Suter测试仪(已停售)：以10mm/s速率提升水位，当水流出时关闭气孔，第三处水珠出现停止测试
			Textest测试仪：以60mbar/min速率增压，直至第三处水珠出现
JIS L 1092：2009 7.1	(20±3)℃	$100cm^2$	方法A(低压法)：以(600±30)mmH_2O/min或(100±5)mmH_2O/min速率增压，直至第三处水珠出现
			方法B(高压法)：以100kPa/min速率增压，直至第三处水珠出现

注：$1mmH_2O=9.80665Pa$，$1bar=10^5Pa$。

二、检测仪器

静水压测试仪主要由试样夹持系统、水槽、加压装置及压力显示装置等组成[图 5-3-1 (a)、(b)]。试样被固定在规定面积的测试压头上，通过空压机将空气加入一个充满蒸馏水的水槽中，水槽连接测试头，将一定的压力传递给试样。静水压测试仪应能以下列方式夹持试样：①试样水平夹持，且不鼓起；②从试样上面或下面承受持续上升水压的试验面积为 $100cm^2$；③试验过程中，夹持装置不漏水；④试样在夹持装置中不滑移；⑤尽量降低试样在夹持装置边缘渗水的可能性。

静水压仪夹环一般有锯齿和橡胶两种，两种夹持方式结果有一定的差异，建议在报告中给出夹持方式。

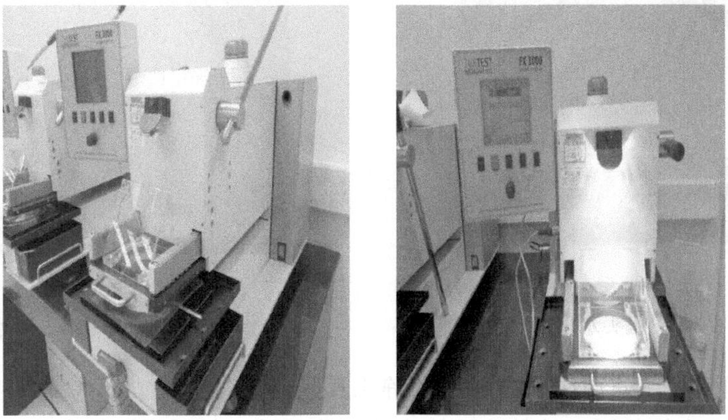

(a)　(b)

图 5-3-1　静水压测试仪

三、测试方法与过程

静水压的测试方法有两种，一种为增压法，其采用的方法为 GB/T 4744—2013；另一种方法为定压法，其采用的方法为 FZ/T 01004—2008。两种方法对取样的要求是一致的，只是测试时的要求有所不同。

（一）试验前准备

(1) 取样。在测试前先按 GB/T 6529 规定调湿 4h。调湿后从织物的不同部位至少取 5 块试样，每块试样尺寸应满足仪器加持器尺寸的要求，可以将样品牢固地固定在设备上。取样时应避免在有深褶皱或折痕的部位取样；在取接缝处静水压样品时，宜使接缝位于试样的中间位置。

(2) 水。蒸馏水或去离子水应在测试环境下调温，以使试验用水温度满足测试要求。测试前使用温度计核查水的温度。

（3）仪器核查。测试前应确保仪器水平。

（二）试验过程

1. 增压法（GB/T 4744—2013）

（1）试验过程

① 将水倒入测试压头水槽内，液面与压头边缘平齐，擦净夹持装置边缘的水（图 5-3-2）。

② 一般织物正面与水接触。将织物的一边微微抬起，将织物贴近水面向仪器一侧平稳移动，当织物完全覆盖测试压头后放下织物，保证试样与水之间没有空气层。

③ 以规定的水压上升速率对试样施加持续递增的水压，并观察渗水现象。

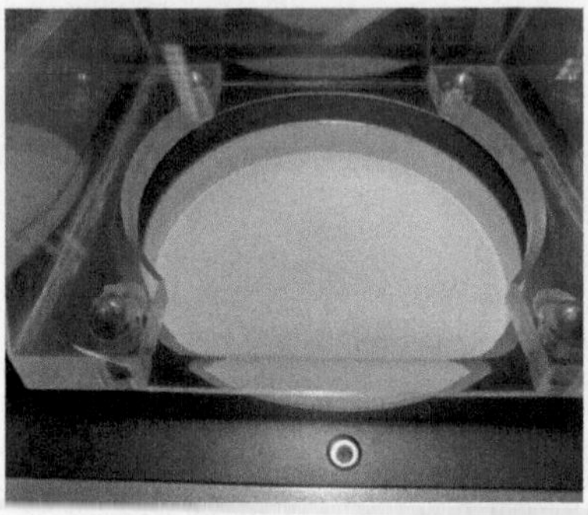

图 5-3-2 压头水槽

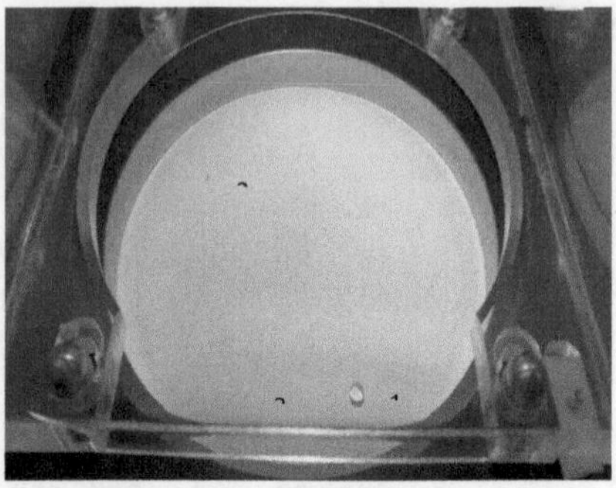

图 5-3-3 第三处水珠

④ 记录试样上第三处水珠刚出现时的静水压值（图 5-3-3）。不考虑那些形成以后不再增大的细微水珠，在织物同一处的连续性水珠不作累计。如果第三处水珠出现在夹持装置的边缘，且导致第三处水珠的静水压值低于同一样品其他试样的最低值，则提出此数据，补增试样另行试验，直到获得正常试验结果为止。

⑤ 去除试验后补充水分，擦干测试区域和测试压头。重复步骤①～④，对剩余试样进行测定。

（2）结果与评价

① 结果表达：以规定单位表示每个试样的静水压值及其平均值。对于同一样品的不同类型试样（例如，有接缝试样和无接缝试样），分别计算其静水压平均值。

② 防水性能评价：如需要，按照表 5-3-2 给出样品的抗静水等级或防水性能评价。对于同一样品的不同类型试样，分别给出抗静水压等级或防水性能评价。

表 5-3-2 抗静水压等级和防水性能评价

抗静水压等级	静水压值 p/kPa	防水性能评价
0 级	$p<4$	抗静水压性能差
1 级	$4\leqslant p<13$	具有抗静水压性能
2 级	$13\leqslant p<20$	
3 级	$20\leqslant p<35$	具有较好的抗静水压性能
4 级	$35\leqslant p<50$	具有优异的抗静水压性能
5 级	$50\leqslant p$	

注：不同水压上升速率测得的静水压值不同，表 5-3-2 的防水性能评价是基于水压上升速率为 6.0kPa/min 时得出的。

③ 报告出具每个试样的静水压值及平均值，如需要，给出抗静水压等级或防水性能评价。

(3) 测试注意事项

① 夹持试样时，应尽量减少试样与水之间的空气。

② 尽量保证试样夹持装置边缘不渗水、不漏水。

③ 除出现三滴水珠外，以下几种情况应作为试验的测试终点：织物爆裂；织物一处出水，压力较大，形成水柱喷出；水进入复合织物中间，将织物分离，充水鼓起；弹性较大的织物，织物鼓起一定程度后，水压无法持续上升；织物表面形成细密水珠，肉眼难以分辨，用吸水纸擦拭可见明显润湿。

2. 定压法（FZ/T 01004—2008）

测试步骤按增压法的规定执行，其中夹持试样时，试样上应加装金属网，增压速率设定如下：当定压值≤30kPa 时，应在 1min±10s 内加压到规定压力值，保持 2min±10s；当定压值>30kPa 时，应在 2min±20s 内加压到规定压力值，保持 5min±20s；直至出现渗水或润湿痕迹。结果可用“通过”或“未通过”表示。当 5 块试样有一块试样未通过时，即认为样品未通过测试。

四、相关产品标准

相关产品标准见表 5-3-3。

表 5-3-3　涉及静水压检测的相关产品标准

<table>
<tr><th>产品名称</th><th>现行产品标准编号</th><th>检测方法标准</th><th colspan="5">静水压</th></tr>
<tr><td rowspan="5">冲锋衣</td><td rowspan="5">GB/T 32614—2023</td><td rowspan="5">经(纵)、纬(横)任一方向拉伸弹性伸长率≥10%的面料按 FZ/T 01004—2008 测定，水上升速率为(6.0±0.3)kPa/min，试验终点按 GB/T 4744 执行；其他面料按 GB/T 4744 执行</td><td rowspan="2">Ⅰ级</td><td>洗前</td><td colspan="3">面料≥50kPa，面料接缝≥40kPa</td></tr>
<tr><td>洗后</td><td colspan="3">面料≥40kPa，面料接缝≥30kPa</td></tr>
<tr><td rowspan="2">Ⅱ级</td><td>洗前</td><td colspan="3">面料≥30kPa，面料接缝≥25kPa</td></tr>
<tr><td>洗后</td><td colspan="3">面料≥20kPa，面料接缝≥15kPa</td></tr>
<tr><td colspan="5">注：接缝处出现胶条脱落现象，不测试，直接判定为不合格</td></tr>
<tr><td rowspan="2">服装理化性能</td><td rowspan="2">GB/T 21295—2024</td><td rowspan="2">成品的未覆黏合衬部位按 GB/T 4744 规定测试，水压上升速率为(6.0±0.3)kPa/min，水温(20±2)℃</td><td colspan="2">防雨功能</td><td colspan="3">≥13kPa</td></tr>
<tr><td colspan="2">防暴雨功能</td><td colspan="3">≥35kPa</td></tr>
<tr><td rowspan="5">服用涂层织物</td><td rowspan="5">GB/T 28464—2012</td><td rowspan="5">按 GB/T 4744 规定测试，水压上升速率为(6.0±0.3)kPa/min，试样使用面接触水。屈挠程序按 FZ/T 01052 进行 9000 次循环；水洗程序仍按 GB/T 8629—2017 执行，6A 洗 3 个循环，C 法干燥</td><td>项目</td><td>Ⅰ型</td><td>Ⅱ型</td><td>Ⅲ型</td><td>Ⅳ型</td></tr>
<tr><td>原样</td><td>≥15kPa</td><td>≥30kPa</td><td>≥30kPa</td><td>≥60kPa</td></tr>
<tr><td>屈挠后</td><td>不考核</td><td>≥25kPa</td><td>≥20kPa</td><td>≥45kPa</td></tr>
<tr><td>水洗后</td><td>不考核</td><td>≥15kPa</td><td>≥15kPa</td><td>≥25kPa</td></tr>
<tr><td colspan="5">其中水洗指标仅考核可水洗涂层织物</td></tr>
</table>

第四节　防紫外线性能测试

太阳光谱中的紫外线不仅使纺织品褪色和脆化，也可使人体皮肤晒伤老化，产生黑色素和色斑，严重时还会诱发癌变。随着臭氧层破坏和对紫外线的不断探究认识，纺织品防紫外线性能越来越引起消费者的重视。紫外线（UV）根据波长可分为3个波段：长波紫外线（UVA，波长315～400nm），中波紫外线（UVB，波长280～315nm），短波紫外线（UVC，波长100～280nm）。一般来说，波长越短，能量越大，其生物学作用也越强。三种不同波长的紫外线对皮肤的损害也不同：UVA主要产生皮肤光老化，可以穿透皮肤表层，深入真皮以下组织，破坏胶原蛋白、弹性纤维组织等皮肤内部的微细结构，使人产生皱纹，令皮肤松弛衰老；UVB主要引起表皮层及真皮浅层的病变，产生日晒红斑、免疫抑制及皮肤癌；UVC虽然能量高，危害最大，但几乎全部被大气臭氧层吸收。太阳产生的紫外线到达地球表面对人体产生作用的主要是UVA（约占到达地表UV总量的95%）和UVB（约占到达地表UV总量的5%）。现行防紫外线性能的检测标准检测的紫外波主要针对UVA和UVB（即波长280～400nm）。本节以国标GB/T 18830—2009为例进行介绍。

一、原理及相关标准

1. 原理

测试紫外线的方法均采用分光光度计法，该法用单色或多色的UV射线辐射试样，收集总的光谱透射射线，测定出总的光谱透射比，并计算试样的紫外线防护系数UPF值；同时，可采用平行光束照射试样，用一个积分球收集所有透射光线。

各国进行防紫外线性能评定的标准都以UPF值为主，适当考虑UVA或UVB的平均透射率。根据我国国家标准（GB/T 18830—2009），UPF值是指"皮肤无防护时计算出的紫外线辐射平均效应与皮肤有织物防护时计算出的紫外线辐射平均效应的比值"，即可理解为使用防护织物后，紫外线辐射使皮肤达到某一损伤（如黑斑、红斑、致癌等）所需要的时间与不使用防护织物达到该种伤害的时间之比；也就是说，如果布料的UPF值是40，承受紫外线辐射量是没有防护时的1/40。UPF值愈大，紫外线平均透射率愈低，织物防紫外线性能愈强。

2. 相关标准

防紫外线纺织品出现后，澳大利亚和新西兰两国首先推出了防紫外线防护服测试方法标准，随后中国、欧盟、美国等国家和地区或有关部门也推出了相关标准。防紫外线性能检测标准主要有：GB/T 18830—2009《纺织品 防紫外线性能的评定》；AATCC 183：2014《织物抗紫外辐射性能》；EN 13758-1：2001＋A1：2006（E）《纺织品——紫外线防护性能 第1部分：外衣织物试验方法》；AS/NZS 4399：1996《防晒服装——评价与分类》；Japan Garment Association Standard（《日本服装协会标准》）。上述标准虽然测试结果均以UPF值表示，但是在方法中规定参数也各不相同，表5-4-1列出主要不同标准规定的参数差异。

二、检测仪器与材料

1. 检测仪器

（1）UV光源。提供波长为290～400nm的UV射线。现阶段UV光源主要有氙弧灯、氙灯和日光模拟器三种。在采用平行入射光束时，光束端面至少为 25mm^2，覆盖面积至少是织物循环结构的 3 倍。此外，对于单色入射光束，积分球入口的最小尺寸与照明斑的最大尺寸之比应该大于 1.5∶1。光束应该与织物表面垂直，光束角度偏差应在±5°之间。

表 5-4-1　主要不同标准规定的参数差异

项目	美国标准 AATCC 183:2014	我国标准 GB/T 18830—2009	欧盟标准 EN 13758-1:2001 +A1:2006(E)	澳大利亚/新西兰标准 AS/NZS 4399:1996
适用范围	干、湿态和拉伸状态的织物	所有纺织品	服装面料	干态且非拉伸态的未处理纺织品
均质样品	2(一干一湿)	4	4	2 经 2 纬
非均质样品	每种颜色和结构至少 1 个样品	每种颜色和结构至少 2 个样品	每种颜色和结构至少 2 个样品	每种颜色至少 1 个样品
调湿	需要	需要	需要	不需要
试验环境	温度 21℃±1℃ 相对湿度 65%±2%	温度 20℃±2℃ 相对湿度 65%±4%	温度 20℃±2℃ 相对湿度 65%±4%	温度 20℃±5℃ 相对湿度 50%±2%
参照的日光光谱辐照度	美国新墨西哥州 Albuquerque 市 7 月 3 日夏季中午	美国新墨西哥州 Albuquerque 市 7 月 3 日夏季中午	美国新墨西哥州 Albuquerque 市 7 月 3 日夏季中午	澳大利亚墨尔本市 1 月 1 日冬季中午
测试波长	280～400nm	290～400nm	290～400nm	280～400nm
最小波长间隔	2nm	5nm	5nm	5nm
修正标准偏差	否	是	是	是
抗紫外线要求	UPF 值≥15，分三类防护等级：15～24 良好，25～39 很好，≥40 极佳	UPF 值>40，UVA 平均透射率<5%	UPF 值>40，UVA 平均透射率<5%	UPF 值≥15，分为以下防护等级：15～24 良好，25～39 很好，40～50 及 50+极佳

（2）积分球。积分球的总孔面积不超过积分球内表面积的 10%。内表面应涂有反射性良好的哑光材料，例如涂硫酸钡。积分球内还装有挡板，以遮挡试样窗到内部探测头或试样窗到内部光源之间的光线。

（3）单色仪。适合于在波长 290～400nm 范围内，以 5nm 或更小的光谱带宽进行测定。

（4）UV 透射滤片。仅透过波长小于 400nm 的光线，且不会产生荧光。在将单色器安装在样品之前，应把较合适的 UV 透射滤片放在样品和检测器之间。如果这种方式不可行，则应将滤片放在试样和积分球之间的试样窗口处。UV 透射滤片的厚度应为 1～3mm。

（5）紫外透射率分析仪。紫外透射率分析仪 UV-2000F 见图 5-4-1。仪器两侧有两个旋钮，左侧旋钮按下后进行旋转可设置镜头的高度，以适应不同厚度织物的测试要求，镜头到织物表面的高度一般在 2mm 左右。右侧旋钮旋转可调节镜头高度，与左侧旋钮不同的是，当手放开后，镜头恢复至设定位置，方便进出试样。需要注意，镜头到织物表面的高度对结果有一定的影响，UPF 值越小的织物，影响越大。

2. 试验材料

（1）试样夹。使试样在无张力或在规定拉伸状态下保持平整。该装置不应遮挡积分球入口。

（2）透明薄膜。测试湿态试样时应在试样下方放置一块透明薄膜，并做空白值，以防止水分进入仪器，对仪器造成损伤。

图 5-4-1　紫外透射率分析仪

三、检测方法与过程

1. 试验前准备

（1）试样。对于均质材料，应在距布边 5cm 以外进行取样，至少要取 4 块有代表性的试样（图 5-4-2）。对于具有不同色泽或结构的非均质材料，每种颜色和每种结构至少要取 2 块试样。所取试样的尺寸应保证充分覆盖住仪器的测试孔。

（2）调湿和试验要求。调湿和试验应按 GB/T 6529 进行，如果试验装置未放在标准大气条件下，调湿后试样从密闭容器中取出至试验完成应不超过 10min。

注意：测试时可不裁剪试样。在试样上标注测试面，一般为正面。

2. 试验过程

（1）在积分球入口前方放置试样试验，将穿着时远离皮肤的织物面朝着 UV 光源（图 5-4-3）。

图 5-4-2　样品取样图

图 5-4-3　样品安装测试图

（2）对于单色片放在试样前方的仪器装置，应使用 UV 透射滤片，并检验其有效性。

（3）记录 290～400nm 之间的透射比，每 5nm 至少记录一次（图 5-4-4 为结果读取）。

注意：该仪器选择相应标准后，可直接读取结果。

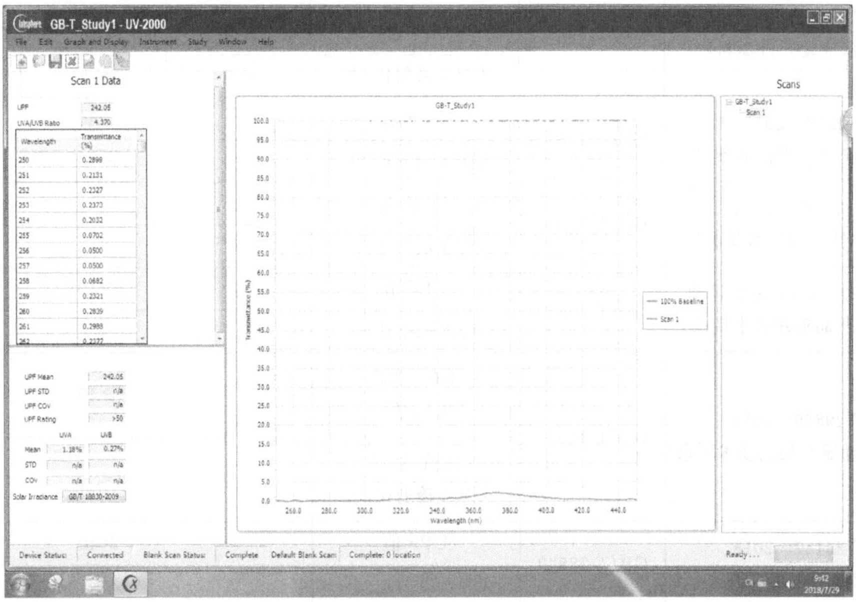

图 5-4-4　结果读取

3. 结果的表达

对于均质材料，样品的 UPF 值确定方式如下：当样品的 UPF 值低于所有单个试样实测 UPF 值中的最低值时，则以该最低 UPF 值作为样品的 UPF 值报出。当样品的 UPF 值大于 50 时，表示为“UPF 值＞50”。对于具有不同颜色或结构的非均质材料，应对各种颜色或结构进行测试，以其中最低的 UPF 值作为样品的 UPF 值。当样品的 UPF 值大于 50 时，表示为“UPF 值＞50”。

4. 评定和标识

按本标准测定，当样品的 UPF 值＞40，且 UVA 透射比＜5％时，可称为“防紫外线产品”。防紫外线产品应在标签上标有本标准的编号，即 GB/T 18830—2009；当 40＜UPF 值≤50 时，标记为 UPF40＋；当 UPF 值＞50 时，标记为 UPF50＋。长期使用以及在拉伸或潮湿的情况下，该产品所提供的防护有可能减少。

四、相关产品标准

相关产品标准见表 5-4-2。

表 5-4-2　涉及抗紫外线检测的相关产品标准

产品标准	检测方法标准编号	检测项目	指标		
FZ/T 14025—2022《高耐气候涤纶户外面料》	GB/T 18830	抗紫外线	优等品	一等品	二等品
		UPF值	≥50	≥50	≥50
		UVA透射比/%	≤5	≤5	≤5
GB 31892—2015《伞类产品安全通用技术条件》	GB/T 18830	UPF值	>40		
		UVA透射比/%	<5		
GB/T 21295—2024《服装理化性能的技术要求》	GB/T 18830	UPF值	>40		
		UVA透射比/%	<5		
GB/T 21980—2017《专业运动服装和防护用品通用技术规范》	GB/T 18830	UPF值	>40		
		UVA透射比/%	<5		
GB/T 29869—2013《针织专业运动服装通用技术要求》	GB/T 18830	洗前/洗后 UPF值	≥40		
		洗前/洗后 UVA透射比/%	<5		
GB/T 23147—2018《晴雨伞》	GB/T 18830	UPF值	>40		
		UVA透射比/%	<5		

第五节　抗勾丝性能测试

勾丝是指织物中纱线或纤维被尖锐物勾出或勾断后浮在织物表面形成的线圈、纤维（束）圈状、绒毛或其他凸凹不平的疵点。一些组织结构松散或含有长丝纤维的织物，经常出现勾丝现象，尤其是针织物。测试勾丝性能通常使用钉锤法。此外，还有珠枕法、针布滚筒法和 ICI 起球箱测试法等。本节主要介绍钉锤法测试内容。

一、原理及相关标准

1. 原理

筒状试样套于转筒上，用链条悬挂的钉锤置于试样表面上。当转筒以恒速转动时，钉锤在试样表面随机翻转、跳动，并钩挂试样，试样表面产生勾丝。经过规定的转数后，对比标准样对试样的勾丝程度进行评级。

2. 相关标准

主要标准有：GB/T 11047—2008《纺织品 织物勾丝性能评定 钉锤法》；ASTM D3939/D3939M-2013（2017）《织物抗勾丝性能测试方法（钉锤法）》；JIS L 1058：2011《机织物和针织物勾丝测试方法》。

其中 JIS L 1058：2011 方法 A 钉锤法仪器转动次数为 100 次，ASTM D3939/D3939M-

2013（2017）和 GB/T 11047—2008 为 600 次。

二、检测仪器

1. 勾丝测试仪

勾丝测试仪（图 5-5-1，图 5-5-2）主要由钉锤、导杆和转筒组成。钉锤悬挂在链条上，链条上端悬挂处能自由活动。钉锤（圆球直径 ϕ32mm）与导杆的距离（即钉锤与导杆间链条长度）为 45mm。钉锤上等距植入碳化钨针钉 11 根，总质量（160±10)g。针钉外露长度 10mm，尖端半径 R 为 0.13mm；转筒直径 ϕ82mm，宽度 210mm，其中外包橡胶厚度为 3mm，转筒的转速为（60±2)r/min；毛毡厚度为 3～3.2mm，宽度为 165mm；导杆工作宽度为 125mm。仪器运转时，钉锤在试样表面上随机翻转、跳动，钩挂试样。

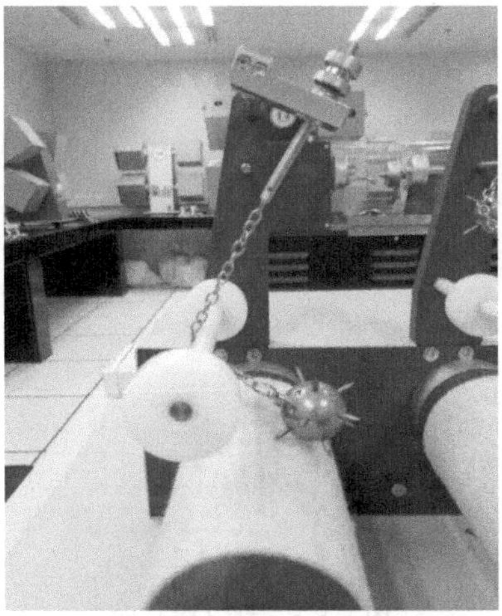

图 5-5-1　勾丝测试仪

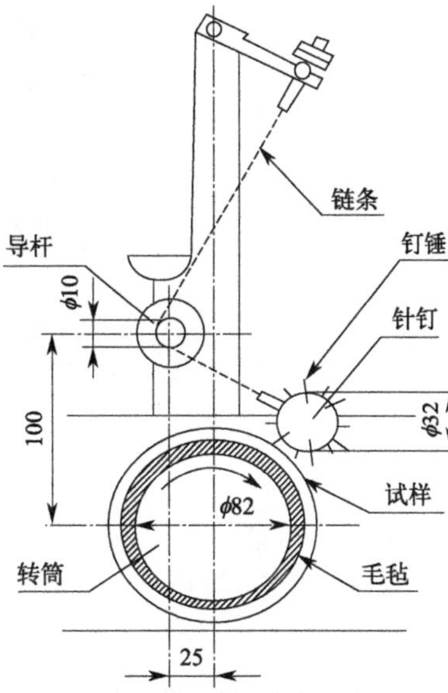

图 5-5-2　勾丝测试仪原理

2. 评级箱

主观评定测试结果见图 5-5-3。

三、检测方法与过程

1. 试验前准备

（1）试样制备。样品应在标准大气下调湿和测试，调湿后裁取经（纵）向（图 5-5-4）和纬（横）向（图 5-5-5）试样各 2 块。每块试样的尺寸为 200mm×330mm，避开布边、疵点或折痕处。应梯形裁样，试样不含相同的经纬纱线。

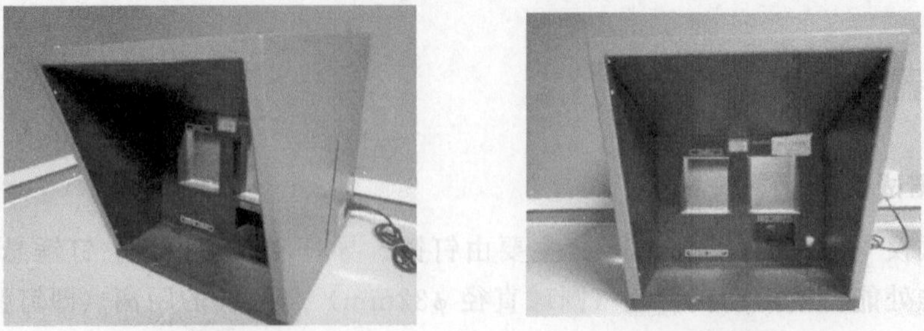

(a) 侧面　　(b) 正面

图 5-5-3　主观评定测试结果

图 5-5-4　经（纵）向

图 5-5-5　纬（横）向

（2）仪器核查。

① 核查钉锤与导杆的距离为 45mm（图 5-5-6）。

② 观察钉锤上针钉数量、针钉尖、针钉外露长度。针钉尖如有毛刺或其他损伤应更换，针钉外露长度均应为 10mm。

③ 毛毡一般使用 200h 后，表面变得粗糙，出现小洞、严重磨损等现象时应予更换（图 5-5-7）。

2. 试验过程

（1）将筒状试样的缝边分向两侧展开，小心套在转筒上，使缝口平整。对针织物横向的试样，宜使其中一块试样的纵列线头端向左，另一块试样向右。然后用橡胶环固定试样一端，展开所有折皱，使试样表面圆整，再用另一橡胶环固定试样另一端。

（2）经（纵）向和纬（横）向试样应随机地装放在不同的转筒上，即试样的经（或纬）向不一定是在同样的转筒上试验。

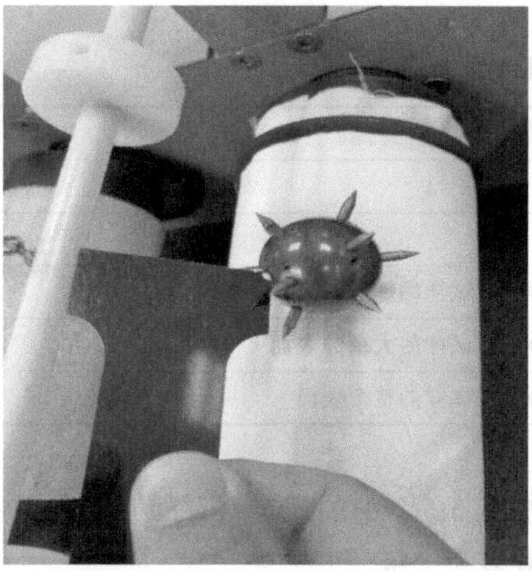
图 5-5-6　核查钉锤

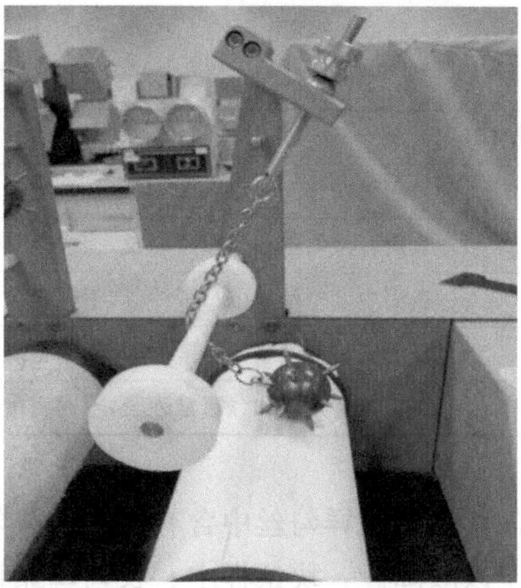
图 5-5-7　核查毛毡使用情况

（3）将钉锤绕过导杆轻轻放在试样上，并用卡尺设定钉锤位置。

（4）启动仪器，注意观察钉锤应能自由地在整个转筒上跳动，否则应停机检查。

（5）当转动次数达到 600r 后，小心地移去钉锤，取下试样。

注意：如果样品结构比较特殊，或有关各方协商同意，转动次数可以根据需要选定，如 100r 等，但应在试验报告中说明。

（6）如果同一向试样的勾丝级差超过 1 级，则应增测 2 块。

3. 评级及试验结果

（1）试样在取下后应至少放置 4h 再评级。

（2）试样固定于评定板，使评级区处于评定板正面。

（3）直接将评定板插入筒状试样，使缝线处于背面中心（图 5-5-8）。

（4）把试样放在评级箱观察窗内，同时将标准样照放在另一侧（图 5-5-9）。

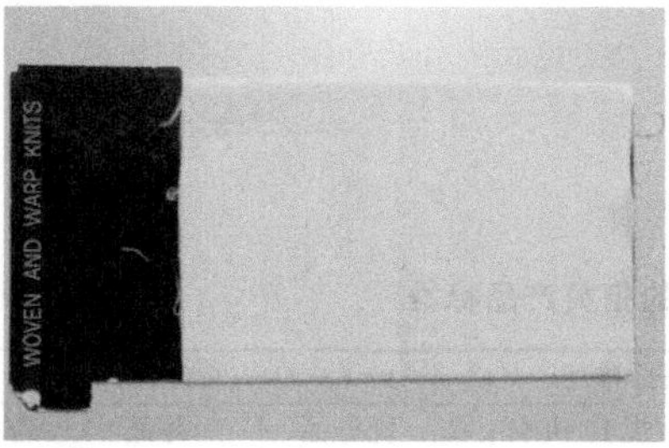

图 5-5-8　勾丝试验后样品

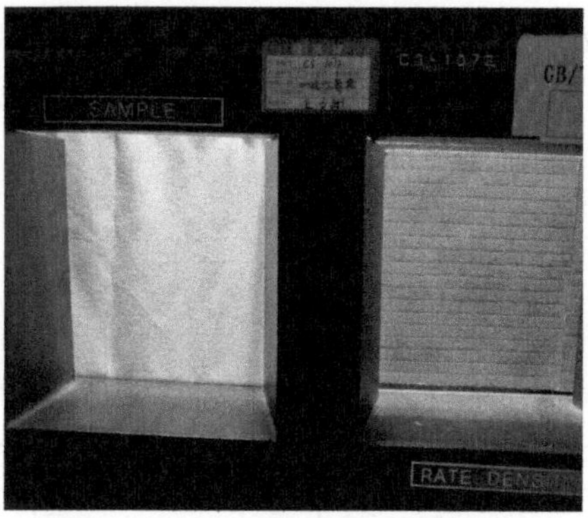

图 5-5-9　样品评级示意

（5）依据试样勾丝（包括紧纱段）的密度（不论勾丝长短），按表 5-5-1 列出的级数对每一块试样进行评级，如果介于两级之间，记录半级如 3.5。单个人员的评级结果为其对所有试样评定等级的平均值，以全部人员评级的平均值作为样品的试验结果。

表 5-5-1　视觉描述评级

级数	状态描述
5	表面无变化
4	表面轻微勾丝和(或)紧纱段
3	表面中度勾丝和(或)紧纱段,不同密度的勾丝(紧纱段)覆盖试样的部分表面
2	表面明显勾丝和(或)紧纱段,不同密度的勾丝(紧纱段)覆盖试样的大部分表面
1	表面严重勾丝和(或)紧纱段,不同密度的勾丝(紧纱段)覆盖试样的整个表面

(6) 如果试样勾丝中含有勾丝或长勾丝，则应按表 5-5-2 中的规定对评级后的样品按照级别予以顺降。一块试样中、长勾丝累计顺降级别最多为 1 级。

表 5-5-2　勾丝及长度的评价

勾丝类别	占全部勾丝的比例	顺降级别/级
中勾丝(长度介于 2～10mm 间的勾丝)	≥1/2～3/4	1/4
	≥3/4	1/2
长勾丝(长度≥10mm 的勾丝)	≥1/4～1/2	1/4
	≥1/2～3/4	1/2
	≥3/4	1

(7) 分别计算经（纵）向和纬（横）向试样（包括增测试样在内）勾丝级别的平均数作为该方向最终勾丝级别。如果平均值不是整数，修约至最近的 0.5 级，并用“-”表示，如 3-4。

4. 评定

如果需要对试样的勾丝性能进行评级，≥4 级表示具有良好的抗勾丝能力，≥3-4 级表示具有抗勾丝性能，≤3 级表示抗勾丝性能差。

注意：有关各方另有协议的按协议规定进行评定。

四、相关产品标准

相关产品标准见表 5-5-3。

表 5-5-3　涉及抗勾丝性能检测的相关产品标准

产品名称	产品标准编号	检测方法标准	勾丝性能		
服用经编间隔织物	FZ/T 72013—2022	按 GB/T 11047 规定执行，以直、横向最低值为试验结果	优等品	一等品	合格品
			≥4 级	≥3-4 级	
服装理化性能的技术要求	GB/T 21295—2024	按 GB/T 11047 规定执行	≥3-4 级		
针织专业运动服装通用技术要求	GB/T 29869—2013	按 GB/T 11047 规定执行，转动次数为 100r	≥3-4 级		
			里料不考核		

第六节 吸湿速干性能测试

吸湿速干是一对相互矛盾的性能，由传统的天然纤维制成的织物，无法同时满足上述性能。随着纺纱技术和后整理技术的发展，功能性纤维和功能性整理的应用已经实现了吸湿速干的功能。前者吸湿速干效果较持久，后者随着洗涤次数或穿着时间增加，效果可能随之减弱。吸湿速干性能主要通过吸水率、浸湿时间、滴水扩散时间、水分蒸发速率、透湿量等指标进行评价。本节主要介绍 GB/T 21655.1—2023 和 GB/T 21655.2—2019 的测试。

一、原理及相关标准

1. 原理

(1) GB/T 21655.1—2023 通过测定织物在规定条件下的吸水率、滴水扩散时间、干燥速率和芯吸高度来模拟水分在织物中吸收、扩散和干燥过程，以综合表征织物的吸湿速干性能。

(2) 根据 GB/T 21655.2—2019 的测试方法，试样应水平放置。当液态水与试样的浸水面接触后，液态水会沿着织物的浸水面迅速扩散，并通过织物传递。在此过程中，含水量会随时间的变化而发生变化。当试样浸水面滴入测试液后，利用与试样紧密接触的传感器，测定液态水动态传递状况，计算得出一系列性能指标，以此评估纺织品的吸湿速干、排汗等性能。

2. 相关标准

主要标准有：GB/T 21655.1—2023《纺织品 吸湿速干性的评定 第 1 部分：单项组合试验法》；GB/T 21655.2—2019《纺织品 吸湿速干性的评定 第 2 部分：动态水分传递法》；AATCC 195：2017《纺织品液态水动态传递性能》。

二、检测仪器与材料

1. 标准 GB/T 21655.1—2023

检测仪器：试样悬挂架（图 5-6-1）；试样夹持器（图 5-6-2）；移液枪（图 5-6-3）。

2. 标准 GB/T 21655.2—2019

(1) 检测仪器：动态水分测试仪（图 5-6-4）。仪器的测试原理如下：在直径为 58.4mm 的上下测试传感器平面上，各设置了 7 个测试同心圆环。在溶液扩散的过程中，仪器会连续测试每相邻环之间的电阻。同时，在每相邻环之间，仪器会施加电压并通过取样电阻进行监测。由于水分从中心注入纺织品的浸水面，水分会在纺织品的上下两面渗透和扩散。通过连续监控取样电阻的电压变化，仪器就可以得到纺织品在该环的表面含水量数据。

(2) 试验材料：9g/L 氯化钠（NaCl）测试溶液。

图 5-6-1 试样悬挂架

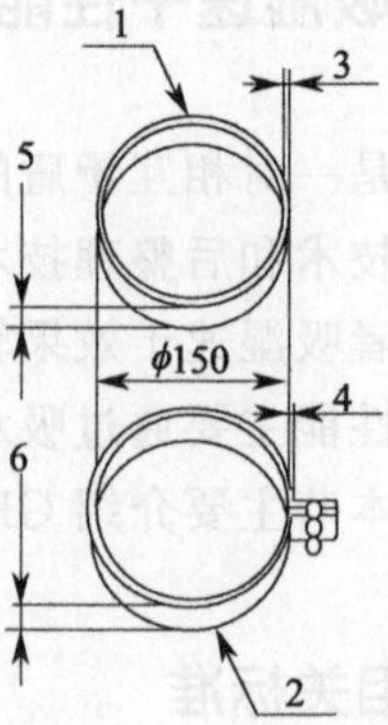

图 5-6-2 试样夹持器

1—试样夹持器内框；2—试样夹持器外框；

3，4—框壁厚度，约 2mm；5，6—框架高度，约 15mm

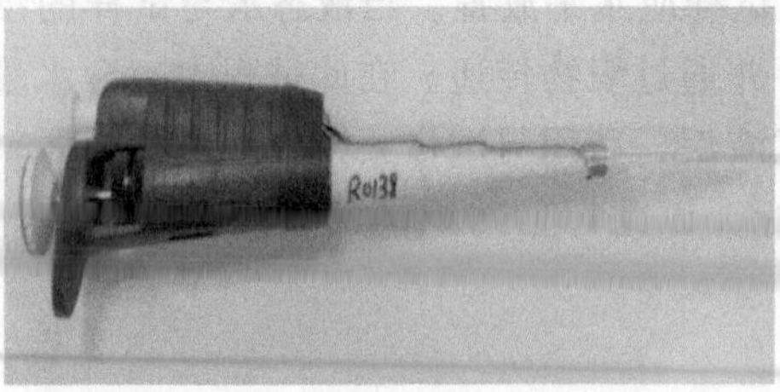

图 5-6-3 移液枪

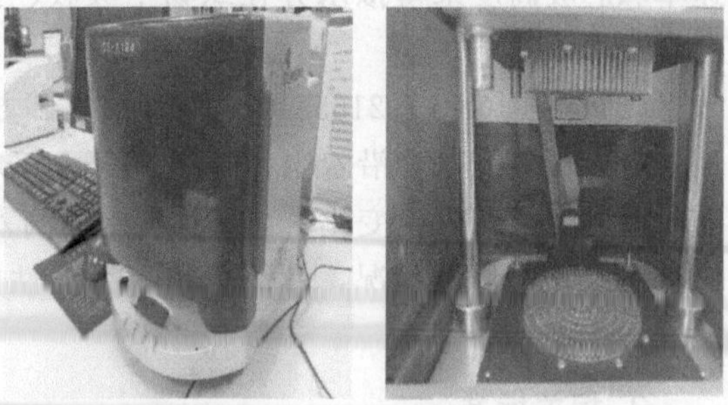

(a) (b)

图 5-6-4 动态水分测试仪

三、检测方法与过程

（一）标准 GB/T 21655.1—2023

1. 试样准备

试验前样品应在标准大气环境下调湿平衡，一般调湿时间在 16h 以上，合成纤维样品至少平衡 2h，纤维公定回潮率为 0 的样品不需要调湿。每个样品应剪取 0.5m 以上的全幅宽织物，将每个样品剪为 2 块。其中，一块用于洗前试验，一块用于洗后试验，洗涤程序为 GB/T 8629—2017 的 4N 洗涤程序洗涤 5 次；或者按客户要求洗涤，干燥程序为烘箱干燥。

2. 试验过程

（1）吸水率。每个样品裁取 3 块试样，每块试样的尺寸至少为 10cm×10cm，试样应平整无褶皱。调湿平衡后称取原始质量，精确至 0.001g。将试样放入盛有三级水的容器内，试样吸水后自然下沉。如试样不能自然下沉，则可将试样压至水中后抬起，反复 2～3 次。将试样在水中完全浸润 5min 后取出，自然平展地垂直悬挂在架子上（图 5-6-1），试样中水分自然下滴。注意观察，当试样不再滴水（两滴水之间间隔不低于 30s）时，立即用镊子取出试样称其质量，精确至 0.001g。根据两次的质量计算每个试样的吸水率，结果修约至 1%。

（2）滴水扩散时间。裁剪 3 块试样，试样将贴近人体皮肤一面朝上，固定在试样夹持器（图 5-6-2）上，试样平整无褶皱。用滴管吸入三级水后，将 1 滴的三级水滴在试样上，滴管口距试样表面应不超过 1cm，滴管角度约为 45°。观察水滴扩散情况，用计时器记录水滴接触试样表面至完全扩散所需时间，精确至 0.1s。如果测试结果小于 1s，记录扩散时间为＜1.0s；如水滴扩散速度较慢，在 60s 后仍未完全扩散，则停止试验，记录扩散时间为＞60s。分别测试洗涤前后 3 块试样的平均扩散时间，结果修约至 0.1s。

（3）干燥速率。剪取 3 块试样，每块试样的尺寸至少为 10cm×10cm，称取试样原始质量，记为 m_0，精确至 0.001g。用微量移液器吸入适量的三级水，将（0.2±0.01）mL 的水滴在试样中心位置上，确保滴水全部被吸收，立即称取滴水润湿后试样的质量 m。将称量后的样品悬挂于标准大气中，自然下垂悬挂，每间隔（3±0.2）min 称取一次质量 m_i，直到剩余水分质量降至总加水质量的 10% 以下时停止试验。如样品累计干燥时间超过 60min 或水滴 60s 内没有扩散或被试样吸收，则停止试验。根据水分蒸发量绘制“水分蒸发时间-水分蒸发量”关系曲线图。

（4）芯吸高度。按 FZ/T 01071-2008《纺织品　毛细效应试验方法》的规定执行，剪取经向和纬向试样各 3 块，记录 30min 时的芯吸高度的最小值，分别计算洗涤前和洗涤后经纬 2 个方向各 3 块试样的芯吸高度最小值的平均值，修约至 1mm。

3. 评定

吸湿速干性能等级分为Ⅰ级、Ⅱ级和Ⅲ级，Ⅰ级表示具有吸湿速干性，Ⅱ级表示具有较好的吸湿速干性，Ⅲ级表示具有优异的吸湿速干性。可以按表 5-6-1 中的技术要求，评定产品的吸湿速干性能。

表 5-6-1　评定产品的吸湿速干性能

项目	Ⅲ级	Ⅱ级	Ⅰ级
吸水率/%	≥150	≥100	≥80
滴水扩散时间/s	≤2	≤4	≤6
芯吸高度/mm	≥110	≥90	≥80
干燥速率/(g/h)	≥0.40	≥0.30	≥0.20

（二）标准 GB/T 21655.2—2019

1. 试样准备

每个样品剪取 0.5m 以上的全幅织物，将每个样品剪成两块，其中一块用于洗前测试，另一块用于洗后试验，洗涤方法按 GB/T 8629-2017 的 4N 程序洗涤 5 次，或者按有关各方商定的方法和次数洗涤，洗后样在不超过 60℃的温度下干燥或自然晾干。分别裁取洗前和洗后试样各 5 块，试样尺寸为(90±2)mm×(90±2)mm。裁样时应在距布边 150mm 以上的区域内均匀排布，各试样都不在相同的纵向和横向位置上，并避开影响试验结果的疵点和褶皱。如果制品由不同面料构成，试样应从主要功能部位上选取。织物表面的任何不平整都会影响检测结果。必要时，试样可采用压烫法烫平。

2. 试验过程

（1）用干净的镊子轻轻夹起待测试样，将试样平整地置于仪器的两个传感器之间（图5-6-5）。通常以穿着时贴近身体的一面作为浸水面，对照测试液滴下的方向放置。

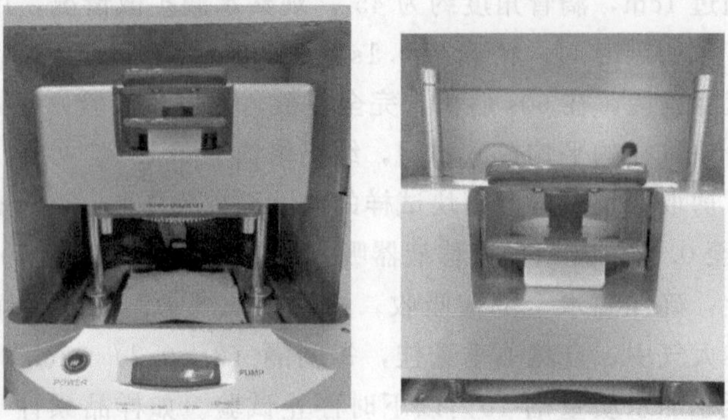

(a)　　(b)

图 5-6-5　样品安装图

（2）启动仪器，在规定时间内向织物的浸水面滴入 0.22g±0.01g 测试液，并开始记录时间与含水量变化的状况。测试时间为 120s，数据采集频率不低于 10Hz。

（3）测试结束后，取出试样，仪器自动计算表显示相应的测试结果（图 5-6-6）。用干净的吸水纸吸取传感器板上多余的残留液，静置至少 1min，再次测试前应确保无残留液。

（4）重复以上步骤，直到 5 个试样测试完毕。

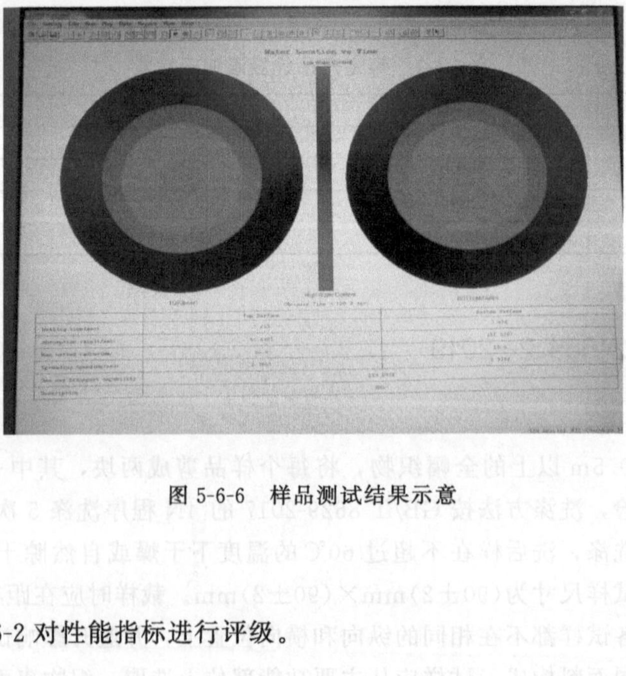

图 5-6-6　样品测试结果示意

3. 结果评定

（1）按照表 5-6-2 对性能指标进行评级。

表 5-6-2 性能指标评级要求

性能指标	1 级	2 级	3 级	4 级	5 级
浸湿时间/s	＞120.0	20.1～120.0	6.1～20.0	3.1～6.0	≤3.0
吸水速率/(%/s)	0～10.0	10.1～30.0	30.1～50.0	50.1～100.0	＞100.0
最大浸湿半径/mm	0～7.0	7.1～12.0	12.1～17.0	17.1～22.0	＞22.0
液态水扩散速率/(mm/s)	0～1.0	1.1～2.0	2.1～3.0	3.1～4.0	＞4.0
单向传递指数	＜－50.0	－50.0～100.0	100.1～200.0	200.1～300.0	＞300.0

注：浸水面和渗透面分别分级，分级要求相同；其中 5 级程度最好，1 级最差。

(2) 按照表 5-6-3 评定产品相应性能，产品洗涤前和洗涤后的相应性能均达到表 5-6-3 技术要求。

表 5-6-3 织物的吸湿速干性能技术要求

性能	项目	要求
吸湿速干性	浸湿时间①	≥3 级
	吸水速率	≥3 级
	渗透面最大浸湿半径	≥3 级
	渗透面液态水扩散速率	≥3 级
吸湿排汗性	渗透面浸湿时间	≥3 级
	渗透面吸水速率	≥3 级
	单向传递指数	≥3 级

① 浸水面和渗透面均应达到。

四、相关产品标准

相关产品标准见表 5-6-4。

表 5-6-4 涉及吸湿速干性能检测的相关产品标准

<table>
<tr><th>产品名称</th><th>标准编号</th><th>测试方法</th><th colspan="4">指标</th></tr>
<tr><td rowspan="6">服装理化性能的技术要求</td><td rowspan="6">GB/T 21295—2024</td><td rowspan="6">按 GB/T 21655.1—2023 规定测试</td><td rowspan="3">吸湿性</td><td colspan="2">吸水率/%</td><td>≥100</td></tr>
<tr><td colspan="2">滴水扩散时间/s</td><td>≤5</td></tr>
<tr><td colspan="2">芯吸高度/mm</td><td>≥90</td></tr>
<tr><td rowspan="2">速干性</td><td colspan="2">蒸发速率/(g/h)</td><td>≥0.18</td></tr>
<tr><td colspan="2">透湿量/[g/(m^2 · 24h)]</td><td>≥8000</td></tr>
<tr><td colspan="4">注：芯吸高度以纵向或横向中较大者考核</td></tr>
<tr><td>专业运动服装和防护用品通用技术规范</td><td>GB/T 21980—2017</td><td colspan="5">按 GB/T 21655.1—2023 或 GB/T 21655.2—2019 规定</td></tr>
<tr><td rowspan="4">针织专业运动服装通用技术要求</td><td rowspan="4">GB/T 29869—2013</td><td rowspan="4">按 GB/T 21655.1—2023 规定测试</td><td rowspan="3">吸湿性</td><td>吸水率/%</td><td>洗前/洗后</td><td>≥200</td></tr>
<tr><td>滴水扩散时间/s</td><td>洗前/洗后</td><td>≤3</td></tr>
<tr><td>芯吸高度/mm</td><td>洗前/洗后</td><td>≥100</td></tr>
<tr><td>速干性</td><td>蒸发速率/(g/h)</td><td>洗前/洗后</td><td>≥0.18</td></tr>
<tr><td>针织瑜伽服</td><td>FZ/T 74005—2016</td><td colspan="5">按 GB/T 21655.1—2023 或 GB/T 21655.2—2019 规定</td></tr>
</table>

第七节 拒油性能测试

拒油性能用拒油等级表示，用于评价织物抗油黏结性能，拒油等级越高，试样抵抗油类材料，尤其是抗液态油类物质黏结性能越好。拒油性能的检测适用于各类织物及其制品，特别适用于比较同一基布经不同整理剂整理后的拒油效果，也可用于测定水洗和干洗处理对试样拒油性的影响；不适用于评定试样抗油类化学品的渗透性能。

一、原理及相关标准

1. 原理

将选取的不同表面张力的一系列烃类（碳氢化合物）标准试液滴加在试样表面，然后观察润湿、芯吸和接触角的情况。拒油等级以没有润湿试样的最高试液编号表示。

2. 相关标准

主要标准有：GB/T 19977—2014《纺织品 拒油性 抗碳氢化合物试验》；ISO 14419：2010《纺织品 拒油性 抗碳氢化合物试验》；AATCC 118：2013《拒油性：抗碳氢化合物试验》。其中，GB/T 19977—2014 修改采用 ISO 14419：2010，上述 3 个标准技术参数基本一致。

二、检测材料与试剂

该项性能的检测不需要仪器设备，仅需要部分消耗性材料和试剂。

1. 试剂

所有试剂应是分析纯的，最长保质期为 3 年。标准试液（图 5-7-1）应在（20±2）℃下使用和储存。由于此项检测所需的试剂具有挥发性和易燃性，故在处理试液时，要佩戴安全眼镜和不透液体的手套，保持试液远离热源、火花和火焰。要适当通风，避免长时间吸入蒸气或接触皮肤。标准试液按表 5-7-1 准备和编号。

表 5-7-1 标准试液

组成	试液编号	密度/(kg/L)	25℃时表面张力/(N/m)
白矿物油	1	0.84～0.87	0.0315
白矿物油：正十六烷=65：35(体积比)	2	0.82	0.0296
正十六烷	3	0.77	0.0273
正十四烷	4	0.76	0.0264
正十二烷	5	0.75	0.0247
正癸烷	6	0.73	0.0235
正辛烷	7	0.70	0.0214
正庚烷	8	0.69	0.0198

2. 滴瓶

滴瓶容积为 60mL，且配有磨口和氯丁橡胶吸头。橡胶吸头使用前应该在正庚烷中浸泡几小时，然后在干净的正庚烷中清洗，去除可溶物质。按表 5-7-1 中的试液编号顺序放置试液，以便于试验。

3. 白色吸液垫

具有一定厚度和吸液能力的片状物，如滤纸、黏胶纤维非织造布（图 5-7-2）。

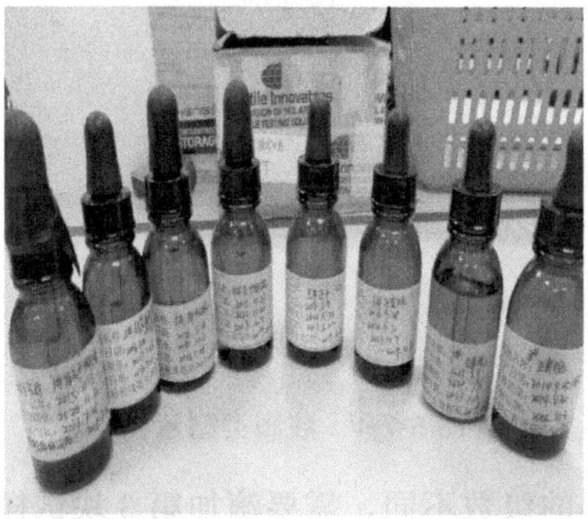

图 5-7-1　8 种标准试液

图 5-7-2　白色吸液垫

三、检测方法与过程

1. 试样准备

需要约 20cm×20cm 的试样 3 块。所取试样应有代表性，包含织物上不同的组织结构或不同的颜色，并满足试验的需要。试验前，试样应在 GB/T 6529 规定的标准大气中调湿至少 4h。

2. 试验过程

（1）试验应在 GB/T 6529 规定的标准大气中进行。如果试样从调湿室中移走，应在 30min 内完成试验。把一块试样正面朝上平放在白色吸液垫上，置于工作台上。当评定稀松组织或薄的试样时，试样至少要放置两层，否则试液可能浸湿样品下方的白色吸液垫的表面，而不是实际的试验试样，在结果评定时会产生混淆。

（2）在滴加试液之前，戴上干净的试验手套抚平绒毛，使绒毛尽可能地顺贴在试样上。

（3）从编号 1 的试液开始，在代表试样物理和染色性能的 5 个部位上（图 5-7-3）分别小心地滴加一小滴（直径约 5mm 或体积约 0.05mL），液滴之间间隔大约 4.0cm。在滴液时，吸管口应保持距试样表面约 0.6cm 的高度，不要碰到试样。以约 45°角观察液滴 30s±2s，按液滴类型示例（图 5-7-4）评定每个液滴，并立即检查试样的反面有没有润湿。

（4）如果没有出现任何渗透、润湿或芯吸，则在液滴附近不影响前一个试验的地方滴加高一个编号的试液，再观察 30s±2s，按图 5-7-4 评定每个液滴，并立即检查试样的反面有没有润湿。

（5）重复上述操作，直到有一种试液在 30s±2s 内使试样发生润湿或芯吸现象。每块试样上最多滴加 6 种试液。

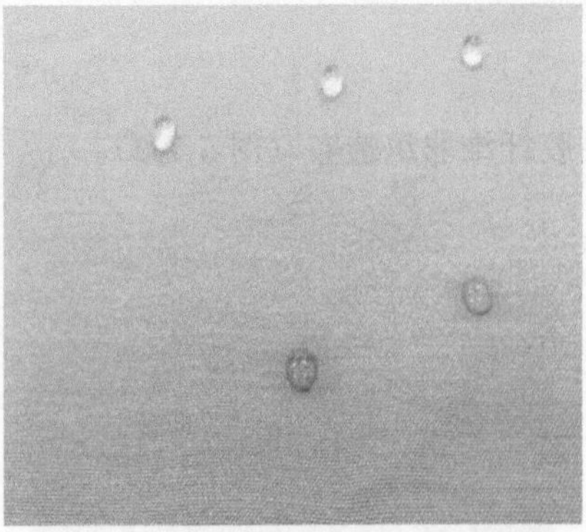

图 5-7-3 液滴部位示例

图 5-7-4 液滴类型示例

（6）取第 2 块试样重复上述操作。如果两块试样的级数不同，需要滴加第 3 块试样。

3. 评定

（1）液滴分类和描述。液滴分为以下 4 类（图 5-7-4）：

A 类——液滴清晰，具有大接触角的完好弧形；

B 类——圆形液滴在试样上部分发暗；

C 类——芯吸明显，接触角变小或完全润湿；

D 类——完全润湿，表现为液滴在试样的交界面变深（发灰、发暗），液滴消失。

试样润湿通常表现为试样和液滴界面发暗，或出现芯吸或液滴接触角变小。对黑色或深色织物，可根据液滴闪光的消失确定为润湿。

（2）试样对某级试液是否“有效”的评定。

① 无效：5 个液滴中的 3 个（或 3 个以上）液滴为 C 类和（或）D 类。

② 有效：5 个液滴中的 3 个（或 3 个以上）液滴为 A 类。

③ 可疑的有效：5 个液滴中的 3 个（或 3 个以上）液滴为 B 类，或为 B 类和 A 类。

（3）单个试样拒油等级的确定。试样的拒油等级是在 30s±2s 期间未润湿试样的最高编号试液的数值，即以“无效”试液的前一级的“有效”试液的编号表示。当试样为“可疑的有效”时，以该试液的编号减去 0.5 表示试样的拒油等级。当用白矿物油（编号 1）试液，试样为“无效”时，试样的拒油等级为“0”级。

4. 结果表述

拒油等级应由两个独立的试样测定。如果两个试样的等级相同，则报出该值。当两个等级不同时，应做第 3 个试样。如果第 3 个试样的等级与前面两个测定中的一个相同，则报出第 3 个试样的等级。当第 3 个测定值与前两个测定中的任何一个都不同时，取 3 块试样的中位数。例如，如果前两个等级为 3.0 和 4.0，第 3 个测定值为 4.5，则报出中位数 4.0 作为拒油等级。结果差异表示试样可能不均匀或者有沾污问题。

（1）根据拒油等级按照表 5-7-2 对织物的拒油性能进行评价。

表 5-7-2 织物拒油性能评价

拒油等级	原试样
≥6 级	具有优异的拒油性能
≥5 级	具有较好的拒油性能
≥4 级	具有拒油性能

(2) 对于耐水洗性拒油织物，按照 GB/T 86294N 中 5A 程序对样品进行洗涤，自然晾干后再按表 5-7-3 进行评价，洗涤次数由有关各方商定，或者至少洗涤 5 次。多次洗涤时，可将时间累加进行连续洗涤，洗涤次数和方法在报告中说明。

表 5-7-3 耐水洗性织物拒油性能评价

拒油等级	原试样
≥5 级	具有优异的拒油耐水洗性
≥4 级	具有较好的拒油耐水洗性
≥3 级	具有拒油耐水洗性

(3) 对于耐干洗性拒油织物，按照 GB/T 19981.2 或 GB/T 19981.3 对样品进行洗涤，自然晾干后再按表 5-7-4 进行评价，洗涤次数由有关各方商定，或者至少洗涤 5 次。多次洗涤时，可将时间累加进行连续洗涤，洗涤次数和方法在报告中说明。

表 5-7-4 织物拒油性能评价

拒油等级	原试样
≥5 级	具有优异的拒油耐干洗性
≥4 级	具有较好的拒油耐干洗性
≥3 级	具有拒油耐干洗性

四、相关产品标准

相关产品标准见表 5-7-5。

表 5-7-5 涉及拒油性能检测的相关产品标准

产品名称	标准编号	测试方法	测试指标/级			
				优等品	一等品	二等品
防水、拒油、防污、免烫印染布	FZ/T 14021—2021	按 GB/T 19977—2014 规定执行，洗涤程序按 GB/T 8629—2017，洗涤程序 5M，干燥程序 F	原样	≥5.5	≥5.0	≥4.0
			水洗 10 次后	≥4.0	≥3.0	≥2.5
防护服装 抗油易去污防静电防护服	GB/T 28895—2012	按 GB/T 19977—2014 规定执行，洗涤程序按附录 A	洗涤前≥7，经 30 次洗涤后≥5			
服装理化性能的技术要求	GB/T 21295—2024	按 GB/T 19977—2014 规定测试	≥4			

第八节 易去污性能测试

防污性指材料抵抗沾污的性能，即材料具有不易沾附污物；同时，即使沾污也易去除的性能，以耐沾污性和易去污性表征。其中，易去污性指被沾污材料在规定的洗涤或擦拭等清洁条件下，污物容易被去除的性能。本节主要介绍 FZ/T 01118—2012《纺织品 防污性能的检测和评价 易去污性》标准中的洗涤法和擦拭法两种测试方法。

一、原理及相关标准

1. 原理

在纺织试样表面施加一定量的沾污物，试样静置一段时间或干燥后，按规定条件对沾污试样进行清洁。通过变色用灰色样卡比较清洁后试样沾污部位与未沾污部位的色差，以此来评定试样的易去污性。根据污物的清洁方法分为洗涤法和擦拭法。使用不同的沾污物和方法所得试验结果不具可比性。

2. 相关标准

主要标准有：FZ/T 01118—2012《纺织品 防污性能的检测和评价 易去污性》；FZ/T 14021—2021《防水、拒油、防污、免烫印染布》；GB/T 28895—2012《防护服装 抗油易去污防静电防护服》；AATCC 130：2015《去污性：油渍清除法》。

二、检测仪器与材料

1. 洗涤法

（1）检测仪器

① 洗衣机：符合 GB/T 8629—2017 中规定的 A 型洗衣机。

② 搅拌器：能够确保机油和炭黑充分混合（图 5-8-1）。

（2）试验材料

① 花生油（非工业污染物）：符合 GB 1534—2017 的一级压榨成品油。

② 炭黑油污液（工业污染物）：将符合 GB 3778—2021 规格为 N660 的炭黑与符合 GB 11121—2006 规格为 10W-40 的机油，按质量比 1∶1000 混合，用搅拌器搅拌确保炭黑充分地分散在机油中。污液宜即配即用，如果密封放置一段时间，应重新搅拌后使用。

注意：可根据双方协议使用其他沾污物，需在试验报告中说明。

③ 吸液滤纸：中速定性。

④ 塑料薄膜：尺寸应确保覆盖试样的沾污部位。

⑤ 轻质平板：直径为 60mm±1mm，质量不超过 0.01kg 的圆形平板（如树脂板）。

⑥ 重锤（或砝码）：质量为 2.00kg±0.01kg。

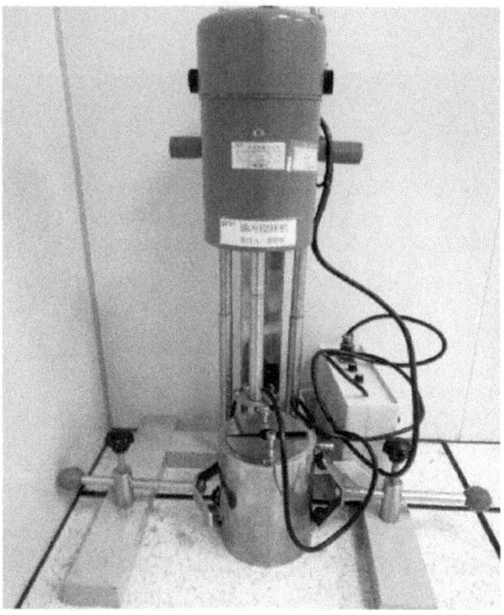

图 5-8-1 搅拌器

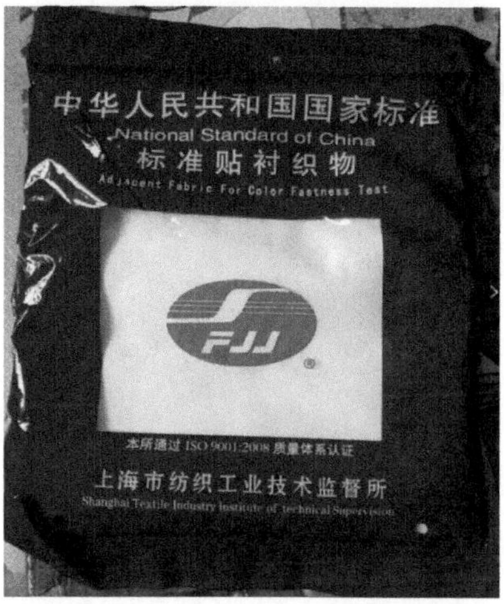

图 5-8-2 棉标准贴衬

2. 擦拭法

(1) 沾污物：符合 GB 18186—2000 的高盐稀态发酵酱油（老抽）。

(2) 棉标准贴衬：符合 GB/T 7568.2—2008 的规定，尺寸约 200mm×200mm（图 5-8-2）。

三、检测方法与过程

1. 试验前准备

(1) 从每个样品中抽取代表性的试样。洗涤法取 2 块试样，每块试样尺寸为 300mm×300mm；擦拭法取 1 块试样，尺寸能满足试验要求。

(2) 如果考核易去污性的耐久性，应对试样进行水洗处理后再进行试验。水洗处理程序推荐采用与维护标签相适宜的洗涤程序；洗涤次数根据双方协商确定。

(3) 试样应在 GB/T 6529 规定的标准大气中调湿。

2. 试验过程

(1) 洗涤法

① 将吸液滤纸水平放置在试验台上，该试验台面不应具有吸液性。取 2 块试样，分别置于吸液滤纸上，在每块试样的 3 个部位上分别滴下约 0.2mL（4 滴）污液，各部位间距至少为 100mm。

② 在污液处覆上塑料薄膜，将平板置于薄膜上，再压上重锤（图 5-8-3），加压 60s±5s 后，移去重锤、平板和薄膜，将试样继续放置 20min±2min。选一处沾污部位，用变色用灰色样卡评定其与未沾污部位的色差，记录为初始色差（图 5-8-4）。

③ 按 GB/T 8629—2017 中规定的 4M 程序，对两块试样进行洗涤，ECE 标准洗涤剂的加入量为 20g±2g。洗涤完成后平摊晾干，应确保试样表面平整无褶皱。

④ 用变色用灰色样卡分别评定每块洗涤后试样未沾污部位与三处沾污部位的色差（图 5-8-5）。

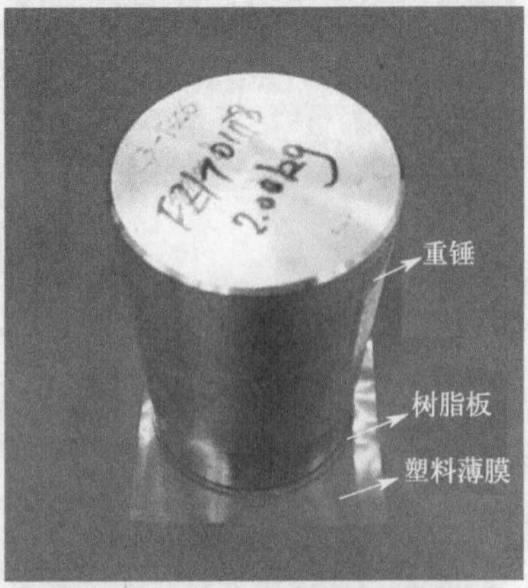

图 5-8-3 各配件放置顺序

图 5-8-4 洗涤前初始色差

(2) 擦拭法

① 将试样平整地放置在吸液滤纸上，用滴管滴下约 0.05mL（1 滴）污液于试样中心。

② 用玻璃棒将液滴均匀涂在直径约 10mm 的圆形区内，对于自行扩散开的液滴，则不必涂开。

③ 将试样平摊晾干。用变色用灰色样卡评定沾污部位与未沾污部位的色差，记录为初始色差。

④ 用水将棉标准贴衬浸湿，使其含水率为 85%±3%。

⑤ 使用棉标准贴衬朝同一个方向用力擦拭被沾污部位，棉标准贴衬每擦一次应换到另一个干净部位继续擦拭，共擦拭 30 次。

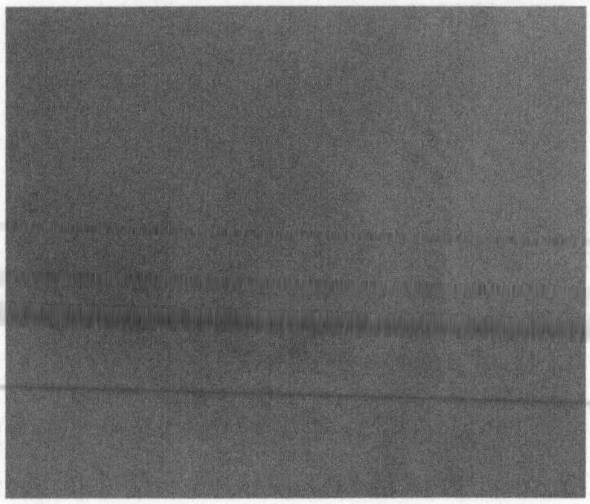

图 5-8-5 洗涤后色差

⑥ 用变色用灰色样卡评定未沾污部位与擦拭后试样圆形沾污区的色差。

(3) 结果表示与评价

① 结果表示

a. 洗涤法：同一试样中如果有 2 处或 3 处色差级数相同，则以该级数作为该试样的级数；如果 3 处色差级数均不相同，则以中间值作为该试样的级数。取两个试样中较低级数作为样品的试验结果。

b. 擦拭法：以试样未沾污部位与擦拭后试样圆形沾污区的色差作为样品的试验结果。如果擦拭过程中沾污物随水分在织物上发生了扩散，扩散后污渍面积超过擦拭前沾污面积的一倍，直接评定为 1 级。如果擦拭造成评级区域周围被沾污或试样出现褪色等现象，应在试验报告中加以说明。

② 评价。可根据选择的试验方法，对样品的易去污性进行评价。当初始色差等于或低于 3 级时，试验结果的色差级数为 3-4 级及以上，则认为该样品具有易去污性。当初始色差等于或高于 3-4 级时，如果试验结果的色差级数高于初始色差 0.5 级及以上，则认为该样品具有易去污性。

3. 试验中注意的问题

（1）洗涤法测试时，需要在规定的时间内进行洗涤。因此，需要预留洗衣机进行测试。

（2）炭黑油污液宜即配即用，如果密封放置一段时间，需重新搅拌后使用。

（3）擦拭法测试时，滴在部分织物上的老抽可能长时间无法干燥（图 5-8-6），需各方沟通后进行处理。如滴下老抽 20min 后，用吸水纸吸干污液后进行评级。

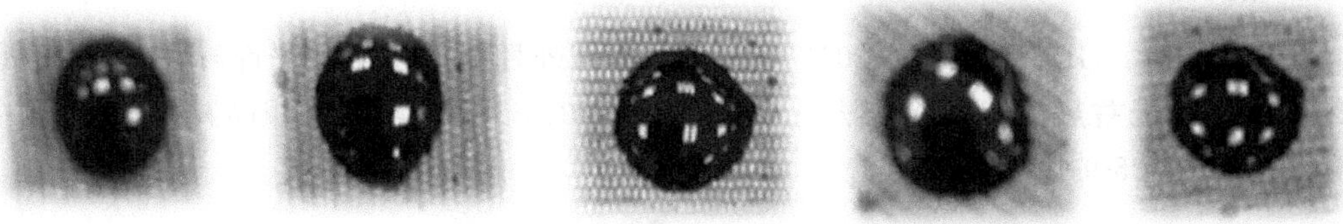

图 5-8-6　部分涂层织物上的老抽长时间无法干燥示意

四、相关产品标准

相关产品标准见表 5-8-1。

表 5-8-1　涉及易去污性能检测的相关产品标准

<table>
<tr><th>产品名称</th><th>标准编号</th><th>测试方法</th><th colspan="4">判定指标/级</th></tr>
<tr><td>服装理化性能的技术要求</td><td>GB/T 21295—2024</td><td>FZ/T 01118—2012</td><td colspan="4">≥3-4，本白及漂白产品可降低半级</td></tr>
<tr><td>防护服装　抗油易去污防静电防护服</td><td>GB/T 28895—2012</td><td>按附录 A 洗涤后再按附录 B 测试</td><td colspan="4">经 30 次洗涤后，深色≥3-4，浅色≥3</td></tr>
<tr><td rowspan="3">防水、拒油、防污、免烫印染布</td><td rowspan="3">FZ/T 14021—2021</td><td rowspan="3">FZ/T 14021—2021 附录 A</td><td></td><td>优等品</td><td>一等品</td><td>二等品</td></tr>
<tr><td>原样</td><td>≥3-4</td><td>≥3</td><td>≥2-3</td></tr>
<tr><td>水洗 10 次后</td><td>≥3</td><td>≥2-3</td><td>≥2</td></tr>
</table>

第九节　远红外性能测试

远红外织物是一种具有远红外吸收和反射功能的织物，它能吸收人体释放的热量以及自然界的光和热，并向人体反射一定波长范围的远红外线。这种远红外线具有穿透、辐射的能力，易被人体组织吸收，使人体皮下组织的血流量增加，促进血液循环，活化组织细胞。因此，远红外纤维既具有优良的保健理疗功能，又能够减少热量损失，而对人体起到保暖作用。经测定，含有远红外纤维的织物，其保暖率可提高 12%以上。远红外性能的表征指标有远红外发射率、温升和吸收率等。本节主要介绍 GB/T 30127—2013《纺织品 远红外性能的检测和评价》检测标准。

一、原理及相关标准

1. 原理

红外发射率：将标准黑体板与试样先后置于热板上，依次调节热板表面温度使之达到规定温度；用光谱响应范围覆盖 5～14μm 波段的远红外辐射测量系统分别测定标准黑体板和试样覆盖在热板上达到稳定后的辐射强度，通过计算试样与标准黑体板的辐射强度之比，从而求出试样的远红外发射率。

红外吸收率：采用以辐射红外波段为主的辐射器及吸收波长主要在 0.8～10μm 波段的红外辐射监测传感器，分别测试同一试样在规定标准辐射强度条件下反射半球方向的总能量和透射半球方向的总能量，计算织物吸收的总量，从而求出红外吸收率。

2. 相关标准

主要标准有：GB/T 30127—2013《纺织品 远红外性能的检测和评价》；GB/T 18319—2019《纺织品 光蓄热性能试验方法》；CAS 115—2005《保健功能纺织品》。上述标准中关键测试参数见表 5-9-1。

表 5-9-1　标准中关键测试参数

检测标准编号	适用范围	波长范围	评价指标	计算与修约
GB/T 30127—2013	适用于各类纺织品，包括纤维、纱线、织物、非织造布及其制品，其他材料可参照采用。本标准不涉及医疗作用的评价	5～14μm	远红外发射率、远红外辐射温升	远红外发射率，结果修约至 0.01；远红外辐射温升值，修约至 0.1
GB/T 18319—2019	适用于各类纺织品	0.8～10μm	红外吸收率、红外辐照温升速率	红外吸收率，结果保留 2 位小数；红外辐照温升速率，结果保留 4 位小数
CAS 115—2005	适用于远红外法向发射率大于 0.2 的各种织物、粉末等材料的样品及导热物体样品的远红外法向发射率的检测	4～16μm	法向发射率提高值，法向发射率，洗涤 30 次以后法向发射率提高值，动物试验微循环血流量的增加量	—

二、检测仪器与材料

1. 检测仪器

（1）远红外发射率测试装置。纺织品远红外发射率测试仪原理示意如图 5-9-1 所示，主要参数如下：

① 试验热板和远红外检测传感器均处于黑体仓内；

② 试验热板有效面积不低于直径 60mm 的圆板，温度（34±0.1）℃；

③ 远红外检测传感器检测波长范围满足 5～14μm；

④ 远红外辐射强度测定精度±0.1%；

⑤ 标准黑体板的发射率达到 0.95 以上。

（2）远红外辐射温升检测装置。所有部件安装在平稳的架座上，如图 5-9-2 所示。

（3）纤维测试金属装置。其为直径 60mm、高度 30mm 的敞口圆柱形金属容器，用于纤维类产品的测试。

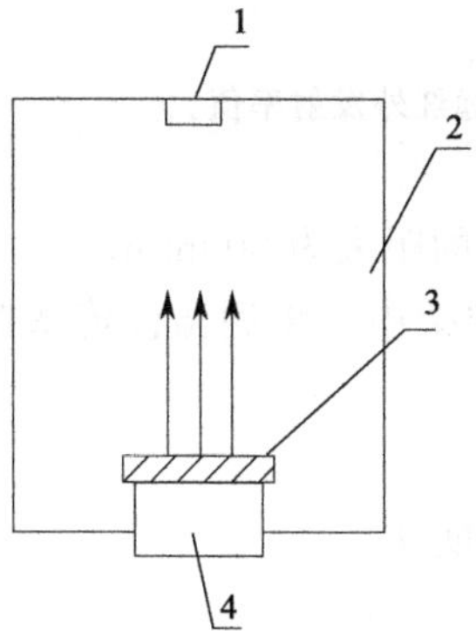

图 5-9-1 远红外发射率测试原理示意

1—红外接收装置；2—黑体罩；3—试样；4—试验热板

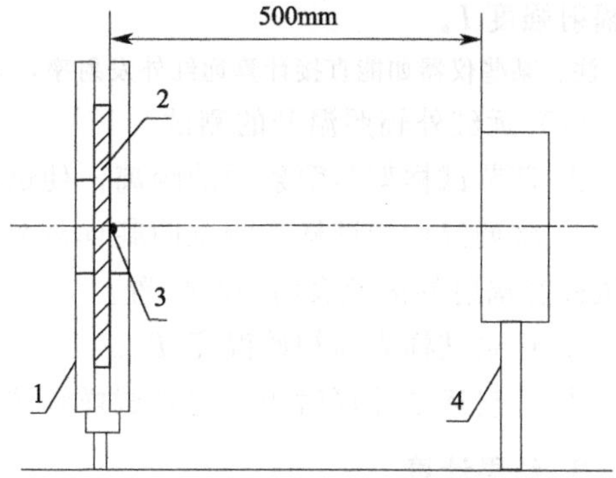

图 5-9-2 远红外辐射温升测试装置示意

1—试样架；2—试样；3—温度传感器触点；4—远红外辐射源

2. 试验材料

纱线试样架：有效试验尺寸不小于试验热板尺寸。

三、检测方法与过程

1. 试验前准备

（1）试样。按照 GB/T 6529 中规定的标准大气的温、湿度环境及程序进行调湿，室内不应有其他热辐射源对其造成影响。

（2）预处理。如果需要，按照 GB/T 8629—2017 中 4G 程序对样品进行洗涤，洗涤次数根据委托方的要求进行。一般洗涤次数，内穿类宜不低于 30 次，外穿类宜不低于 10 次，铺盖类宜不低于 5 次。

（3）纤维类产品取样。将纤维试样开松成蓬松状态，取 0.5g 纤维填充到直径为 60mm、高度为 30mm 的敞口圆柱形金属容器中，纤维完全充满容器，每份样品至少取 3 个试样。

（4）纱线。将纱线试样单层紧密平铺并固定于边长不小于 60mm 的正方形金属试样框上，测定远红外发射率时将试样框平置并完全覆盖热板；测定温升时，将试样框竖直固定于温升装置试样架上，试样框的中心正对试样架开孔的中心，发射率和温升试验各取至少 3 个试样。

（5）织物等片状样品。从每个样品上剪取发射率和温升试样至少各 3 个，试样尺寸不小于直径 60mm。取样时试样应平整并具有代表性。对于样品中存在因结构、色泽等（包括制品中拼接组件）差异较大而可能使远红外性能有较大差异的区域，若无特别指明，则每个区域应分别取样。

2. 试验过程

（1）远红外发射率的测定

① 将试验热板升温至 34℃。

② 将标准黑体板放置在试验热板上，待测试值稳定后记录标准黑体远红外辐射强度 I_0。

③ 将调湿后的试样放置在试验热板上，待测试值稳定（如 15min）后记录试样的远红外辐射强度 I。

注：某些仪器如能直接计算远红外发射率，则记录每个试样的远红外发射率值。

（2）远红外辐照温升的测试

① 调节试样架与辐射源的距离，使试样表面至辐射源的距离为 500mm。

② 将调湿后的试样待测试面朝向红外辐射源夹在试样架中。将测温仪传感器触点固定在试样受辐射的区域表面中心位置。

③ 记录试样表面初始温度 T_0。

④ 开启远红外辐射源，记录试样辐照 30s 时的表面温度 T。

3. 结果计算

（1）根据测得的标准黑体板和试样的远红外辐射强度，按公式(5-9-1) 计算每个试样的远红外发射率，并计算所有试样远红外发射率的平均值作为试验结果，修约至 0.01。

$$\eta=\frac{I}{I_0} \tag{5-9-1}$$

式中　η——试样远红外发射率，无量纲；

I_0——标准黑体板的远红外辐射强度，W/m^2；

I——试样的远红外辐射强度，W/m^2。

（2）根据远红外辐照温升的测试结果，按公式(5-9-2) 计算每个试样表面的温升，并计算所有试样温升的平均值作为试验结果，修约至 0.1℃：

$$\Delta T=T-T_0 \tag{5-9-2}$$

式中　ΔT——试样在辐射 30s 内的温升，℃；

T_0——试样初始表面温度，℃；

T——试样在辐射 30s 时的表面温度，℃。

4. 性能的评价

对于一般样品，若试样的远红外发射率不低于 0.88，且远红外辐射温升不低于 1.4℃时，样品具有远红外性能。对于絮片类、非织造类、起毛绒类等疏松样品，远红外发射率不低于 0.83，且远红外辐射温升不低于 1.7℃，样品具有远红外性能。但由于纺纱织造及后整理工艺对最终纺织品的远红外性能有一定影响，当测试纤维及纱线时，结果仅供参考，不能作为结论进行评价。

当委托方要求测试洗涤后产品性能时，则应标注具体的洗涤次数，并说明样品具有经洗涤次数的洗涤耐久型远红外性能。

四、相关产品标准

涉及远红外性能检测的相关产品标准见表 5-9-2。

表 5-9-2　涉及远红外性能检测的相关产品标准

产品名称	产品标准编号	检测方法	指标
纺织品	—	GB/T 30127—2013	见文中 3.4

续表

产品名称	产品标准编号	检测方法	指标
保健功能纺织品	CAS 115—2005	1. 远红外线的波长和法向发射率按照附录A要求进行检测； 2. 灰分按GB/T 9345.1—2008《塑料 灰分的测定 第1部分：通用方法》要求进行检测； 3. 按GB/T 8629—2017中规定的3G程序进行洗涤； 4. 比对样为非远红外功能织物的同类纺织材料，应从洗涤前样品上剪取，不进行洗涤； 5. 微循环检测试验方法按附录B1、B2规定方法进行检测	1. 远红外线波长范围应在4～16μm； 2. 法向发射率提高值应不小于0.08，其法向发射率应不小于0.80； 3. 洗涤30次后，法向发射率提高值应不小于0.06； 4. 采用发射远红外线粉体制备的功能化学纤维的灰分指标应不小于3.5%； 5. 动物试验微循环血流量的增加量应不小于50%，或生物组织微循环灌注改善评价指标应具有统计学意义

第十节 织物折痕回复性测试

织物折痕回复性指织物在规定条件下折叠加压，卸除负荷后，织物折痕处能回复到原来状态时达到的一定程度的性能。本部分介绍以折痕回复角表示织物折痕回复性的两种测定方法，即折痕水平回复法和折痕垂直回复法。折痕水平回复法指试样折痕回复时，折痕线与水平面平行，测量回复角度的方法。折痕垂直回复法指折痕回复时，折痕线与水平面垂直，测量其回复角度的方法。

一、原理及相关标准

1. 原理

取一定形状和尺寸的试样，在规定条件下折叠加压保持一定时间。卸除负荷后，让试样经过一定的回复时间，然后测量折痕回复角，以测得的角度来表示织物的折痕回复能力。

2. 相关标准

主要标准有：GB/T 3819—1997《纺织品 织物折痕回复性的测定 回复角法》；ISO 2313-1：2021《纺织品 以回复角表示水平折叠试样的折痕回复性的测定》；JIS L 1059-1：2009《纺织品的折痕回复性试验方法 第一部分：折痕回复性的测定 水平法（Monsanto法）》。其中，GB/T 3819—1997共有两种试验方法，折痕水平回复法等效采用了ISO 2313：1972，折痕垂直回复法则根据我国目前的测试仪器及技术条件加以修订。上述标准中的主要指标见表5-10-1。

表 5-10-1 标准中的主要指标

标准编号	方法	自由翼宽度	压力，加压时间，回复时间	结果
GB/T 3819—1997	水平法 垂直法	15mm	10N，5min，5min	折痕回复角
ISO 2313：1972	水平法	15mm	10N，5min，5min	折痕回复角
JIS L 1059-1：2009	水平A法	15mm	10N，5min，5min	折痕回复角 折痕回复率
	水平B法	15mm	4.9N，5min，5min	折痕回复角 折痕回复率

注：JIS L 1059-1 B法测试时需要使用规定规格的握持器。

二、检测仪器与材料

1. 水平法测试仪器

该设备的加压装置由具有垂直导轨的砝码和提供压力面积的模块组成（图 5-10-1）。可施加 10N 压力，压力有效面积为 15mm×15mm。回复角测量器主要由刻度盘和试样夹组成（图 5-10-2），刻度盘分度值为 1°，试样夹刃口边缘离刻度盘轴心 2mm，并能保证试样折痕线与刻度盘轴线相重合。试样夹可绕刻度盘轴心旋转，以使试样自由翼保持垂直位置。

图 5-10-1　加压装置

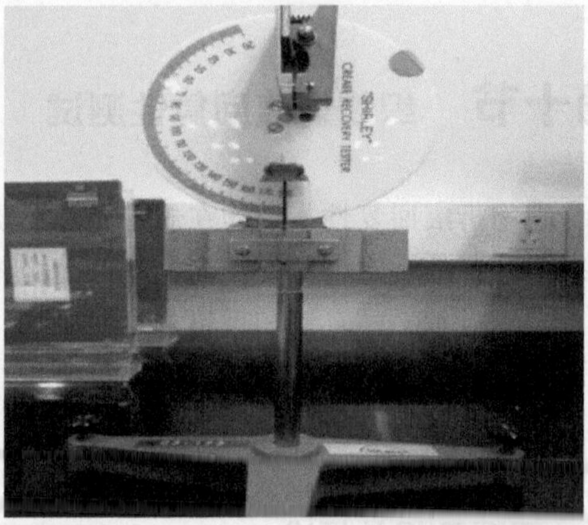

图 5-10-2　回复角测量器

2. 垂直法测试仪器

该设备主要由重锤、试样夹、压板、激光角度测量装置组成（图 5-10-3）。重锤可施加压力 10N（图 5-10-4）。

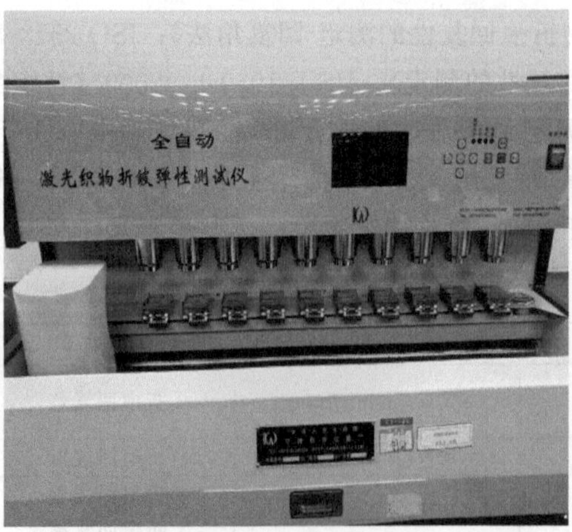

图 5-10-3　垂直法测试仪

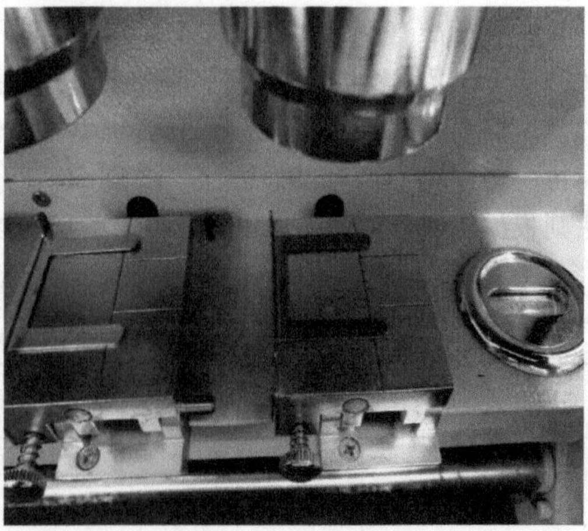

图 5-10-4　重锤施加压力

三、检测方法与过程

1. 试验前准备

（1）按照水平法和垂直法的要求进行取样。水平法：试样尺寸为 40mm×15mm 的长方形（图 5-10-5）。垂直法：试样的形状及尺寸（图 5-10-6），单位为 mm。

（2）试样数量。每个样品的试样数量至少 20 个，其中经向和纬向样品各 10 个，每一个方向的正面对折和反面对折各 5 个。日常试验可只测样品的正面，即经向和纬向各 5 个。

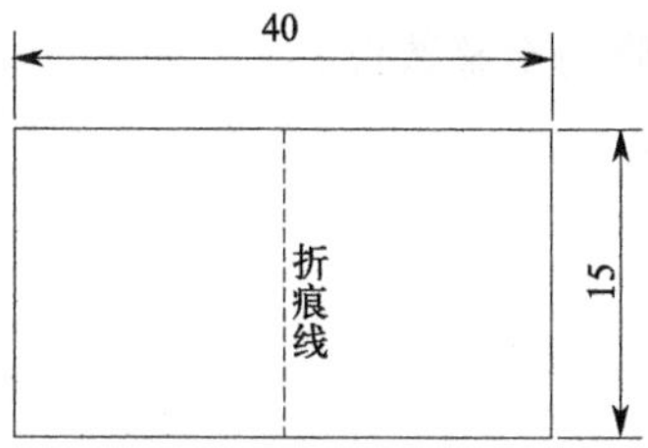

图 5-10-5 水平法样品取样示意图（单位：mm）

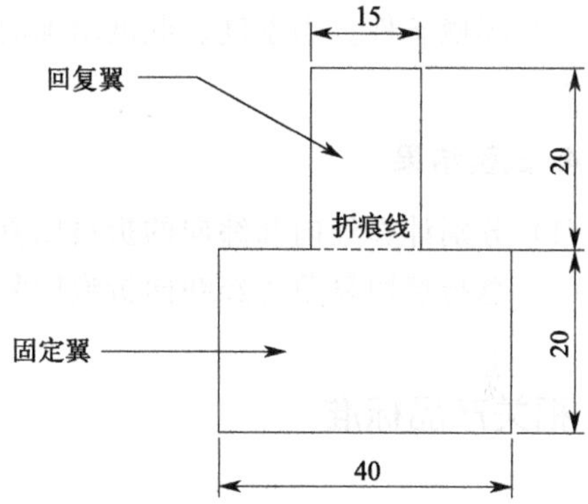

图 5-10-6 垂直法样品取样示意图

2. 试验过程

（1）水平法

① 按照试样长度方向两端对齐折叠，然后用宽口钳夹住，夹住位置离布端不超过 5mm。移至标有 15mm×20mm 标记的平板上，使试样正确定位，随即轻轻地加上压力重锤。

② 试样在规定负荷下达到规定时间后，卸除负荷。将夹有试样的宽口钳转移至回复角测量装置的试样夹上，使试样的一翼被夹住，而另一翼自由悬垂，并连续调整试样夹，使垂下来的自由翼始终保持垂直位置。

③ 试样从压力负荷装置上卸除负荷后 5min 读出折痕回复角，读至最接近 1°。如果自由翼轻微卷曲或扭转，以通过该翼中心和刻度盘轴心的垂直平面作为折痕回复角读数的基准。

（2）垂直法

① 将试样的固定翼装入试样夹内，使试样的折叠线与试样夹的折叠标记线重合，沿折叠线对折试样，不要在折叠处施加任何压力。然后，在对折好的试样上放上透明压板，再加上压力重锤。

② 试样承受压力负荷达到规定的时间后，迅速卸除压力负荷，并将试样夹连同透明压板一起翻转 90°，随即卸去透明压板，同时试样回复翼打开。

③ 试样卸除负荷后达到 5min 时，用测角装置分别读出折痕回复角，读至最接近 1°，回复翼有轻微的卷曲或扭转，以其根部挺直部位的中心线为基准。

试样如有黏结倾向，在两翼之间离折痕线 2mm 处放置一张厚度小于 0.02mm 的纸片或塑料薄片。

④ 试样经调湿后，在操作过程中，只能用镊子或橡胶指套接触。

注意：测试时应避免试样受通风、操作者呼气和灯具热辐射等环境条件的影响。

3. 影响织物抗皱性的原因及主要因素

（1）纤维性状

① 纤维几何形态：越粗、圆形、光滑，则其织物的褶皱回复性越好。

② 纤维弹性：纤维变形后可以回复的特性，对于织物抗皱性是关键因素。纤维弹性越大，织物褶皱回复性越高，如氨纶、羊毛织物的抗皱性很好。

（2）织物几何结构。织物厚度对折痕回复性的影响显著，厚织物的折痕回复性较好。

（3）环境条件。当温度、湿度增加时，纤维材料更具有塑性，纤维间的摩擦阻力也会变得更大。

4. 试验结果

（1）分别计算经向和纬向的折痕回复性的平均值，修约至整数位。

（2）总折痕回复角为经纬向折痕回复角平均值之和。

四、相关产品标准

相关产品标准见表 5-10-2。

表 5-10-2 涉及折痕回复性性能检测的相关产品标准

<table>
<tr><th rowspan="2">标准编号</th><th rowspan="2">标准名称</th><th rowspan="2">测试方法</th><th rowspan="2">项目</th><th colspan="3">指标/(°)</th></tr>
<tr></tr>
<tr><td rowspan="2">FZ/T 64007—2019</td><td rowspan="2">树脂机织衬</td><td rowspan="2">按 GB/T 3819 执行</td><td rowspan="2">折痕回复角
(经+纬)</td><td>优等品</td><td>一等品</td><td>合格品</td></tr>
<tr><td>≥220</td><td>≥205</td><td>≥195</td></tr>
<tr><td colspan="7">注:不以硬挺度为要求的树脂机织衬可不考核折痕回复角</td></tr>
<tr><td>GB/T 15552—2015</td><td>丝织物试验方法
和检验规则</td><td>按 GB/T 3819 执行,垂直法,5 经 5 纬,正面对折</td><td>—</td><td colspan="3">—</td></tr>
</table>

第十一节 透气性能测试

透气性是指空气透过织物的性能，用以表征纺织品在穿着时身体产生的热气透过织物散发出去的能力。部分企业标准也用来表征防风的能力。以在规定的试验面积、压降和时间条件下，气流垂直通过试样的速率表示。本节介绍 GB/T 5453—1997《纺织品 织物透气性的测定》检测标准，其他标准操作可参考执行。

一、原理及相关标准

1. 原理

在规定的压差条件下，测定一定时间内垂直通过试样给定面积的气流流量，计算出透气率。气流速率可直接测出，也可通过测定流量孔径两面的压差换算而得。

2. 相关标准

主要标准：GB/T 5453—1997《纺织品 织物透气性的测定》；ISO 9237：1995《纺织品 织物透气性的测定》；ASTM D 737：2018《纺织织物透气性试验方法》；JIS L 1096：2010 8. 26. 1 A法《机织物和针织物测试方法 透气性（Frazier法）》。上述标准在测试条件和测试样品要求上也不一致，包括各标准规定的压降、测试头面积、单位和试样的数量不尽相同，详见表5-11-1。测试时应注意选择正确的参数后再进行测试。

表 5-11-1　常用透气性能测试标准差异比较

标准编号	压降		测试头面积	单位	试样数量
GB/T 5453—1997	服用	100Pa	$20cm^2$	mm/s	10块
	产业用	200Pa			
ISO 9237:1995	服用	100Pa	$20cm^2$	mm/s	10块
	产业用	200Pa			
ASTM D 737:2018	125Pa		$38cm^2$	$cm^3/(cm^2 \cdot s)$	10块
JIS L 1096:2010 8.26.1 A法	125Pa		$38cm^2$	$cm^3/(cm^2 \cdot s)$	5块

二、检测仪器与材料

FX3300透气率测试仪（图5-11-1）可直接读取透气率及其他透气指标。通过手动调节档位来选择不同的透气孔，从而调节透气的量程。仪器共8个档位，可产生98～2500Pa的压降，测试头有$5cm^2$、$20cm^2$、$25cm^2$、$38cm^2$、$100cm^2$共5套可更换，测试结果的单位有mm/s、$cm^3/(cm^2 \cdot s)$等。其中，纺织产品中最为常用的$20cm^2$测试面积时的对应量程为1～10000mm/s。

三、检测方法与过程

1. 试验前准备

（1）试样制备。试样尺寸应满足测试要求，可不进行裁剪而直接进行测试，测试时应不在同一位置进行，至少测试10个样品。样品应在GB/T 6529标准大气下调湿和测试。

（2）仪器核查。每天应在测试前核查仪器状态，分为密封性和准确性核查。以FX3300为例，该仪器提供的核查过程是按照ASTM D737参数进行，为方便操作，实验室也可确定其他标准的核查指标。首先使用不透气的橡胶片进行密封性核查，在1档时测得结果显示为“0. 0000”；然后使用校准板（图5-11-2）进行准确性核查，结果为规定值即通过核查。

2. 试验过程

（1）仪器核查通过后，根据标准要求选择压降及单位，更换测试头或测试压头（图5-11-3），按清零键清零。将试样反面朝上，平整无张力地放置在测试头下。将测试头压下（图5-11-4），根据指示灯选择合适的档位。当指示灯为绿色或橙色时记录结果，当指示灯为红色时调节档位。同一样品在不同的部位重复测试至少10次。

（2）注意避开折皱、疵点、布边等区域。测试过程中避免拉伸试样。

（3）对于较厚的织物可通过在试样上覆盖一块与试样大小相同的橡胶片的方法测定边缘

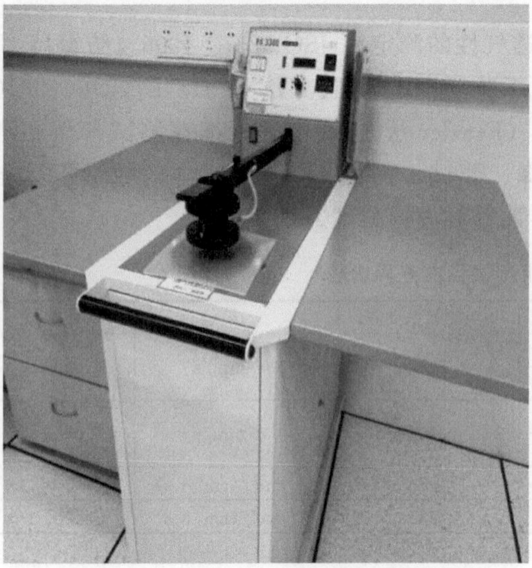

图 5-11-1 FX3300 透气率测试仪

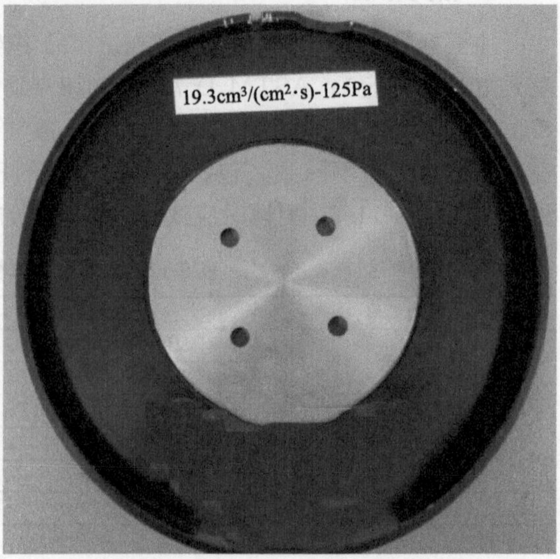

图 5-11-2 校准板

漏气率，并从读数中减去该值以获得试样的透气率。

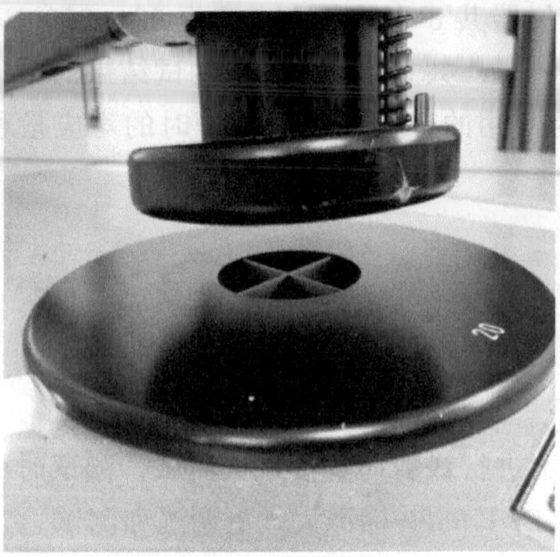

图 5-11-3 未测试时的测试压头

图 5-11-4 测试时的测试压头

3. 测试中注意的几点

（1）单位、压降和测试头的选择。尤其压降和单位对结果有较大的影响。

（2）在相同压降和单位下，不同的测试头面积测得的结果有一定差异，但差异不大。

（3）测试较大织物时，避免织物悬垂在仪器测试台外，防止因样品自重导致样品拉伸从而影响结果。

（4）对于较厚的织物可通过在试样上覆盖一块与试样大小相同的橡胶片的方法测定边缘漏气率，并从读数中减去该值以获得试样的透气率。

（5）注意测试是防风性能还是透气性能。防风性能测试时，织物正面向上放置；透气性能测试时，织物反面向上放置。

四、相关产品标准

相关产品标准见表 5-11-2。

表 5-11-2　涉及透气性能检测的相关产品标准

<table>
<tr><th>产品类型</th><th>标准编号</th><th>测试方法</th><th colspan="3">透气率性能要求/(mm/s)</th></tr>
<tr><td>针织专业运动服装通用技术要求</td><td>GB/T 29869—2013</td><td>按 GB/T 5453 规定执行</td><td colspan="3">洗前、洗后≤50(防风性能)</td></tr>
<tr><td rowspan="2">防护服装　抗油易去污防静电防护服</td><td rowspan="2">GB/T 28895—2012</td><td rowspan="2">按 GB/T 5453 规定执行</td><td>冬服</td><td colspan="2">≤40</td></tr>
<tr><td>夏服</td><td colspan="2">≥80</td></tr>
<tr><td rowspan="2">风衣</td><td rowspan="2">FZ/T 81010—2018</td><td rowspan="2">按 GB/T 5453 规定执行。透气方向由外到内。水洗方法为 GB/T 8629—2017 洗涤程序 4N,连续洗涤 3 次,悬挂晾干。</td><td>优等品</td><td>一等品</td><td>合格品</td></tr>
<tr><td colspan="3">洗前、洗后≤50</td></tr>
<tr><td>针织保暖内衣</td><td>FZ/T 73022—2019</td><td>按 GB/T 5453 规定执行</td><td colspan="3">≥180</td></tr>
</table>

第十二节　静电性能测试

两种材料相互接触摩擦后分开时会产生电荷分离，一方带正电荷，另一方带负电荷，并呈现相当高的电压。在服装穿着中表现出表面纤维竖立，毛羽突起；吸附灰尘及杂物；裙及裤裹腿；穿脱服装时出现电火花，并发出声响；任何人或物体接触时，会产生电击打手现象。静电问题不仅影响服装穿着的舒适性，对于部分功能性的服装，如职业服装，静电性能不合格会造成重大破坏和灾害。因此，纺织材料的静电性能长期以来都是纺织材料性能研究的重要领域。本节主要介绍 GB/T 12703《纺织品　静电性能的评定》的前五部分。

一、相关标准

表征织物抗静电性能的相关指标有静电压半衰期、电荷面密度、带电量、电阻和静电电压等。由于测试的原理和方法都不一样，故静电性能项目测试方法也较多。

主要标准如下：GB/T 12703《纺织品　静电性能的评定》系列标准。其中，该系列标准共有 8 个部分：第 1 部分为电晕充电法；第 2 部分为手动摩擦法；第 3 部分为电荷量；第 4 部分为电阻率；第 5 部分为旋转机械摩擦法；第 6 部分为纤维泄漏电阻；第 7 部分为动态静电压；第 8 部分为水平机械摩擦法。

其他相关标准如下：GB 12014—2019《防护服装　防静电服》附录 A 和附录 B 给出了两种测试方法：带电电荷量和点对点电阻；GB/T 33728—2017《纺织品　静电性能的评定　静电衰减法》；GB/T 22042—2008《服装　防静电性能　表面电阻率试验方法》；GB/T 22043—2008《服装　防静电性能　通过材料的电阻（垂直电阻）试验方法》。此外，还包括 EN1149《防护服　静电性能》，共包括 4 个部分［第 1 部分为测量表面电阻率的试验方法；第 2 部分为测量通过材料电阻的试验方法（垂直电阻）；第 3 部分为测量电荷衰减的试验方法；第 4 部分为材料性能和设计要求］；AATCC 76：2018《纺织物表面电阻率》；JIS L 1094：2014《机织物及针织物静电性能测试方法》。

标准中环境的区别：同一静电指标，各国标准中的测试原理基本一致，但是测试环境有一定的差异。静电项目对环境非常敏感，表 5-12-1 简单比较了各国常用静电标准的测试环境差异。

表 5-12-1 常用静电标准的测试环境差异

标准编号	测试环境
GB/T 12703 系列	温度(20±2)℃，相对湿度(35±5)%，环境风速在 0.1m/s 以下
GB/T 22042—2008 和 GB/T 22043—2008	温度(23±1)℃，相对湿度(25±5)%
EN 1149 系列	温度(23±1)℃，相对湿度(25±5)%
AATCC 76:2018	相对湿度一般为 20%，次要条件为 40%，特殊要求的如医院手术室的环境温度(20±2)℃，相对湿度(50±2)%
JIS L 1094:2014	温度(20±2)℃，相对湿度(40±2)%

二、检测方法与过程

环境条件对静电项目的结果有显著影响，在我国标准中规定静电测试用大气环境为温度(20±2)℃，相对湿度 (35±5)%，环境风速在 0.1m/s 以下。静电项目测试前试样除应预调湿和调湿外，还需要进行消电处理。常用消电装置有离子风枪和离子风扇（图 5-12-1）。

(a) 离子风枪

(b) 离子风扇

图 5-12-1 常用消电装置

（一） GB/T 12703.1—2021《纺织品 静电性能的评定 第 1 部分：电晕充电法》

1. 原理

通过电晕充电装置对试样充电一定时间，在停止施加高压电的瞬间，试样静电电压值达到最大值。试样上的静电压值随后开始自然衰减。通过确定峰值电压和半衰期，或者通过峰值电压衰减到一定比例的方法，来量化试样的静电性能。

2. 检测仪器

检测仪器结构示意见图 5-12-2。

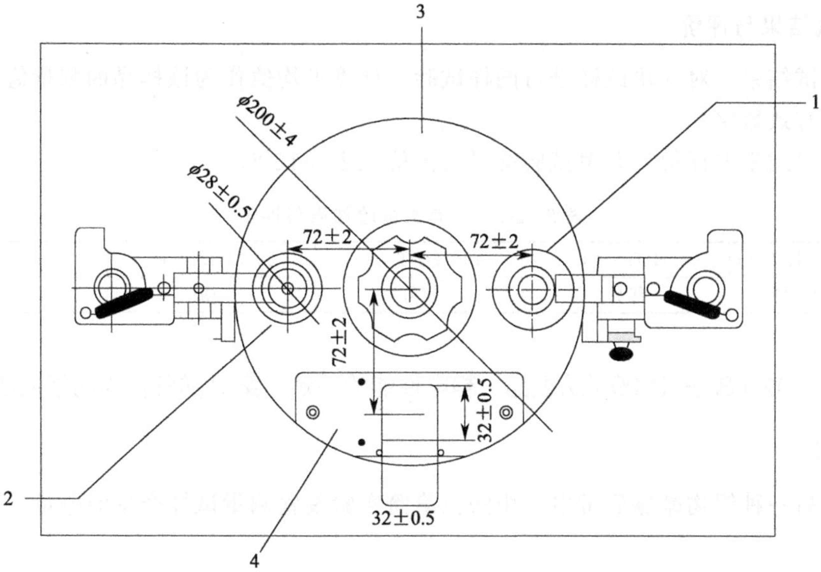

图 5-12-2　检测仪器结构示意

1—放电电极；2—感应电极；3—转动平台；4—试样夹

3. 检测方法与过程

（1）取样。每块试样的尺寸为 4.5cm×4.5cm 或适宜的尺寸，共 5 块。条子、长丝和纱线等应均匀、密实地缠绕在相同尺寸的平板上。

（2）将消电处理后的试样用镊子放置在试样台上（图 5-12-3），调节针电极与试样上表面相距（18±1）mm，感应电极与试样上表面相距（13±1）mm。驱动试验台，待转动平稳后在针电极上加 10kV 高压。

（3）启动仪器（图 5-12-4），调节仪器施加电压至−10kV，持续 30s。

（4）30s 后平台继续转动，放电电极停止施加电压。

（5）记录峰值电压以及其随时间的衰减情况。若 120s 后仍未到达试样的半衰期，则停止试验，记录试验结果为>120s。

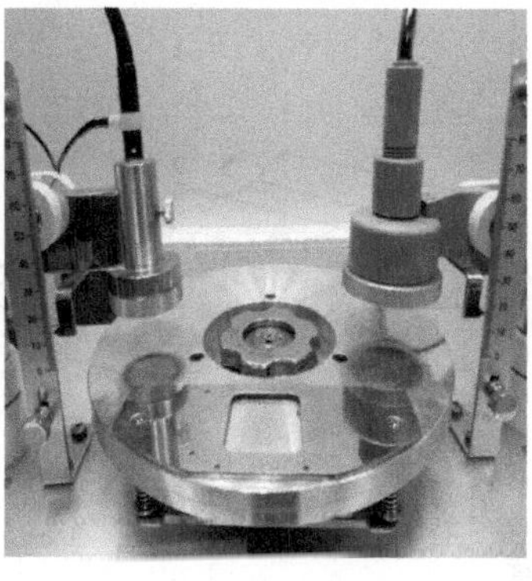

图 5-12-3　静电压半衰期测试仪试样台

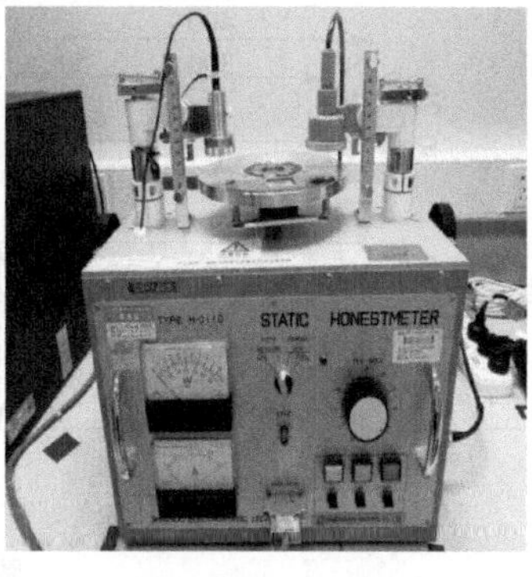

图 5-12-4　静电压半衰期测试仪

4. 测试结果与评价

（1）测试结果。对 5 块试样进行同样试验，计算平均值作为该样品的测量值。最终结果修约到两位有效数字。

（2）试验结果与评价。有关试验结果与评价见表 5-12-2。

表 5-12-2　有关试验结果与评价

静电压半衰期(HDT)/s	HDT≤10	10<HDT≤30	30<HDT≤60	HDT>60
抗静电性能评价	优异	较好	一般	差

（二） GB/T 12703.2—2009《纺织品　静电性能的评定　第 2 部分：手动摩擦法》

1. 原理

试样与另一种织物摩擦后带电，用法拉第筒实验装置测量试样产生的电量，并计算电荷面密度。

2. 检测仪器与材料

（1）摩擦装置。摩擦装置见图 5-12-5，单位为 mm。

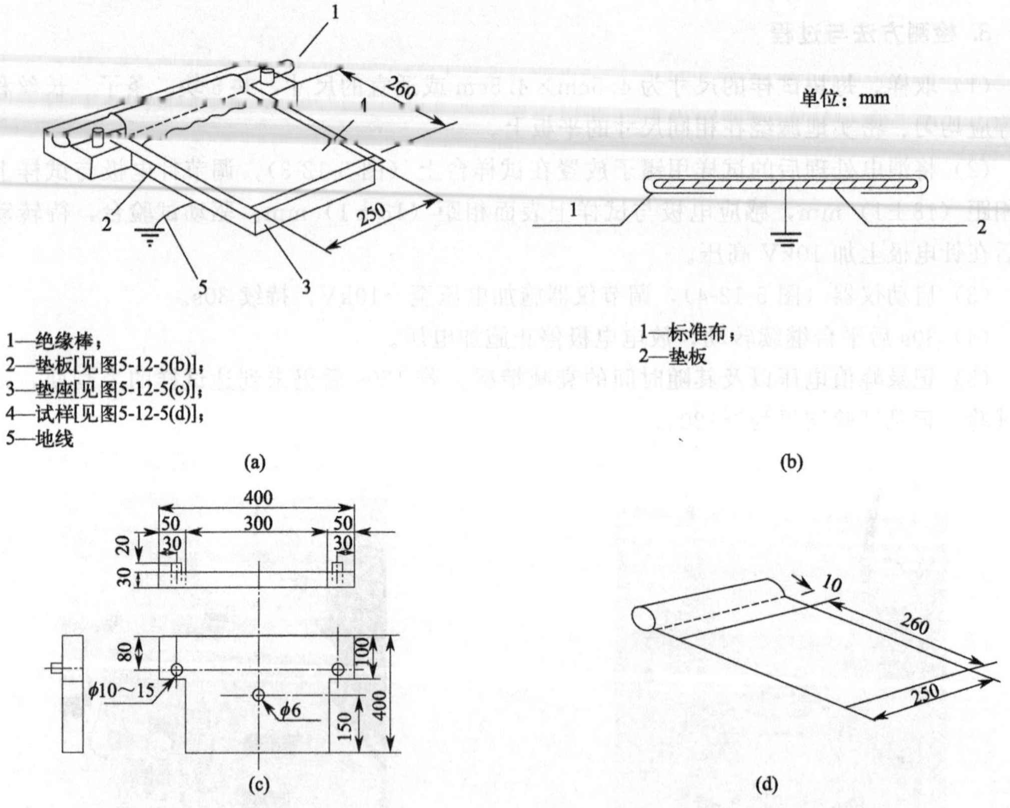

图 5-12-5　摩擦装置示意

（2）摩擦布及摩擦棒。摩擦布是 450mm×350mm 的锦纶和腈纶平纹布。摩擦棒为长 400mm 的硬质聚氯乙烯管，以摩擦布的长边方向为卷绕方向，在其上缠绕 5 圈，制成摩擦棒。要求摩擦布的两端拉紧塞入管内，以固定在摩擦棒上（图 5-12-6）。

（3）垫板。把一块尺寸为 500mm×450mm，材料与摩擦布相同的织物，用胶带从四面裹在铝板上，垫板面积为 320mm×300mm，厚度 3mm，用聚乙烯包皮线接地。

（4）绝缘棒。直径 20mm、长 500mm 的有机玻璃或丙烯酸树脂棒。

（5）法拉第筒。法拉第筒示意见图 5-12-7、图 5-12-8，外筒直径为 50～70cm，高为 85～100cm；内筒直径为 40～60cm，高为 75～95cm。电容器的泄漏电阻为 $1\times10^{14}\Omega$ 以上时，电容值应与静电电压表量程相匹配，绝缘支架的绝缘电阻应在 $1\times10^{12}\Omega$ 以上。系统电容可用精密万用电桥或其他电容测量仪测量。

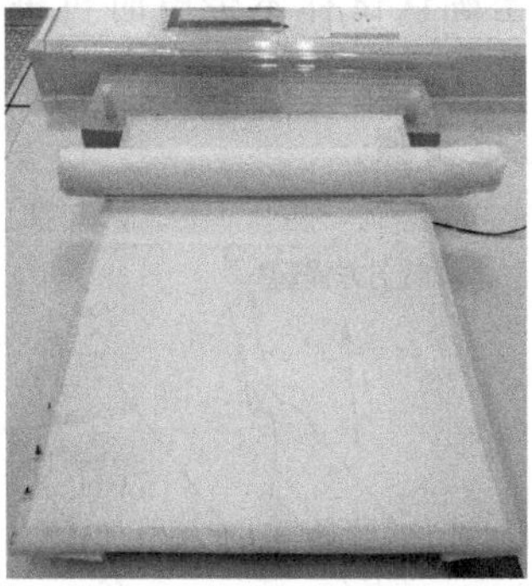

图 5-12-6 摩擦装置示例

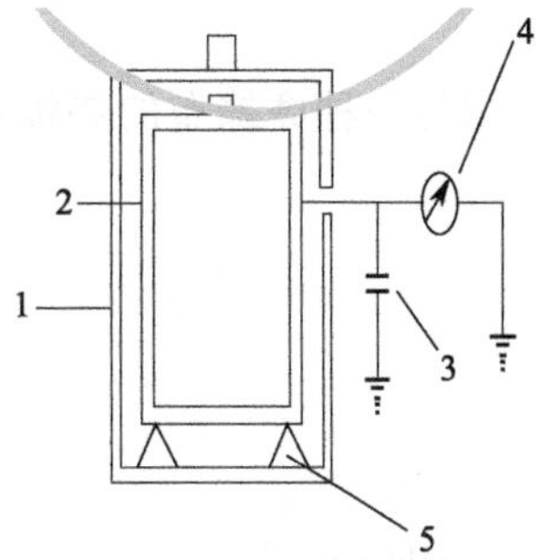

图 5-12-7 法拉第筒示意（一）

1—外筒；2—内筒；3—电容器；4—静电电压表；5—绝缘支架

图 5-12-8 法拉第筒示意（二）

3. 检测方法与过程

（1）试样应进行预调湿和调湿。调湿后裁取 6 块试样（经向 3 块，纬向 3 块），尺寸为

(350±1)mm×(250±1)mm。将长向一端缝制为套状，未被缝部分长度为 270mm（有效摩擦长度 260mm）。

(2) 试样和摩擦装置消电处理后，将绝缘棒插入缝好的套内，放置在垫板上，勿使之产生褶皱。双手持缠有标准布的摩擦棒两端，由前端向体侧一方摩擦试样（注意，不应使摩擦棒转动），约 1s 摩擦一次。宜采用 40N 的额定压力按压，连续 5 次（图 5-12-9）。

(3) 握住绝缘棒的一端，使棒与垫板保持平行地由垫板上揭离（图 5-12-10），并在 1s 内迅速投入法拉第筒，读取静电压或电量值。此时，试样应距人体或其他物体 300mm 以上。

(4) 每块试样进行 4 次测试，每次测试后应消电直至确认试样不带电时再进行下一次测试。

(5) 使用另一种摩擦布的垫板和摩擦棒，重复进行上述步骤。

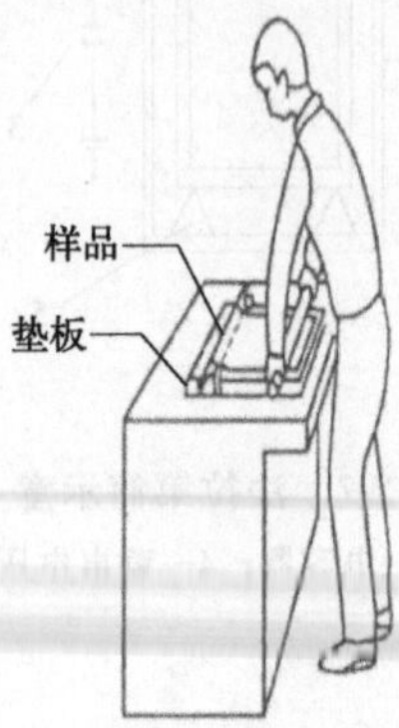

图 5-12-9　摩擦示意

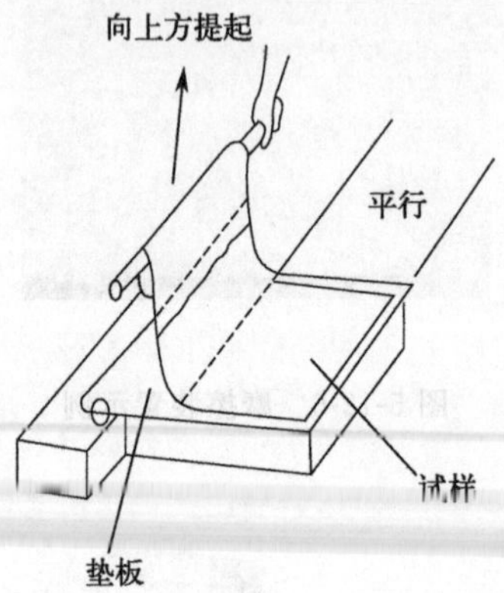

图 5-12-10　揭离试样示意

4. 测试结果

测试结果如下。读取静电电压值或电量值，根据式（5-12-1）计算电荷面密度，计算每个试样 3 次测试的平均值，作为该试样的测量值。取 6 块试样测试结果中的最大值，作为该样品的试验结果。

$$\sigma=\frac{CV}{A} \tag{5-12-1}$$

式中　σ——电荷面密度，$\mu C/m^2$；

C——法拉第系统总电容量，F；

V——电压值，V；

A——试样摩擦面积，m^2。

（三） GB/T 12703.3—2009《纺织品　静电性能的评定　第 3 部分 电荷量》

1. 原理

用摩擦装置模拟试样摩擦带电的情况，然后将试样投入法拉第筒，测量其带电电荷量。

2. 检测仪器与材料

(1) 自动滚筒摩擦机见图 5-12-11，滚筒的内表面及盖子的内表面包覆有锦纶标准布(图 5-12-12)；转速为 (50±10)r/min；转鼓内温度为 (60±10)℃；以电气温风方式加热，排气量为 $2m^3/min$ 以上。

(2) 法拉第筒：与 GB/T 12703.2 标准中的要求一致。

3. 检测方法与过程

(1) 试样经预调湿和调湿后，进行消电处理。每个样品至少取 1 件制品作为试样。

(2) 开启摩擦装置，使其温度达到 (60±10)℃。将试样在模拟穿用状态下（扣上纽扣或拉链）放入摩擦装置，运转 15min。

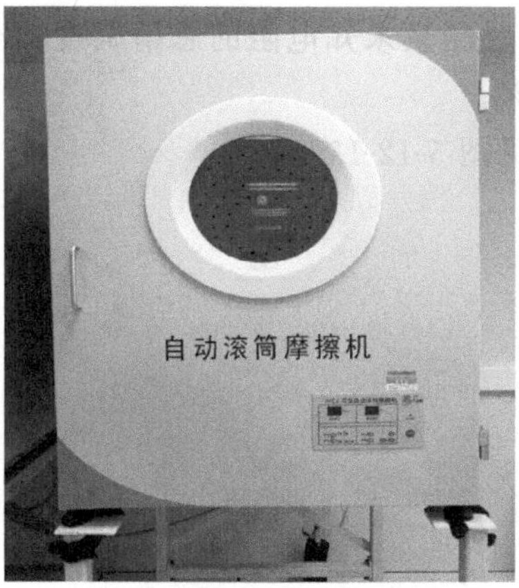

图 5-12-11　自动滚筒摩擦机

图 5-12-12　自动滚筒摩擦机内部构造

(3) 运转完毕后，打开摩擦装置门，摩擦装置自动将试样投入法拉第筒。人工转移时，须佩戴绝缘手套，且操作过程中试样应距法拉第筒以外的物体 300mm 以上。读取法拉第筒的带电量。

(4) 重复 5 次操作，每次之间静置 10min，并用消电器对试样及转鼓内的标准布进行消电处理。

(5) 对于带衬里的制品，应将衬里翻转朝外，再次重复以上测试步骤，将结果记入报告。

4. 测试结果与评定

(1) 测试结果。以 5 次测量的平均值为试验结果，修约至 0.1。

(2) 电荷量技术要求。可根据样品的用途提出对带电电荷量的要求。对于非耐久型抗静电纺织品，洗前电荷量应不超过 0.6μC/件；对于耐久型抗静电纺织品，洗前、洗后电荷量均应不超过 0.6μC/件。

（四） GB/T 12703.4—2010《纺织品　静电性能的评定　第 4 部分：电阻率》

本标准主要分为体积电阻率和表面电阻率两部分。

1. 术语

(1) 体积电阻：在给定的通电时间之后，施加于与一块材料的相对两个面上相接触的两个引入电极之间的直流电压与这两个电极之间电流的比值，在这两个电极上可能发生的极化现象则忽略不计。

(2) 体积电阻率：沿试样体积电流方向的直流电场强度与稳态电流密度的比值。

(3) 表面电阻：在给定的通电时间之后，施加于材料表面上的标准电极之间的直流电压与电极之间电流的比值，在电极上可能发生的极化现象则忽略不计。

(4) 表面电阻率：沿试样表面电流方向的直流电场强度与单位长度的表面传导电流之比。

2. 检测仪器与材料

(1) 高阻计。对于低于 $10^{10}\Omega$ 的电阻，其测量装置测量未知电阻的总精确度应至少为 ±10%。而对于更高的电阻，总精确度应至少为 ±20%。

(2) 环形电极。环形电极正面、绝缘面、金属面见图 5-12-13。

(a) 环形电极正面　(b) 测试表面电阻时使用的绝缘面　(c) 测试体积电阻时使用的金属面

图 5-12-13　环形电极

3. 检测方法与过程

(1) 使用已知电阻值的标准电阻核查仪器，测试值在规定范围内。

(2) 按测试目的连接组装好测试线路（图 5-12-14），将试样放在规定的电极上。

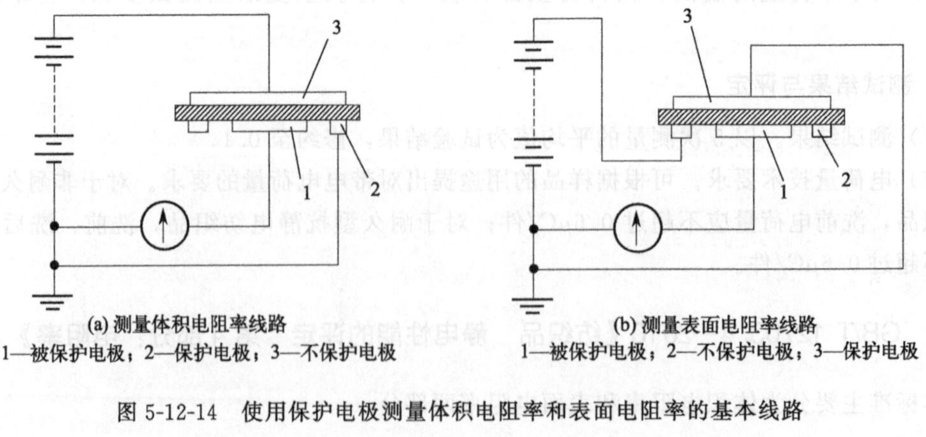

(a) 测量体积电阻率线路
1—被保护电极；2—保护电极；3—不保护电极

(b) 测量表面电阻率线路
1—被保护电极；2—不保护电极；3—保护电极

图 5-12-14　使用保护电极测量体积电阻率和表面电阻率的基本线路

(3) 加上规定的直流电压并同时开始计时，使用一个固定的电化时间如 1min 后的电流值来计算试样的电阻和电阻率。在较短的电化时间下，电流有可能无法达到稳定状态。达到规定电化时间后，即使在此时间内电流还没有达到稳定状态，也应立即读取电阻值。

4. 测试结果与评定

(1) 测试结果

① 体积电阻率按式(5-12-2) 计算：

$$\rho_v = R_v \times \frac{A}{h} \tag{5-12-2}$$

式中 ρ_v——体积电阻率，Ω·m；

R_v——测得的体积电阻，Ω；

A——被保护电极的有效面积，m^2；

h——试样的平均厚度，m。

② 表面电阻率按式(5-12-3) 计算：

$$\rho_s = R_s \times \frac{L}{w} \tag{5-12-3}$$

式中 ρ_s——表面电阻率，Ω；

R_s——测得的表面电阻，Ω；

L——特定使用电极装置中被保护电极的有效周长，m；

w——两电极之间的距离，m。

③ 重现性。由于给定试样的电阻随试验而改变以及各个试样之间材料的不均匀性，故通常测量的不重现性不是接近于±10%，而常常有较大的分散性（在大致相同的条件下测得值的比值可能会是 10∶1）。

(2) 表面电阻率技术要求。表面电阻率技术要求见表 5-12-3，对于非耐久型抗静电纺织品，洗前应达到表 5-12-3 要求；对于耐久型抗静电纺织品，洗前、洗后均应达到要求。如有关各方另有协议，可按协议要求执行。

表 5-12-3　表面电阻率技术要求

等级	要求的表面电阻率/Ω
A 级	$<1\times10^{7}$
B 级	$\geqslant1\times10^{7}, <1\times10^{10}$
C 级	$\geqslant1\times10^{10}, \leqslant1\times10^{13}$

(五) GB/T 12703.5—2020《纺织品　静电性能的评定　第 5 部分：旋转机械摩擦法》

1. 原理

将织物试样安装在转鼓上。随着转鼓旋转，试样与标准摩擦布之间产生机械摩擦。在旋转过程中，通过测量电极测定试样与摩擦布之间产生的摩擦带电电压。

2. 检测仪器与材料

摩擦带电电压测试仪（图 5-12-15）主要由四部分组成。其中，标准布夹，用于夹住标准布的两端，一端固定，另一端与负载相连；负载，为标准布提供一定的张力；金属转鼓，共有 4 个试样夹，可安装 4 个试样，测试时沿轴心高速旋转，使试样与标准布摩擦；测量电极，用于测量试样上的电压。

（1）金属转鼓：外径（150±1)mm，宽（60±1)mm，转速 400r/min。

（2）标准布夹：宽（25±1)mm，左右布夹间距（130±3)mm。

（3）负载：500g。

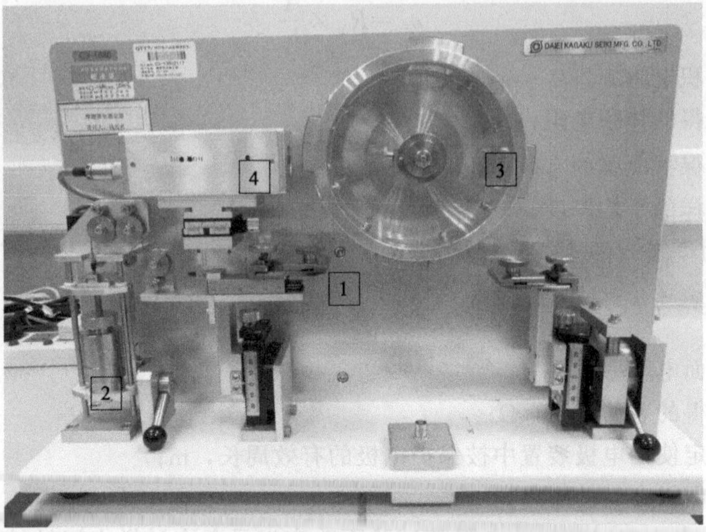

图 5-12-15 摩擦带电电压测试仪

3. 检测方法与过程

（1）试样准备。从样品上随机裁取 10 块试样（经向 5 块，纬向 5 块），并将每块试样裁剪为大小为 5cm×8cm。

（2）标定仪器。按要求安装好标定的金属片，将装有标定金属片的试样夹对准测量电极，距离为（15±1)mm，先标定 0 位；然后，启动仪器，标定电压为 1000V。

（3）标定后，拆除并收好标定金属片。将试样分别夹入转鼓上的试样夹中。

（4）将锦纶标准布夹于标准布夹中并消电，调节其位置，使之在 500g 负载下能与转鼓上的试样进行切线方向的摩擦。

（5）对试样进行消电。

（6）启动测试装置，带动转鼓旋转，在转速 400r/min 的条件下，测量并记录 1min 内试样带电的最大值。

（7）拆下测试完的试样，将下一组试样夹于样品夹，再次测试，直至测试完所有试样。

（8）试样正、反面差异较大时，应对两个面均进行测量。

4. 测试结果与评定

（1）测试结果。对 4 组试样分别测量后，计算 4 组试样测量值的平均值，作为试验结果。

（2）摩擦带电电压技术要求。可根据样品的用途提出对摩擦带电电压的要求。对于非耐久型抗静电纺织品，洗前摩擦带电电压应达到表 5-12-4 的要求；对于耐久型抗静电纺织品，洗前、洗后的摩擦带电电压均应达到表 5-12-4 的要求。

表 5-12-4 摩擦带电电压技术要求

摩擦带电电压(FP)/V	FP≤1000	1000<FP≤2000	2000<FP≤3000	FP>3000
静电性能的评定	优秀	较好	一般	差

三、相关产品标准

相关产品标准见表 5-12-5。

表 5-12-5 涉及静电性能检测的相关产品标准

<table>
<tr><th>产品</th><th>产品标准</th><th>测试项目</th><th>测试方法</th><th colspan="4">判定指标</th></tr>
<tr><td rowspan="2">防静电工作帽</td><td rowspan="2">GB/T 31421—2015</td><td>静电压半衰期</td><td>GB/T 12703.1</td><td colspan="4">≤15s</td></tr>
<tr><td>表面电阻率</td><td>附录 A</td><td colspan="4">$10^5\Omega \leqslant \rho \leqslant 10^{11}\Omega$</td></tr>
<tr><td rowspan="2">静电植绒织物</td><td rowspan="2">FZ/T 64011—2012</td><td rowspan="2">静电压半衰期</td><td rowspan="2">GB/T 12703.1</td><td colspan="2">优等品</td><td colspan="2">一等品、合格品</td></tr>
<tr><td colspan="2">静电压峰值≤2000V；半衰期≤5.0s</td><td colspan="2">—</td></tr>
<tr><td rowspan="4">防静电手套</td><td rowspan="4">GB/T 22845—2009</td><td rowspan="4">带电电荷量</td><td rowspan="4">GB/T 12703.3</td><td colspan="2">项目</td><td>A 级</td><td>B 级</td></tr>
<tr><td colspan="2">洗前</td><td colspan="2"><0.6μC/只</td></tr>
<tr><td colspan="2">洗涤次数</td><td>5 次</td><td>3 次</td></tr>
<tr><td colspan="2">洗后</td><td colspan="2"><0.6μC/只</td></tr>
<tr><td>防护服装抗油易去污防静电防护服</td><td>GB/T 28895—2012</td><td>带电电荷量</td><td>GB/T 12703.3</td><td colspan="4">洗涤 30 次后，≤0.3μC/件</td></tr>
<tr><td>针织专业运动服装</td><td>GB/T 29869—2013</td><td>带电电荷量</td><td>GB/T 12703.3，洗涤暂按 GB/T 8629—2001 中的 5A 程序，连续洗涤 10 次，悬挂晾干</td><td colspan="4">洗前/洗后<0.6μC/件</td></tr>
<tr><td rowspan="3">警服材料精梳毛涤混纺织品</td><td rowspan="3">GA 360—2009</td><td rowspan="3">电荷面密度</td><td rowspan="3">GB/T 12703.2</td><td>项目</td><td>毛涤单面哔叽</td><td>毛涤缎背哔叽</td><td>毛涤素花呢</td></tr>
<tr><td>洗前</td><td>$\leqslant 1.5\mu C/m^2$</td><td>$\leqslant 2.0\mu C/m^2$</td><td>$\leqslant 1.5\mu C/m^2$</td></tr>
<tr><td>洗 50 次后</td><td>$\leqslant 2.0\mu C/m^2$</td><td>$\leqslant 2.5\mu C/m^2$</td><td>$\leqslant 2.0\mu C/m^2$</td></tr>
<tr><td>手术衣用机织物</td><td>FZ/T 64054—2015</td><td>电荷面密度</td><td>GB/T 12703.2</td><td colspan="4">$\leqslant 8\mu C/m^2$</td></tr>
<tr><td rowspan="5">袋式除尘器</td><td rowspan="5">GB/T 6719—2009</td><td>电荷面密度</td><td>GB/T 12703.2</td><td colspan="4">$<7\mu C/m^2$</td></tr>
<tr><td>摩擦电位</td><td>GB/T 12703.5</td><td colspan="4"><500V</td></tr>
<tr><td>半衰期</td><td>GB/T 12703.1</td><td colspan="4"><1s</td></tr>
<tr><td>表面电阻</td><td>GB/T 12703.4</td><td colspan="4">$<10^{10}\Omega$</td></tr>
<tr><td>体积电阻</td><td>GB/T 12703.4</td><td colspan="4">$<10^{9}\Omega$</td></tr>
</table>

第十三节 燃烧性能测试

近些年来，人们越来越重视纺织服装的阻燃性能指标，尤其是我国于 2015 年发布了 GB

31701—2015《婴幼儿及儿童纺织产品安全技术规范》，将婴幼儿及儿童服装的阻燃要求明确为强制性检测项目。按现有阻燃性能的测试方法看，主要分为燃烧试验法、极限氧指数法、表面燃烧试验法和热分析等方法。其中，燃烧试验法根据火焰与试样的相对位置，又可分为水平（燃烧）法、45°（燃烧）法和垂直（燃烧）法。其中，水平法一般适用于汽车内饰和地毯类铺垫织物，45°法一般适用于服用织物，垂直法一般适用于服用织物、窗帘布、装饰类织物等。本节主要介绍垂直法和45°法。

一、原理及相关标准

1. 原理

（1）垂直法：用规定点火器产生的火焰，对垂直方向的试样底边中心点火，在规定的点火时间后，测量试样的续燃时间、阴燃时间及损毁长度。

（2）45°法：在规定的条件下，对45°角放置的试样表面点火，根据火焰蔓延时间来评定该试样的燃烧速率。对于绒面试样，以底布的点燃作为燃烧剧烈程度的附加指标。

2. 相关标准

主要标准如下：GB/T 5455—2014《纺织品　燃烧性能　垂直方向损毁长度、阴燃和续燃时间的测定》；GB/T 14644—2014《纺织品　燃烧性能 45°方向燃烧速率的测定》；FZ/T 01028—2016《纺织品　燃烧性能　水平方向燃烧速率的测定》，GB/T 14768—2015《地毯燃烧性能 45°试验方法及评定》；GB/T 5454—1997《纺织品　燃烧性能试验　氧指数法》，GB/T 5456—2009《纺织品　燃烧性能　垂直方向试样火焰蔓延性能的测定》；GB/T 8745—2001《纺织品　燃烧性能　织物表面燃烧时间的测定》；GB/T 8746—2009《纺织品　燃烧性能　垂直方向试样易点燃性的测定》。

3. 定义和术语

（1）续燃：在规定的试验条件下，移开点火源后材料持续的有焰燃烧。

（2）续燃时间：在规定的试验条件下，移开点火源后材料持续有焰燃烧的时间，以秒表示。

（3）阴燃：当有焰燃烧终止后，或如为无焰燃烧者移开点火源后，材料持续的无焰燃烧。

（4）阴燃时间：在规定的试验条件下，当有焰燃烧终止后，或本为无焰燃烧者，移开点火源后，材料持续无焰燃烧的时间，以秒（s）表示。

（5）损毁长度：在规定的试验条件下，在规定方向上材料损毁部分的最大长度，以厘米（cm）表示。

（6）点火时间：点火源的火焰施加到试样上的时间。

（7）燃烧速率：在规定的试验条件下，单位时间内火焰前沿扩展的距离。

（8）火焰蔓延时间：从点火开始到标志线断裂整个过程所需的时间，由计时器测试所得，以秒（s）表示。

（9）表面闪燃：在材料的基本结构未点燃的情况下，火焰在其表面迅速蔓延。

二、检测仪器与材料

（一）垂直燃烧法

1. 测试仪器

（1）垂直燃烧测试仪。

（2）燃烧试验箱。使用耐热及耐烟雾腐蚀的材料制成的前面装有玻璃门的直立长方形燃烧箱，箱内尺寸为329mm×329mm×767mm。箱顶有均匀排列的16个内径为12.5mm的排气孔。为防止箱外气流的影响，距箱顶外30mm处加装顶板一块，箱两侧下部各开有6个内径为12.5mm的通风孔。箱顶有支架可承挂试样夹，使试样夹和前门垂直并处于试验箱的中心，试样夹的底部位于点火器管口最高点之上17mm。箱底铺有耐热和耐腐蚀材料制成的板，长宽较箱底各小25mm，厚度约3mm。在箱子中央放一块可承受熔滴或其他碎片的板或丝网，其最小尺寸为152mm×152mm×1.5mm。

（3）试样夹。用于固定试样防止卷曲并保持试样垂直。试样夹由两块厚2.0mm、长422mm、宽89mm的U形不锈钢板组成，其内框尺寸为356mm×51mm。试样固定于两板中间，两边用夹子夹紧。

（4）点火器。点火器管口内径为11mm，管头与垂线成25°角。点火器入口气体压力为17.2kPa±1.7kPa。可控制点火时间精确到0.05s。

（5）控制部分有电源开关、电火花点火开关、点火器启动开关，还有试样点燃时间设定计、续燃时间计、阴燃时间计、气源供给指示灯、气体调节阀。

2. 测试用材料

（1）气体。根据调湿条件选用气体，条件A选用工业用丙烷或丁烷气体或丙烷/丁烷混合气体；条件B选用纯度不低于97%的甲烷。

（2）重锤。每一重锤附以挂钩，可将重锤挂在测试后试样一侧的下端，用于测定损毁长度，重锤选择见表5-13-1。

表5-13-1　重锤选择

织物单位面积质量/(g/m²)	重锤质量/g
101以下	54.5
101～207以下	113.4
207～338以下	226.8
338～650以下	340.2
650及以上	453.6

（3）医用脱脂棉。

（4）直尺。最小刻度不得大于1mm。

（5）密封容器。

（6）烘箱。应有通风和恒温控制，箱内温度为（105±3）℃。

（7）干燥器。

（8）计时器。精确至0.1s。

（二）45°燃烧法

1. 测试仪器

（1）燃烧测试仪。

（2）燃烧试验箱。由耐热及耐烟雾侵蚀的材料制成，箱内尺寸为 370mm×220mm×350mm，允许公差±10mm。箱前部设有耐热透明材料制作的观察门，观察门底部设有通风条。箱顶部后面有 11 个或 12 个均匀排列的直径为 12.7mm 的通风孔。

（3）烘箱。应有通风和恒温控制，箱内温度为 105℃±3℃。

（4）试样架。可支撑、固定试样夹，使其倾斜为 45°角，并可根据试样的不同厚度调节其与火焰前端的相对位置。

（5）试样夹。由两块厚 2.0mm 的 U 形钢板组成，其内框尺寸为 152mm×38mm，试样固定于两板中间，两边用夹子夹紧。

2. 测试用材料

（1）燃烧器：由 4.5 号注射器针头制成。

（2）气体：丁烷（化学纯）。

（3）标志线：白色棉丝光缝纫线（11.7tex×3），符合 GB/T 6836 的要求。

（4）重锤：质量为 30g±5g。

（5）计时器：自动计时，精确到 0.1s。

（6）刷毛装置，用于制备试样，由底板、导轨、滑动架、模板和毛刷构成。滑动架底部装有 4 个轮子，可沿导轨方向前后移动，它的移动距离略大于 152mm。模板尺寸略小于试样夹内框尺寸，厚度为 2.0mm。毛刷由两排直径为 0.41mm 的尼龙丝簇组成，两排毛簇交错排列，每簇 20 根丝，每 25mm 有 4 簇；毛簇平整，长度为 19mm。毛刷对试样向下施加 150cN±5cN 的压力。

（7）干燥器。

三、检测方法与过程

（一）垂直燃烧法

1. 试样准备

（1）根据调湿条件准备试样。垂直燃烧法有 2 种测试条件，2 种测试条件对于样品的准备是不一样的。其中，条件 A 要求的尺寸为 300mm×89mm，经（纵）向取 5 块，纬（横）向取 5 块，共 10 块试样；条件 B 要求的尺寸为 300mm×89mm，经（纵）向取 3 块，纬（横）向取 2 块，共 5 块试样。

（2）取样位置。剪取试样时距离布边至少 100mm，试样的两边分别与织物的经（纵）向和纬（横）向平行，试样表面应无沾污、无褶皱。经向试样不能取自同一经纱，纬向试样不能取自同一纬纱。如果测试制品，试样中可包含接缝或装饰物。

（3）根据选择的试验条件，选用下列条件之一对试样进行调湿或干燥。条件 A 采用试样放置在 GB/T 8629 规定的标准大气条件下进行调湿，然后将调湿后的试样放入密封容器内。条件 B 采用将试样置于（105±3)℃的烘箱内干燥（30±2)min 取出，放置在干燥器中冷却，冷却时间不少于 30min。

(4) 试验条件是温度为 10～30℃、相对湿度为 30%～80%的大气环境。

2. 试验过程

(1) 关闭试验箱前门，打开气体供给阀，点着点火器，调节火焰高度，使其稳定达到(40±2)mm。在开始第一次试验前，火焰应在此状态下稳定地燃烧至少 1min，然后熄灭火焰。

(2) 将试样从密封容器或干燥器内取出，装入试样夹中。试样应尽可能地保持平整，试样的底边应与试样夹的底边相齐，试样夹的边缘使用足够数量的夹子夹紧，然后将安装好的试样夹上端承挂在支架上，侧面被试样夹固定装置固定，使试样夹垂直挂于试验箱中心。

(3) 关闭箱门，点着点火器，待火焰稳定后，移动火焰使试样底边正好处于火焰中点位置上方，点燃试样。此时距试样从密封容器或干燥器中取出的时间必须控制在 1min 以内。

(4) 火焰施加到试样上的时间即点火时间，应根据选用的调湿条件确定，条件 A 为 12s，条件 B 为 3s。

(5) 到点火时间后，将点火器移开并熄灭火焰，同时打开计时器，记录续燃时间和阴燃时间，精确至 0.1s。如果试样有烧通现象，进行记录。

(6) 当试验熔融性纤维制成的织物时，如果被测试样在燃烧过程中有熔滴产生，则应在试验箱的箱底平铺上 10mm 厚的脱脂棉。观察熔融脱落物是否引起脱脂棉的燃烧或阴燃，并记录。

(7) 打开风扇，将试验中产生的烟气排出。

(8) 打开试验箱，取出试样。沿着试样长度方向上损毁面积内最高点折一条直线，然后在试样的下端一侧，距其底边及侧边各约 6mm 处，挂上选用的重锤；再用手缓缓提起试样下端的另一侧，让重锤悬空再放下，测量并记录试样撕裂的长度，即为损毁长度（图 5-13-1），精确至 1mm。对燃烧时熔融又连接到一起的试样，测量损毁长度时应以熔融时的最高点为准。

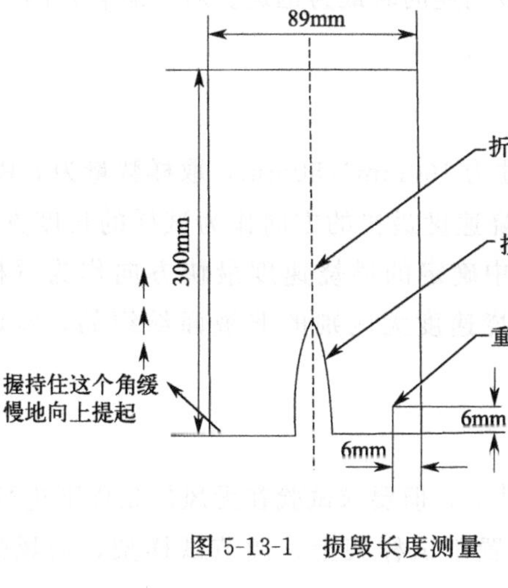

图 5-13-1　损毁长度测量

（9）清除试验箱中的碎片，关闭风扇，然后再测试下一个试样。

3. 试验结果

根据选取的试验条件，采用不同的方式计算结果。其中，条件A采用计算经（纵）向、纬（横）向5块试样的续燃时间、阴燃时间和损毁长度的平均值，结果精确至0.1s和1mm。条件B则采用计算5块试样的续燃时间、阴燃时间和损毁长度的平均值，结果精确至0.1s和1mm。

4. 垂直燃烧法注意事项

（1）纺织材料燃烧产生的烟雾和气体具有一定的毒性，会影响工作人员健康。应将测试仪器安装在通风橱内，在试样燃烧过程中要关闭通风系统，以免影响试验结果。

（2）该设备严禁与系统外的烟火靠近，仪器附件应配备消防器具如CO_2灭火器。

（3）开机前要检查燃气管路是否有泄漏现象。

（4）仪器外壳必须有效接地，方可接通电源使用。

（5）按下点火键，经30s未点火成功，应及时按熄火键一次，关闭气路。打开箱门使其通风换气，以免箱内燃气浓度过高，引发事故。

（6）每次测试完成后都应排除烟雾和烟尘，并关闭燃气，并及时清理燃烧剩余物。

（7）注意调节点火器的火焰高度，确保火焰高度稳定达到40mm±2mm，火焰高度过高或过低都会影响试验结果的准确性。

（8）试样从密封容器内取出后，要及时进行试验，以保证试样的温度、湿度不发生较大变化。

（9）要严格按照标准的要求选择合适质量的重锤，避免影响损毁长度的准确测量。

（二）45°燃烧法

1. 预试验

对未知燃烧性能的织物应进行预试验，以确定燃烧最快的方向和部位。一般情况下，绒面纺织品的火焰燃烧速率沿织物绒毛逆向时最为迅速。对于服装，同一部位的所有各层以及接缝部位都宜进行预试验。

2. 试样准备

（1）尺寸和数量。样品的尺寸为160mm×50mm，取样数量为5块。

（2）取样的方向。以织物燃烧速度最快的方向作为试样的长度方向，如果织物的燃烧速度最快方向未知，则以预试验中确定的燃烧速度最快方向作为试样的长度方向。对于预试验中试样经纬（纵横）向燃烧速度无区别的非绒面纺织品，宜以经（纵）向作为长度方向。

3. 仪器设置

（1）仪器放置在一般室温条件下，但要求试验在无风的条件下进行。

（2）将已装好试样的试样夹置于试样架上，调节试样架，使燃烧器顶端距离试样表面8mm。

(3) 打开气体供给阀，点着燃烧器，调节火焰长度，使燃烧器顶端到火焰尖端的距离为16mm。点火时，火焰垂直作用于试样表面。

(4) 从试样表面的点火处到标志线的距离为127mm。点火处距离试样底边19mm。

4. 试样的安装

(1) 将试样夹的下夹板放置在刷毛装置的滑动架上，使模板位于下夹板内框中。

(2) 将试样放置在下夹板上，欲燃烧的一面朝上，试样燃烧最快的方向端放置在试样夹顶部，放上试样夹的上夹板，用夹子夹紧上下夹板。为了保证安装后试样的平整性，尤其是轻质、极薄的试样，可以使用胶带协助固定。为了减少发生底边点火的可能性，安装试样时可以超出试样夹底边3.2～12.7mm的距离。

5. 刷毛

将装好试样的试样夹放在刷毛装置的滑动架上，试样的绒面向上，逆向刷毛一次。非绒面纺织品不需要经过刷毛程序。

6. 干燥

将装好试样的试样夹平放在105℃±3℃的烘箱内，处理30min±2min后取出，置于干燥器中，冷却30min以上。在干燥和冷却过程中，应注意不触碰试样表面。

7. 试验过程

(1) 从干燥器中取出一个已装好试样的试样夹，置于燃烧试验箱内的试样架上，将标志线穿过试样架平板的导丝钩，然后在刚穿出导丝圈的标志线下方挂一重锤，使之绷紧。将计时器调至零点，关闭试验箱门。

(2) 点着燃烧器，使火焰与试样表面接触1s±0.05s，同时开启计时器。当火焰燃烧到标志线时，重锤因线被烧断而下落，计时器停止计时。发生底边点火时应重新试验。从干燥器中取出试样到点燃试样的时间不得超过45s。

(3) 观察试样的燃烧状态，记录计时器所示的火焰蔓延时间以及燃烧状态。对于绒面纺织品，试样应继续燃烧以确定基布是否燃烧熔融。

(4) 每次试验结束后，打开风扇将试验中产生的烟气排出，当测试下一块试样前应关闭风扇。

8. 分级

根据表5-13-2对测试结果进行计算和分级。

9. 洗涤后试验

对于试样燃烧等级为1级或2级的样品，按照GB/T 8629中的规定，采用A型洗衣机，标准洗涤剂的加入量为20g±1g；在40℃下以正常搅拌程序对试样进行1次洗涤，洗涤完成后摊平晾干。测试试样洗涤后的燃烧性能，试验试样表面应平整无褶皱。

将洗涤干燥后的样品再按照测试步骤进行测试和分级。原试样测试结果为3级的样品无须测试洗涤后的燃烧性能。如果需要，按照GB/T 19981.2—2014要求进行干洗，其中干洗程序选用GB/T 19981.2—2014中规定的正常材料干洗程序。

表 5-13-2 燃烧性能的分级

试样数量		火焰蔓延时间(t_i)		燃烧等级
5块 ($1\leqslant i\leqslant 5$)	非绒面纺织品	无		1级(正常可燃性)
		仅有1个	$t_i\geqslant 3.5$s	1级(正常可燃性)
			$t_i<3.5$s	另增加5块试样,按10块试样评级
		2个及以上	$\bar{t}\geqslant 3.5$s	1级(正常可燃性)
			$\bar{t}<3.5$s	另增加5块试样,按10块试样评级
		不考虑火焰蔓延时间,基布未点燃		1级(正常可燃性)
	绒面纺织品	无		1级(正常可燃性)
		仅有1个	$t_i<4$s,基布未点燃 $t_i\geqslant 4$s,不考虑基布	1级(正常可燃性)
			$t_i<4$s,同时1块基布点燃	另增加5块试样,按10块试样评级
		2个及以上	0s$<\bar{t}<$7s,仅有1块表面闪燃; $\bar{t}>$7s,不考虑基布; 4s$\leqslant\bar{t}\leqslant$7s,1块基布点燃; $\bar{t}<$4s,1块基布点燃	1级(正常可燃性)
			4s$\leqslant\bar{t}\leqslant$7s,大于等于2块基布点燃	2级(中等可燃性)
			$\bar{t}<$4s,大于等于2块基布点燃	另增加5块试样,按10块试样评级
10块① ($1\leqslant i\leqslant 10$)	非绒面纺织品	仅有1个		1级(正常可燃性)
		2个及以上	$\bar{t}\geqslant 3.5$s	1级(正常可燃性)
			$\bar{t}<3.5$s	3级(快速剧烈燃烧)
	绒面纺织品	仅有1个		1级(正常可燃性)
		2个及以上	$\bar{t}<$4s,小于等于2块基布点燃; 4s$\leqslant\bar{t}\leqslant$7s,小于等于2块基布点燃; $\bar{t}>$7s	1级(正常可燃性)
			4s$\leqslant\bar{t}\leqslant$7s,大于等于3块基布点燃	2级(中等可燃性)
			$\bar{t}<$4s,大于等于3块基布点燃	3级(快速剧烈燃烧)

① 当需要增加5块试样时,再按表中试样数量为10块时进行评级。

注:1. "无"是指试样未点燃或标志线未烧断。

2. 非绒面纺织品燃烧评级时应考虑两个因素:①所有试样火焰蔓延时间(t_i)的个数;②火焰蔓延时间值(t_i)或平均值($\bar{t}$)。绒面纺织品燃烧分级时应考虑三个因素:①所有试样火焰蔓延时间(t_i)的个数;②所有试样基布点燃的个数;③火焰蔓延时间值(t_i)或平均值($\bar{t}$)。

10. 45°燃烧法注意事项

(1) 燃烧仪要置于通风橱或房间的排风系统旁,在试样燃烧过程中要关闭通风系统,以免影响试验结果。

(2) 气瓶应配备有灵敏火焰控制阀。

(3) 开机前要求检查燃气管路是否有泄漏现象。

(4) 测试完成后要将电源和气源关闭。

(5) 每次测试完成后都应排除烟雾和烟尘,并关闭燃气,以及及时清理燃烧剩余物。

(6) 应根据预试验时火焰蔓延速度最快的部分确定试样受验面及其方向。

(7) 试样从干燥器内取出后,要及时进行试验,以保证试样的温度、湿度不发生较大变化。

(8) 注意调节点火器的火焰高度,确保火焰高度稳定达到16mm。

四、相关产品标准

（1）垂直燃烧法常见产品标准及指标见表 5-13-3。

（2）45°燃烧法常用产品标准及指标见表 5-13-4。

表 5-13-3 垂直燃烧法常见产品标准及指标

<table>
<tr><th>产品</th><th>产品标准编号</th><th>测试项目</th><th>测试方法</th><th colspan="7">判定指标</th></tr>
<tr><td rowspan="4">服装</td><td rowspan="4">GB/T 21295—2024</td><td rowspan="4">燃烧性能</td><td rowspan="4">1. 儿童睡衣：按 GB/T 5455—2014 规定，试样尺寸为 300mm×80mm，火焰高度为 40mm±2mm，点火时间为 3s±0.2s。在进行阻燃整理的产品测试和仲裁检验测试时，应将试样连续洗涤、干燥 50 次，再进行燃烧性能的测试。洗涤、干燥方法暂按 GB/T 8629—2017 规定，选用 2B 洗涤程序，翻滚烘干。
2. 其他产品：暂按 GB/T 14644—1993 规定测试</td><td colspan="3">产品分类</td><td colspan="2">损毁长度/cm</td><td colspan="2">级别</td></tr>
<tr><td colspan="3">14 岁及以下儿童睡衣</td><td colspan="2">≤17.8</td><td colspan="2">—</td></tr>
<tr><td colspan="3">其他产品</td><td colspan="2">—</td><td colspan="2">1 级</td></tr>
<tr><td colspan="7">注：级别暂按 GB/T 14644—1993 规定</td></tr>
<tr><td>丝织物</td><td>GB/T 15552—2015</td><td>燃烧性能</td><td>按 GB/T 5455—2014 和 GB/T 14644—2014 规定执行</td><td colspan="7">—</td></tr>
<tr><td rowspan="4">座椅用毛织品</td><td rowspan="4">FZ/T 24005—2010</td><td rowspan="4">阻燃性能</td><td rowspan="4">按 GB/T 5455—2014 执行</td><td rowspan="2">项目</td><td colspan="2">航空航海类</td><td colspan="2">列车汽车、商用类</td><td colspan="2">家用类</td></tr>
<tr><td>一等品</td><td>二等品</td><td>一等品</td><td>二等品</td><td>一等品</td><td>二等品</td></tr>
<tr><td>续燃时间</td><td colspan="2">≤10s</td><td colspan="2">≤15s</td><td colspan="2">—</td></tr>
<tr><td>损毁长度</td><td colspan="2">≤150mm</td><td colspan="2">≤200mm</td><td colspan="2">—</td></tr>
</table>

表 5-13-4 45°燃烧法常用产品标准及指标

<table>
<tr><th>产品</th><th>产品标准编号</th><th>测试项目</th><th>测试方法</th><th colspan="3">判定指标</th></tr>
<tr><td rowspan="3">婴幼儿及儿童纺织产品</td><td rowspan="3">GB 31701—2015</td><td rowspan="3">燃烧性能</td><td rowspan="3">按 GB/T 14644—2014 执行</td><td>A 类</td><td>B 类</td><td>C 类</td></tr>
<tr><td colspan="3">1 级</td></tr>
<tr><td colspan="3">注：仅考核产品外层面料；羊毛、腈纶、改性腈纶、锦纶、丙纶和聚酯纤维的纯纺织物，以及由这些纤维混纺的织物不考核；单位面积质量大于 90g/m² 的织物不考核</td></tr>
<tr><td>丝织物</td><td>GB/T 15552—2015</td><td>燃烧性能</td><td>按 GB/T 5455—2014、GB/T 14644—2014 执行</td><td colspan="3">—</td></tr>
<tr><td>睡衣套</td><td>FZ/T 81001—2016</td><td>燃烧性能</td><td>按 GB/T 14644—2014 执行</td><td colspan="3">1 级或 2 级
注：仅考核成品外层面料；羊毛、腈纶、改性腈纶、锦纶、丙纶和聚酯纤维的纯纺织物，以及由这些纤维混纺（交织）的织物不考核；单位面积质量大于 90g/m² 的织物不考核；成品使用说明标注不可水洗的产品不考核水洗后燃烧性能，标注不可干洗的产品不考核干洗后的燃烧性能</td></tr>
</table>

第十四节 其他功能性测试

随着人民生活水平的提高，功能性纺织品越来越受到人们的关注。纺织品的功能性一般可分为两类：一类是关于面料具有耐用或舒适性能；另一类是关于面料具有防护或保健性能。其中，面料的耐用或舒适性主要包括以下方面。

（1）视觉：免烫、悬垂等。

（2）嗅觉：防臭、芳香整理等。

（3）触觉：接触凉感、相对手感等。

（4）穿觉：吸湿速干、保温、热阻、湿阻、吸湿发热、吸光发热等。

防护或保健性能除前面章节中的防静电、防水、防油、防污、阻燃和远红外等，还有防磁、防辐射、抗菌防霉、负离子等。由于篇幅原因就不再一一赘述。

另外，随着智能材料的应用，智能纺织品也渐渐进入人们的视野。智能纺织品在变色、调温、自修复、信息采集等方面都有快速发展，相应的检测技术需要进行同步研究和开发。

第六章 服装化学性能检测

第一节 重金属总量测定

铅为化学元素，其化学符号是 Pb，原子序数为 82，是目前已知原子序数最高的稳定元素。铅的污染主要来自矿山开采、冶炼、橡胶生产、染料业、印刷业、陶瓷、铅玻璃、焊锡、电缆及铅管等生产的废水和废弃物。在纺织印染工业中，印花织物所用颜料会使用含铅着色剂、催干剂，以及涂层织物的稳定剂。当婴幼儿及儿童服装使用了含铅的涂料和颜料时，如果婴幼儿舔舐了这些服装，铅会被消化道及呼吸道吸收，造成慢性铅中毒，对婴幼儿的健康构成严重威胁。

镉也是一种化学元素，其元素符号为 Cd，原子序数为 48，是银白色有光泽的金属。镉的氧化物呈棕色，硫化物呈鲜艳的黄色。镉的硫化物是一种很难溶解的颜料，常用作颜料、涂料、染料、印刷油墨等中的黄色颜料，其化合物广泛用于塑料稳定剂。镉对呼吸道产生刺激，长期暴露会造成嗅觉丧失、牙龈出现黄斑或渐成黄圈。镉化合物不易被肠道吸收，但可通过呼吸进入体内并被吸收。它们积存于肝或肾脏，造成危害，尤其是对肾脏的损害最为显著。此外，镉还可导致骨质疏松和软化。

在纺织品原料生产或使用过程中，有多个环节都可能引入重金属。其中，仅少量重金属由天然纤维从土壤中吸收，而大部分则来源于纺织品加工后期，尤其是织物加工过程中使用的某些化学物质，如各种金属络合染料、媒介染料、酞菁结构染料、固色剂、催化剂、阻燃剂、后整理剂等，以及用于软化硬水、退浆精练、漂白、印花等工序的各种金属络合剂等。经过加工后的纺织品中都会或多或少含有重金属元素。测定这些重金属元素的方法包括电感耦合等离子体原子发射光谱法（ICP-OES）、原子吸收光谱法（AAS）、原子荧光光谱法（AFS）和比色法等。

一、原理及相关标准

1. 原理

试样经浓酸消解，将消解后的溶液定容后，用电感耦合等离子体发射光谱仪（ICP-AES）或其他适用仪器，在适当的条件下测定铅和镉的发射强度；或用原子吸收分光光度计测量铅和镉的吸光度，对照标准工作曲线确定各种金属离子的浓度，计算出试样中重金属铅和镉的总量。

2. 相关标准

主要标准有：GB/T 30157—2013《纺织品　总铅和总镉含量的测定》；BS 6810-2：2005《纺织品中金属含量的测定试验　第2部分：原子发射光谱分析法》；BS 6810-1：1987《纺织品中金属含量的测定　用原子吸收和比色光谱测定法》；BS 6648：1986《纺织材料测定金属含量的湿法消解法》；国际生态纺织品认证标准 OEKO-TEX Standard 100—2017。

上述标准在操作和前处理条件上存在差异，见表6-1-1。

表6-1-1　不同标准测试项目规定差异

方法标准	金属范围	前处理方法	前处理条件	测定仪器
BS 6810-2:2005	所有金属	湿灰化法	BS 6648	ICP-OES
	所有金属（除 Hg 外）	干灰化法	马弗炉中，温度低于450℃，直至灰化	
BS 6810-1:1987	所有金属	湿灰化法	BS 6648	AAS、比色法
	所有金属（除 Hg 外）	干灰化法	马弗炉中，温度低于450℃，直至灰化	
OEKO-TEX Standard 200—2010	重金属总量：Pd、Cd	湿法消解	酸	AAS、ICP-OES、比色法
GB/T 30157—2013	总铅、总镉	微波消解	与酸反应完全后，进行微波消解：10min 升温至（175±5）℃，保持5min，至少冷却5min后取出	AAS、ICP-OES

二、检测仪器与试剂

1. 检测仪器与方法

(1) 微波消解仪：采用合适的消解温度、压力和消解试剂对样品进行处理。

(2) 电感耦合等离子体发射光谱仪。物质在热或电激发下，气态原子的外层电子由基态跃迁到激发态，返回到基态时，以辐射（发射光谱）的形式释放能量，产生的辐射经单色器形成按一定波长顺序排列的光谱线，以此进行元素定性与定量分析来判断物质的组成。

(3) 原子吸收光谱法（AAS）。根据物质基态原子蒸气对特征辐射吸收的作用来进行金属元素分析，它能够灵敏可靠地测定微量或痕量元素。

2. 试剂

(1) 浓硝酸。其试剂应为优级纯，所含杂质较少，能有效降低试验干扰。浓硝酸在光照下会分解出二氧化氮而呈黄色，所以常将浓硝酸盛放在棕色试剂瓶中，且放置于阴暗处。其有极强的挥发性及腐蚀性，故试验操作过程中应注意安全。

(2) 过氧化氢、氢氟酸和氟硼酸。这类试剂都具有强烈腐蚀性，宜使用优级纯试剂。对于较难消解的涂层样品，可加入适量过氧化氢、氢氟酸等无机酸，以便使试样完全消解。若在试验中使用了氢氟酸，要加30mL 4%的硼酸至每个容器中，使之与氢氟酸络合以保护石英等离子体矩管。

(3) 超纯水。用于重金属痕量分析检测试验时，都必须使用超纯水，以保证试剂空白中不存在待测元素。

(4) 标准工作溶液。标准储备溶液及工作溶液均在常温（15～25℃）下保存，标准储备溶液一般保存期限为 6 个月，工作溶液一般为两周。若出现变色或浑浊、沉淀时，应当重新配制。标准工作溶液及工作曲线，需用 3%硝酸定容保存，这样利于金属离子的保存。为提高试验精确度，应使用同样的标准工作溶液配制系列工作曲线。

三、检测方法与过程

（一）试样准备

取有代表性试样。将其剪碎至 5mm×5mm 的碎片，称取 0.2g 试样，精确至 0.0001g。当取出有代表性的样品时应按照以下要求进行取样。①若是纺织品需要进行重金属总量测定，则应距离布料边缘至少 2cm，样品尺寸为长度不小于 50cm 的整幅宽。②对于布料或成品中的涂层和印花较多的试样，可以先试着用刀片刮取涂层，然后取样称重。对于涂层和印花部位可以和基布分离、组织结构较为简单、线圈容易拆除的针织物和普通机织物，可采用直接拆除法。但对于涂层黏结非常牢固、涂层或印花很薄很难刮取的纺织品，通常采用有机溶剂（丙酮：乙醇＝1：1）对涂层样品进行溶解刮落，挥干后取样进行消解测试，该方法能使大部分涂层与基布有效分离，且减少基布对涂层测试的影响。③若纺织品面料含有极少量的印花涂层不足以满足称量要求时，或者印花涂层部位面积太小，不方便刮取和直接用试剂剥离的情况下，可以同时取下含有印花涂层部位的基布。

注意事项：①确保无样品黏结于内管与密封或 O 形圈处；②未知样品初次试验称样量控制在 0.1g 以内，消化样品必须保证微波消解的安全性；③对于反应剧烈的样品同样将称样量控制在 0.1g 以内。

（二）试验过程

1. 消解

向装有待测试样和空白的消解容器中分别加入 5mL 浓硝酸，待试样和硝酸在室温下反应完全后，将消解容器密封并放置到微波消解仪中，用 10min 升温至（175±5)℃，并保持 5min；让试样冷却至少 5min，然后从微波消解仪中取出，打开消解容器前先在通风橱中将消解罐冷却至室温。

注意事项如下。①确保每一消化罐内消化溶剂体积和溶剂（酸）类型保持一致。②对于有机样品量大于 0.2g 的样品，最好用加热设备低温预加热半小时以上，避免过激反应，尽量将附在管壁的样品淋洗至管底。③密封上盖前应检查密封性，盖保护盖时注意不要过分用力，防止损坏螺纹；安装反应罐时确保所有部件均为干燥状态，不得残留酸液；消解结束泄压时注意将出气孔对准泄压挡板，稍等片刻等酸气排尽，取下顶盖将内管及陶瓷外管放入相应的管架上。一般情况下，温度为 45℃以下时开盖，为了适合分析，可进行蒸酸或定容。

2. 样液定容

将消解后的溶液转移至 50mL 容量瓶中，用少量超纯水分 3 次淋洗消解容器，合并洗液于容量瓶中。用水定容至刻度，混匀，过水相过滤膜，滤液应尽快用于电感耦合等离子体发射光谱仪或原子吸收分光光度计分析。

3. 分析和测定

（1）电感耦合等离子体发射光谱仪分析

① 分析波长。Pb 元素分析波长为 220.3nm，Cd 元素分析波长为 214.4nm。为了消除其他元素的光谱干扰，可同时选取一条其他波长处的谱线作为参考。

② 测定。设置好仪器的分析条件，点燃等离子体焰炬，等其稳定后，在相应的波长下，按浓度由低到高的顺序测定标准系列工作浓度中各待测元素的光谱强度，以光谱强度为纵坐标，元素浓度为横坐标，绘制工作曲线。然后测定空白溶液和样液中各待测元素的光谱强度，从工作曲线上计算出各待测元素的浓度。每进行 20 次试验测试后都要制作质量校正曲线，以保证试验结果的准确性。若样液中铅和镉的浓度超过了标准工作曲线最高点的 1.5 倍，应将样液进行适当稀释，重新进行分析。

（2）火焰原子吸收分光光度计分析

① 分析波长。Pb 波长为 217.0nm，狭缝为 1.0nm；Cd 波长为 228.8nm，狭缝为 0.5nm。

② 测定。预热空心阴极灯 30min，进样前，用水清洗雾化器，测试结束后至少清洗 5min。将标准系列工作浓度从低到高进行测试，以相对应的吸光度为纵坐标，元素浓度为横坐标，绘制工作曲线。然后测定空白溶液和样液中待测元素的吸光度，从工作曲线上计算出待测元素的浓度。切换空心阴极灯，预热稳定后，按同样的方法测定另一种待测元素。

（3）石墨炉原子吸收分光光度计分析

① 分析波长。Pb 波长为 283.3nm，狭缝为 0.5nm；Cd 波长为 228.8nm，狭缝为 0.5nm。

② 测定。测试前，预热空心阴极灯 30min，并空烧石墨管 2～3 次，以去除残留。测试前后清洗进样针数次。注意使用改进剂，通常样液与改进剂在石墨炉体外混合后进样比在炉体内混合能更有效起到掩蔽待测金属的作用，减少金属元素的损失。将标准系列工作浓度从低到高进行测试，以相对应的吸光度为纵坐标，元素浓度为横坐标，绘制工作曲线。然后，测定空白溶液和样液中待测元素的吸光度，从工作曲线上计算出待测元素的浓度。切换空心阴极灯，预热稳定后，按同样的方法测定另一种待测元素。

4. 结果计算

（1）试样中重金属元素 i 的含量，按下列公式计算：

$$\omega_i=\frac{(c_i-c_0)\times V}{m}$$

式中 ω_i——试样中重金属元素 i 的总含量，mg/kg；

c_i——样液中被测重金属元素 i 的浓度，μg/mL；

c_0——空白溶液中被测重金属元素 i 的浓度，μg/mL；

V——样液的总体积，mL；

m——试样的质量，g。

（2）计算结果表示为个位数。当低于测定低限时，试验结果为未检出。采用不同仪器分析时，方法的检出限可能不同，应根据具体情况而定。

四、相关产品标准

我国为确保儿童纺织产品质量安全，确定了 GB 31701—2015《婴幼儿及儿童纺织产品安全技术规范》，对儿童纺织品中总铅和总镉进行了含量限定，见表 6-1-2。一些发达国家也颁布了相应法令，限制了铅和镉在儿童产品中的使用量，分别见表 6-1-3、表 6-1-4。

表 6-1-2　我国对婴幼儿及儿童纺织产品中总铅和总镉含量的限定（GB 31701—2015）

项目		A类	B类	C类
重金属含量/(mg/kg)	铅	≤90	—	—
	镉	≤100	—	—

表 6-1-3　部分法规和标准对铅、镉含量的要求

标准和法规	项目	要求的铅、镉含量/(mg/kg)
美国联邦法规	含铅燃料及其制品的限制	≤600
美国加州法案 CA65	PVC(服装)中的铅含量	总铅含量：≤30
美国 ASTM　F963	消费者安全标准——玩具的安全性	可溶出铅：≤90
		总铅含量：≤600
		可溶出镉：≤100
EN71-3 标准	玩具安全性	可溶出铅：≤90

表 6-1-4　国际生态纺织品认证标准 OEKO-TEX Standard 100—2017 对铅、镉的限量

项目		婴幼儿用品	直接接触皮肤用品	非直接接触皮肤用品	装饰材料
重金属总量/(mg/kg)	铅	45	90	90	90
	镉	50	100	100	100

第二节　甲醛的测试

甲醛是一种无色、有强烈刺激性气味的气体，其化学分子式为 HCHO，易溶于水、醇和醚等溶剂。长期以来甲醛这种有机原料一直被用作纺织助剂的基本原料，广泛应用在纺织品整理加工过程中，可以提高助剂在纺织品中的耐久性，还可以提高纺织品的抗皱性、防缩性。纺织品中甲醛的释放主要分为 3 个阶段：自由释放、阻隔性释放和化学性释放。释放主要来源于用于改善纺织品性能的后整理剂和印染助剂。

一、原理及相关标准

1. 原理

试样在 40℃的水浴中萃取一定时间，萃取液用乙酰丙酮显色后，在 412nm 波长下，用分光光度计测定显色液中甲醛的吸光度，对照标准甲醛工作曲线，计算出样品中游离甲醛的含量。其中，乙酰丙酮在乙酸（HAc）-乙酸铵缓冲液中对甲醛的显色反应是本测试的主要步骤。

乙酰丙酮与甲醛在乙酸-乙酸铵组成的缓冲液中进行缩聚反应，生成黄色的 3,5-二丙酮基-1,4 二氢吡啶。由于该反应需要在 pH 值为 5.5～7.0 的条件下进行，且在 pH 值为 6 的时候反应最佳。因此，乙酸-乙酸铵缓冲液的 pH 值以 5.5～7.0 较合适。

2. 相关标准

主要标准有：GB/T 2912.1—2009《纺织品 甲醛的测定 第 1 部分：游离和水解的甲醛（水萃取法）》；GB/T 2912.2—2009《纺织品 甲醛的测定 第 2 部分：释放的甲醛（蒸汽吸收法）》；GB/T 2912.3—2009《纺织品 甲醛的测定 第 3 部分：高效液相色谱法》；ISO 14184-1：2011《纺织品 甲醛的测定 第 1 部分：游离水解的甲醛（水萃取法）》；ISO 14184-2：2011《纺织品 甲醛的测定 第 2 部分：释放的甲醛（蒸汽吸收法）》；JIS L1041：2011 6.3.1《经树脂整理纺织品的测试方法 6.3.1 部分：液相萃取法》；JIS L1041：2011 6.3.2《经树脂整理纺织品的测试方法 6.3.2 部分：蒸汽吸收法》；AATCC 112：2020《织物释放甲醛含量的测定：密封广口瓶法》。

二、检测仪器与材料

1. 检测仪器

（1）恒温水浴锅：温度控制在（40±2）℃。

（2）分光光度计：波长 412nm。

（3）天平：精度为 0.1mg。

2. 试验材料

（1）容量瓶：50mL，250mL，500mL，1000mL。

（2）250mL 碘量瓶或具塞三角烧瓶。

（3）单标移液管：1mL，5mL，10mL，25mL，30mL；5mL 刻度移液管（注：可以使用与手动移液管同样精度的自动移液器）。

（4）具塞试管及试管架。

（5）量筒：10mL，50mL。

（6）2 号玻璃漏斗式滤器（符合 GB 11415 的规定）。

3. 主要试剂

（1）乙酰丙酮溶液。称取 150g 乙酸铵在烧杯中溶解，放置至室温后加入容量瓶中，然后加入 3mL 冰乙酸，等其生成稳定的缓冲液后再加入 2mL 乙酰丙酮。由于新配制的乙酰丙酮试剂化学性质不稳定，一般至少需要 12h 才能达到稳定。因此，新配制的溶液不能立刻使用。储存纳氏试剂的容器应使用磨口棕色玻璃瓶，以密封避光，防止光线促使试剂内乙酰丙酮分解及加聚，影响其对甲醛的显色反应。

（2）甲醛标液。选择具有国家标准物质证书的甲醛标准溶液，通过二级稀释的方法，得到符合试验要求的系列标准溶液。

（3）实验室用三级水。在试验过程中必须使用符合要求的三级水，试验中要求样品萃取用水与试剂配制用水一致，从而消除不同的实验室用水对结果的影响，避免影响甲醛含量的测定。

三、检测方法与过程

1. 试样制备

在样品中取两块代表性试样，剪成 5mm×5mm 的碎片，称取 1g，精确至 10mg。在称取过程中需佩戴口罩和手套，以避免甲醛进入人体内，称取前不能对样品进行调湿，否则容易造成样品中甲醛的挥发，使测试结果不准确。取样后的样品应立即进行试验，如无法立即进行，则应密封保存，先用聚乙烯密封袋储存，外包一层铝箔，以防甲醛通过袋子气孔挥发。测试完的留存样品也需要密封保存，加贴标签，妥善保存以备测试，也避免样品间交叉污染。不同取样部位对甲醛测定有很大影响。

（1）含有胶黏剂的衣物应选取含黏合衬的部位，如西服选取领子部位，西裤选取裤腰部位，贴身穿的衬衫一般以领子、门襟、袖口为测试对象。

（2）对于印花纺织品，应选择颜色相近的大片印花进行测定。

（3）含有填充物、里料的衣服，应分别对其进行测试，很多纺织产品为了有更好的保暖性，对里料进行涂层处理，这将大大提高甲醛含量，该问题在检测中应加以关注。

2. 试验过程

将称取的样品放入 250mL 具塞三角烧瓶中，加入 100mL 三级水后，盖紧塞子，并手动振荡三角烧瓶，使试样充分润湿，瓶壁尽量不要附有样品，再放入恒温水浴锅［(40±2)℃］中振荡（60±5)min。冷却至室温后，用过滤器过滤至另外的三角烧瓶中，待分析用。

准确移取 5mL 萃取液于 10mL 比色试管中，加入 5mL 乙酰丙酮试剂，摇匀后，放入恒温水浴［(40±2)℃］中显色（30±5)min。取出后，常温下避光冷却（30±5)min，用 5mL 蒸馏水和等体积的乙酰丙酮试剂作空白对照，用 10mm 的吸收池在分光光度计 412m 波长处测定吸光度。必要时做双甲酮确认试验。

3. 试验结果

GB/T 2912.1—2009 适用于游离甲醛含量（20～3500mg/kg）的纺织品。该方法检出限为 20mg/kg，低于检出限时结果报告为未检出；含量大于 20mg/kg 时，应出具具体数值，以两次测试的平均值报数，修约至整数位。若所测甲醛含量超过配制的甲醛标准溶液工作曲线最大浓度点，应将萃取液稀释至工作曲线范围内。当甲醛含量在限值附近时，实验室应考虑甲醛的不确定度进行报数。

用式(6-2-1）来校正样品吸光度：

$$A=A_s-A_b-A_d \tag{6-2-1}$$

式中 A——校正吸光度；

A_s——试验样品中测得的吸光度；

A_b——空白试剂中测得的吸光度；

A_d——空白样品中测得的吸光度（仅用于变色或沾污的情况下）。

对于校正后的吸光度，通过各种曲线查出甲醛含量（用 μg/mL 表示）。

用式(6-2-2）计算从每一样品中萃取的甲醛含量：

$$F=\frac{c\times 100}{m} \tag{6-2-2}$$

式中 F——从织物样品中萃取的甲醛含量，mg/kg；

c——读自工作曲线上的萃取液中的甲醛浓度，μg/mL；

m——试样的质量，g。

4. 试验注意事项

(1) 两个平行试样取样质量尽量接近，所用的具塞三角烧瓶要干净且干燥，需准确加入100mL水。织物中甲醛的萃取因素对吸光度的影响较大的是浸泡液量，样品质量影响次之，浸泡时间影响较小。

(2) 有试验表明，随着萃取温度的提高，吸光值增大，越来越多的甲醛被萃取出来。故应严格控制恒温水浴锅的温度，定期进行校准。随着萃取时间的增加，萃取液显色后的吸光度值逐渐升高，萃取液中甲醛浓度不断增大，一段时间后逐渐趋于平稳，因此在测试中应注意萃取时间的准确设置。

(3) 研究表明，显色30min后甲醛含量相对稳定。控制好显色时间十分重要，时间过短，甲醛与乙酰丙酮反应不完全，导致检测结果偏低。延长显色时间对结果影响不大，但是浪费时间和资源。

(4) 溶液显色后，室温下显色液的放置时间对测定的结果有一定的影响。放置的时间越长，其测试结果越低。因此，在实际操作过程中，应严格按照标准执行。

(5) 在显色步骤中建议先加入5mL样液，再加入纳氏试剂。因为乙酰丙酮试剂呈现油性，先加入试管不易清洗。加完试剂后宜快速盖紧塞子，摇匀后立即放入可避光的水浴锅中。

(6) 测定吸光度时，注意样品室及吸收池的清洁，对吸收池进行编号，固定一个用于测试，以消除设备造成的影响。

(7) 国家标准GB/T 2912.1—2009规定，当甲醛含量测定值高于限量值或对较高的测试结果存在可疑结果时，应进行双甲酮确认试验。但是，该标准对双甲酮确认的结果处理没有进行说明。由于双甲酮与甲醛会形成无色缩合物，双甲酮确认试验结果会存在3种情况。①在412nm处的吸光度等于零，说明测试样的吸光度完全由甲醛产生，维持原测试结果。②在412nm处的吸光度等于测试样的吸光度，说明测试样的吸光度完全由甲醛外的其他物质产生，甲醛含量为未检出。③在412nm处的吸光度不等于零，且小于测试样的吸光度，说明测试样的吸光度部分由甲醛产生，部分由其他物质产生，应计算测试样的吸光度与双甲酮确认试验的吸光度差值，结合标准曲线得出试样的实际甲醛含量。如出现后两种情况，建议实验室采用液相法对样品进行确认。

四、相关产品标准

甲醛在纺织品行业中扮演着重要的角色，但含有甲醛的纺织品，在人们穿着和使用过程中逐渐释出的游离甲醛会通过人体呼吸道及皮肤接触引发呼吸道炎症和皮肤炎症，还会对眼睛产生刺激。甲醛能引发过敏，还可诱发癌症。因此，我国正式颁布了GB 18401—2010《国家纺织产品基本安全技术规范》，从2011年8月1日起强制实施，其中对不同类别的纺织品中甲醛含量进行了限定，见表6-2-1。无独有偶，在其他国家也对纺织品中的甲醛含量进行了限定，见表6-2-2。

表 6-2-1 国家强制性标准 GB 18401—2010 对甲醛含量的限定

项目	A类 （婴幼儿纺织产品）	B类 （直接接触皮肤的纺织产品）	C类 （非直接接触皮肤的纺织产品）
甲醛含量	尿布、内衣、围嘴儿、睡衣、手套、袜子、外衣、帽子、床上用品等	内衣、衬衣、裤子、裙子、袜子、床单被套、毛巾、泳衣、帽子等	外衣、裙子、裤子、窗帘、床罩、墙布等
指标/(mg/kg)	≤20	≤75	≤300

表 6-2-2 部分国家对纺织品甲醛含量的强制性限定

国家	法规	纺织品类别	甲醛含量限定/(mg/kg)
法国	法令草案 1997(自愿性)	婴儿类产品(小于 24 个月)	≤20
		与皮肤直接接触	≤200
		不与皮肤直接接触	≤400
日本	家用产品有害物质控制法(112 法案)	婴儿类产品	不可检出
		与皮肤直接接触	≤75
芬兰	《纺织品中甲醛的最大可允许含量法令》210/1988	婴儿用纺织品(小于 24 个月)	≤30
		与皮肤直接接触	≤100
		不与皮肤直接接触	≤300
挪威	1999. T-1307 挪威环境部	婴儿用纺织品(小于 24 个月)	≤30
		与皮肤直接接触	≤100
		不与皮肤直接接触	≤300
新西兰	产品安全政策声明	婴幼儿产品(小于 24 个月)和敏感肌肤用纺织品	≤30
		与皮肤直接接触	≤100
		不与皮肤直接接触	≤300
泰国	强制性标准 TIS 2231-2548(2005)	婴儿用纺织产品(小于 24 个月)	≤20
		与皮肤直接接触	≤75
		不与皮肤直接接触和装饰材料	≤300
韩国	自我监管安全确认法案(附件 4),安全质量标签法案(附录 1)	婴儿类产品(小于 36 个月)	≤20
		纺织品 3～12 岁儿童内衣和睡衣	≤75
		纺织品 3～12 岁儿童外套和床上用品	≤300
越南	CircULar32/2009/TT-BCT1	36 个月以下婴幼儿使用的产品	≤30
		与皮肤直接接触	≤75
		不与皮肤直接接触和装饰材料	≤300
斯洛伐克	635/2005 法令	婴幼儿使用纺织产品(小于 36 个月)	≤20
		儿童使用纺织产品(大于 36 个月)	≤75
波兰	2001 年 10 月 19 日法令	婴幼儿使用纺织产品(小于 36 个月)	≤20
		与皮肤直接接触	≤150
		不与皮肤直接接触	≤300
		装饰材料	≤500
澳大利亚	消费品甲醛	婴儿服装	≤30
		为敏感肌肤人群特制的服装	≤30
		与皮肤直接接触	≤100
		不与皮肤直接接触	≤300
俄罗斯	少年儿童用产品安全技术规程	1 岁以下婴幼儿使用的与皮肤直接接触产品	不得含有游离甲醛
		1 岁以下婴幼儿使用的与皮肤有限接触或不与皮肤直接接触的产品	≤20
荷兰	07/2000,商品法案——纺织品中甲醛含量的规定	如果与皮肤直接接触部分含量大于 120mg/kg,应加标签标注:“首次使用前水洗,且洗后甲醛含量不得超过 120mg/kg”	
奥地利	甲醛条例 BGBL Nr. 194/1990	甲醛含量超过 1500mg/kg 时,需要标注:“本产品含甲醛,推荐首次使用清洗,避免刺激皮肤”	

第三节 pH 值的检测

纺织品生产过程中的褪浆、煮练、漂白、染色都要经过固色、还原清洗等步骤，在这些过程中需要使用大量纯碱、烧碱、pH 调节剂和表面活性剂等化学试剂。如果水洗不彻底，就会造成织物上存在酸、碱残留物，从而导致 pH 值过高或过低。人体正常皮肤表面呈弱酸性，pH 值介于 5.5～6.5 之间，酸性环境可以抑制某些致病菌的生长繁殖，防止外界病菌的侵入，起到保护皮肤免遭感染的作用。如果直接或间接接触皮肤的衣物 pH 值过高或过低，人体皮肤的弱酸性环境将会遭到破坏，降低皮肤抵御病菌入侵的能力，易引起皮肤瘙痒、皮炎等疾病，严重的会发生皮肤水肿，进而导致皮肤溃烂。一些国家和地区对纺织品 pH 值有明确的检测要求。我国国家标准 GB 18401—2010《国家纺织产品基本安全技术规范》和 GB 31701—2015《婴幼儿及儿童纺织产品安全技术规范》中对纺织品 pH 值也作了明确要求，把纺织品 pH 值作为一项重要的安全性能指标来加以控制，可见纺织品 pH 值检测的重要性。以下主要介绍 GB/T 7573—2009 标准。

一、原理及相关标准

1. 原理

将纺织品用水或者 0.1mol/L 氯化钾溶液进行萃取，用带有玻璃电极的 pH 计测定纺织品水溶液中的 pH 值。即以萃取液中氢离子的浓度变化来表征 pH 值的变化，以氢离子浓度的负对数表示酸度，$pH=-\lg[H^+]$。该方法基于电位分析法，玻璃电极一端的电极电位随待测离子浓度变化，另一端则不受影响，两端电极电位差反映样品溶液中氢离子的浓度变化，从而测算出样品的 pH 值。

2. 相关标准

主要标准有：GB/T 7573—2009《纺织品　水萃取液 pH 值的测定》；GB/T 2390—2013《染料　pH 值的测定》；QB/T 1277—2012《毛皮　化学试验　pH 的测定》；QB/T 2724—2018《皮革　化学试验　pH 的测定》；SN/T 1523—2005《纺织品　表面 pH 值的测定》；SN/T 4926—2017《进出口纺织品　水萃取液 pH 快速筛查法》；日本标准 JISL 1096：2010《织物和针织物的试验方法》；美国标准 AATCC 81：2012《湿处理纺织品水萃取液 pH 值的测定》。

二、检测仪器与材料

（1）pH 计。pH 计（图 6-3-1）主要用来精密测量液体介质的酸碱度值，一个典型的 pH 计由一个特殊的测量探头（连接到电压表，量测并显示 pH 值读数）和主机组成。

（2）pH 缓冲溶液

① 邻苯二甲酸氢钾缓冲溶液，0.05mol/L（pH=4）。称取 10.21g 邻苯二甲酸氢钾，放入 1L 容量瓶中，用去离子水或蒸馏水溶解后定容至刻度。该溶液 20℃时的 pH 值为 4.00，

25℃时为4.01。

② 磷酸二氢钾和磷酸氢二钠缓冲溶液，0.08mol/L（pH=6.9）。称取3.9g磷酸二氢钾和3.54g磷酸氢二钠，放入1L容量瓶中，用去离子水或蒸馏水溶解后定容至刻度。该溶液20℃时的pH值为6.87，25℃时为6.86。

③ 四硼酸钠缓冲溶液，0.01mol/L（pH=9.2）。称取3.8g十水四硼酸钠，放入1L容量瓶中，用去离子水或蒸馏水溶解后定容至刻度。该溶液20℃时的pH值为9.23，25℃时为9.18。

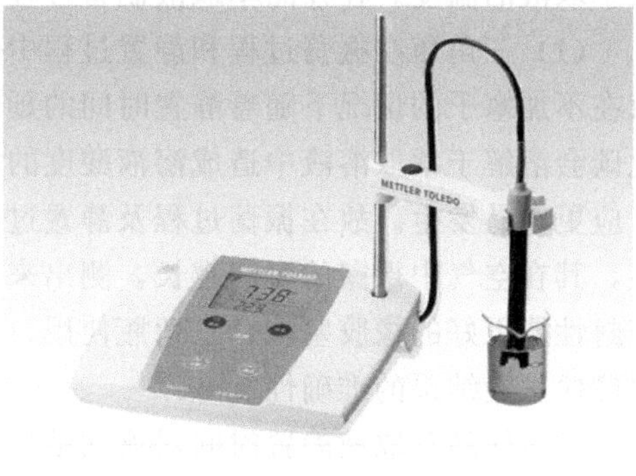

图6-3-1 pH计

以上三种缓冲溶液是使用较多的校准溶液，但实验室需要根据所用仪器设备的要求选择适当的溶液进行校准核查。选用的缓冲溶液应与待测样品的测量结果较为接近。

(3) 具塞玻璃或聚丙烯烧瓶。250mL，其在测试过程中要保持密封状态，以保证空气与样品萃取溶液接触较少。

(4) 机械振荡器。可保证控温在室温，振荡速度为60次/min。

(5) 蒸馏水或去离子水，至少满足GB/T 6682三级水的要求，pH值在5.0～7.5之间。

(6) 氯化钾溶液，0.1mol/L，用蒸馏水配制。

值得注意的是，蒸馏水和氯化钾溶液均可作为试样的萃取溶液，但由于水为萃取介质时测试结果的波动性相对较大，特别是对于中性或偏碱性纺织品波动性会更大。而采用0.1mol/L的KCl溶液作为萃取介质所测的数值稳定性和测试时间上比水会好很多。故对样品测试结果介于合格或不合格之间的可疑样品，应使用0.1mol/L的氯化钾溶液。

三、检测方法与过程

（一）试样制备

从批量大样中选取有代表性的实验室样品，严格按照GB 18401—2010《国家纺织产品基本安全技术规范》规定的取样要求取样，即对于有规律的图案，按循环取样；图案较大的，按比例取样；图案不足以构成一个试样的，试样中必须包含图案。复合织物能手工分层的，分层测试；不能手工分层的，整体取样测试。将样品剪成约5mm×5mm的碎片，以便样品能够迅速润湿。经过大量试验发现，样品剪碎的尺寸大小对pH值的测试结果有很大影响，故应规范剪碎的尺寸。每个测试样品准备3个平行样，每个量取(2.00±0.05)g。在称量时应注意避免污染和用手直接接触样品。

（二）样品前处理

1. 萃取液的制备

在室温下制备3个平行样的萃取液，在具塞烧瓶中加入一份试样和100mL氯化钾溶液，盖紧瓶塞，充分摇动片刻，使样品完全润湿，将烧瓶置于机械振荡器上振荡2h±5min，记录萃取液的温度。在样品萃取液制备过程中应关注以下几个方面。

(1) 三角瓶在振荡过程和静置过程中是否加塞子对结果影响较大，尤其是萃取后的三角瓶在不加塞子的情况下随着静置时间的延长，结果会有显著变化。主要原因是空气中的二氧化碳会溶解于萃取溶液中造成溶液酸度的增加，而碱性溶液中由于大量氢氧根离子的存在使反应更容易发生。故在振荡过程及静置过程中试样容器的密封性能对溶液 pH 值影响较为明显，其在空气中裸露的时间越长，测出来的 pH 值会越低。因此，建议在振荡过程中均采用密封性能更好的橡胶塞配合三角瓶使用，并在样品溶液的静置过程中保持密封，尽快测定，以确保试验结果的准确性。

(2) 样品萃取液静置时间对测试结果的影响较大，pH 值随着静置时间的延长而逐渐增大。因此，为了尽量降低试验偏差，提高测试结果的稳定性和重现性，建议萃取液振荡完成后尽快测定。

(3) 在样品萃取液制备过程中，温度应控制在 10～30℃范围内。在测定纺织品水萃取液的 pH 值时，待测溶液的温度必须与标准缓冲溶液的温度一致，应选择在 20～30℃。

2. 萃取液 pH 值的测量

先用缓冲溶液校准 pH 值，然后把玻璃电极浸没到氯化钾溶液中数次，直至 pH 示值稳定，记录示值于原始记录上。将第一份萃取液倒入烧杯中，迅速把电极浸没到液面下至少 10mm 的深度静置，直到 pH 示值稳定并记录。将第二、三份萃取液分别倒入另两个烧杯中，迅速把电极浸没到液面下至少 10mm 的深度静置直到 pH 示值稳定并记录。将第二份和第三份萃取液的 pH 值作为测量值。

3. 计算

如果两个 pH 测量值之间差异大于 0.2，则另取其他试样重新测试，直到得到两个有效的测量值。计算其平均值，结果保留一位小数。

第四节 邻苯二甲酸酯测试

邻苯二甲酸酯缩写为 PAEs。邻苯二甲酸酯主要应用于涂料印花或涂层处理，如某些针织服装产品需要较好的延展性，特别是当涂料印花印制于织物上时，此时图案必须具备相当的弹性，纺织加工过程中经常会通过在涂料中添加增塑剂的方法来达到增加弹性的目的。又如邻苯二甲酸酯用于印花和涂料，可赋予涂层柔韧性，提高附着力。邻苯二甲酸酯可通过呼吸道、消化道和皮肤等途径进入人体，是一种重要的内分泌干扰素，会使男性精子数量减少、活动能力低下，干扰男性生殖道的正常发育，严重的会导致死精症和睾丸癌，还会危害儿童的肝脏和肾脏；也可引起儿童性早熟，以及增加女性患乳腺癌的概率等。

我国于 2015 年发布了 GB 31701—2015《婴幼儿及儿童纺织产品安全技术规范》，将含有涂层和涂料印染婴幼儿服装的邻苯二甲酸酯明确为强制性检测项目。从现有纺织品邻苯二甲酸酯的测试方法来看，主要采用了 GB/T 20388—2016《纺织品 邻苯二甲酸酯的测定 四氢呋喃法》，本节主要讲解四氢呋喃法测定邻苯二甲酸酯试验法。

一、原理及相关标准

1. 原理

以四氢呋喃为溶剂，采用超声波发生器，将试样中的塑化聚合物全部或部分溶解，使用合适的溶剂对溶解的聚合物进行沉淀，萃取邻苯二甲酸酯。萃取液经离心分离和稀释定容后，用气相色谱-质谱联用仪（GC-MS）测定邻苯二甲酸酯，采用内标法定量。

2. 相关标准

主要标准：GB/T 20388—2016《纺织品 邻苯二甲酸酯的测定 四氢呋喃法》；GB/T 21294—2024《服装理化性能的检验方法》附录 C；GB/T 24168—2023《纺织染整助剂产品中邻苯二甲酸酯的测定》；GB/T 22048—2022《玩具及儿童用品中特定邻苯二甲酸酯增塑剂的测定》；EN 14372《儿童产品安全要求及测试方法》；EN 15777《纺织品 邻苯二甲酸酯测试方法》。

3. 定义和术语

（1）增塑材料或软化材料（plasticized or softened material）：经化学物质处理后更具柔韧性的塑化材料。

注：本节中的化学物质是邻苯二甲酸酯。塑化材料示例：涂层剂、涂料印花胶黏剂等。

（2）整体处理纺织品（overall treated textile）：连续整理、涂层或印染的纺织品。

（3）局部处理纺织品（locally treated textile）：非连续整理、涂层或印染的纺织品。

（4）代表性试样（representative specimen）：从样品的不同处理部位获得的试样。

二、检测仪器与试剂

1. 测试仪器

（1）气相色谱-质谱联用仪（GC-MS）。

（2）反应瓶，40mL。

（3）可控温超声波发生器，频率为（40±5)kHz。

（4）具塞锥形瓶，100mL。

（5）容量瓶：50mL 和 100mL。

（6）移液管：0.5mL、1mL、10mL、20mL。

（7）天平，分度值为 0.1mg。

（8）水浴装置。

（9）旋转蒸发仪。

（10）离心装置。

2. 试剂

除非另有规定，所用试剂均为分析纯。

（1）四氢呋喃，CAS 号 109-99-9。

（2）沉淀剂。例如，乙腈，CAS号75-05-8；或正己烷，CAS号110-54-3。

（3）邻苯二甲酸二环己酯（DCHP），CAS号84-61-7，作为内标物（IS）。

（4）邻苯二甲酸二异壬酯（DINP），CAS号28553-12-0。

（5）邻苯二甲酸二（2-乙基己基）酯（DEHP），CAS号117-81-7。

（6）邻苯二甲酸二正辛酯（DNOP），CAS号117-84-0。

（7）邻苯二甲酸二异癸酯（DIDP），CAS号26761-40-0。

（8）邻苯二甲酸丁苄酯（BBP），CAS号85-68-7。

（9）邻苯二甲酸二丁酯（DBP），CAS号84-74-2。

（10）邻苯二甲酸二异丁酯（DIBP），CAS号84-69-5。

（11）邻苯二甲酸二戊酯（DPP），CAS号131-18-0。

（12）邻苯二甲酸二 C_6～C_8 支链烷基酯，富 C_7（DIHP），CAS号71888-89-6。

（13）邻苯二甲酸二甲氧基乙酯（DMEP），CAS号117-82-8。

三、检测方法与过程

1. 标准溶液配制

（1）内标储备溶液。以沉淀剂为溶剂，分别配制每种邻苯二甲酸酯的标准储备溶液，浓度为1000mg/L。

可将多种标准物质配制成混合储备溶液，以节省配制校准工作溶液的时间和工作量。DINP、DIDP和DIHP的色谱峰有重叠，由于它们具有多重峰，其校准工作溶液的浓度应高于其他标准物质的浓度（5倍），建议单独配制此三种物质的储备溶液。这三种物质具有较高的检测低限（参见GC-MS检测参数部分）。

（2）标准工作溶液。采用体积比为1∶2的四氢呋喃和沉淀剂的混合液作为溶剂，由标准储备溶液配制至少5个适当浓度的标准工作溶液。例如，表6-4-1中的浓度为：1mg/L、3mg/L、15mg/L、30mg/L和90mg/L。

表6-4-1 校准工作溶液配制示例

浓度	配制说明
空白溶液	将0.25mL内标(DCHP)储备溶液置于50mL容量瓶中，用体积比为1∶2的四氢呋喃和沉淀剂混合液定容
1mg/L	将0.1mL每种标准物质储备溶液和0.5mL内标(DCHP)储备溶液置于100mL容量瓶中，用体积比为1∶2的四氢呋喃和沉淀剂混合液定容
3mg/L	将0.3mL每种标准物质储备溶液和0.5mL内标(DCHP)储备溶液置于100mL容量瓶中，用体积比为1∶2的四氢呋喃和沉淀剂混合液定容
15mg/L	将0.75mL每种标准物质储备溶液和0.25mL内标(DCHP)储备溶液置于50mL容量瓶中，用体积比为1∶2的四氢呋喃和沉淀剂混合液定容
30mg/L	将1.5mL每种标准物质储备溶液和0.25mL内标(DCHP)储备溶液置于50mL容量瓶中，用体积比为1∶2的四氢呋喃和沉淀剂混合液定容
90mg/L	将4.5mL每种标准物质储备溶液和0.25mL内标(DCHP)储备溶液置于50mL容量瓶中，用体积比为1∶2的四氢呋喃和沉淀剂混合液定容

每个浓度的标准工作溶液中含有等量的目标邻苯二甲酸酯以及一定量的内标物，内标物的最终浓度为5mg/L，并配制一份空白校准溶液。用GC-MS分析校准工作溶液和空白校准

溶液，进行定量分析，保证准确的保留时间，扣除污染带来的误差，绘制工作曲线。

当萃取液中某种邻苯二甲酸 A_1 浓度超出工作曲线范围时，用含有 5mg/L 内标物的体积比为 1∶2 的四氢呋喃和沉淀剂混合液加以稀释，以便正确地对样品进行定量分析。如果 DEHP、DNOP、DINP、DIDP 和 DIHP 定量时不选择特征离子（149）作为目标离子，则可以对所有邻苯二甲酸酯一起进行校准和定量。如果 DIDP 和 DINP 的色谱峰重叠，可选择标准附录 A 中所示的目标离子进行分析。

注：标准储备溶液于 0～4℃保存，有效期 12 个月；标准工作溶液于 0～4℃保存，有效期 6 个月；如果质量控制中出现问题则缩短保存时间。

2. 邻苯二甲酸酯的超声波萃取和测定

（1）通则。从样品上取两个试样，用四氢呋喃对试样进行超声波萃取，再用合适的溶剂对（部分或全部）溶解的塑化部分进行沉淀，离心分离后，测定邻苯二甲酸酯，平行做空白试验，避免实验室环境污染的误差。

（2）试样制备。取代表性式样，将其剪碎（尺寸不大于 5mm×5mm），混匀后称取两份，各（0.30±0.01）g，分别置于两个 40mL 的反应瓶中，萃取时用 PTFE（聚四氟乙烯）膜密封，以确保反应瓶在超声水浴的整个萃取过程中保持密封状态。用移液管分别将 10mL 含有 5mg/L 内标的四氢呋喃加入每个反应瓶中。

（3）萃取步骤。将反应瓶放入超声波发生器中，于（60±5）℃下萃取 1h±5min（塑化聚合物完全或部分溶解）。取出反应瓶，静置萃取液，冷却至室温。用移液管分别向每个反应瓶中逐滴加入 20mL 含有 5mg/L 内标的沉淀剂。剧烈振摇反应瓶（可放在漩涡振荡器上）至少 30s，静置（30±2）min 使聚合物沉淀。以不小于 700g（例如，离心半径 10cm，转速 2500r/min）的相对离心力分离至少 10min，使悬浮在有机相中的聚合物沉淀至瓶底，以获得澄清的有机溶液。吸取两份有机溶液到色谱进样瓶中，用于 GC-MS 分析。

注意：直接将悬浮液或浑浊溶液注入 GC-MS 中可能会污染仪器。如果必要，用含有 5mg/L 内标物的体积比为 1∶2 的四氢呋喃和沉淀剂混合液进一步稀释萃取液后，进行分析。

（4）邻苯二甲酸酯的测定。用 GC-MS 测定萃取出来的邻苯二甲酸酯。当邻苯二甲酸酯含量非常低时，可增加试样质量或采用旋转蒸发仪浓缩萃取液。

（5）GC-MS 检测参数。由于测试结果取决于所使用的仪器，因此不可能给出色谱分析的通用参数。

（6）10 种邻苯二甲酸酯和内标物的特征离子和测定低限如表 6-4-2 所示。

表 6-4-2　10 种邻苯二甲酸酯和内标物的特征离子和测定低限

序号	物质名称	特征离子(amu)			测定低限/(μg/g)
		目标离子	Q_1	Q_2	
1	邻苯二甲酸二丁酯(DBP)	149	150	205	40.0
2	邻苯二甲酸丁苄酯(BBP)	149	206	150	40.0
3	邻苯二甲酸二(2-乙基己基)酯(DEHP)	149	167	279	40.0
4	邻苯二甲酸二正辛酯(DNOP)	279	167	261	40.0
5	邻苯二甲酸二异壬酯(DINP)	293	149	127	200.0
6	邻苯二甲酸二异癸酯(DIDP)	307	149	141	200.0
7	邻苯二甲酸二异丁酯(DIBP)	149	167	223	40.0
8	邻苯二甲酸二戊酯(DPP)	149	219	237	40.0
9	邻苯二甲酸二 C_6～C_8 支链烷基酯，富 C_7(DIHP)	265	149	99	200.0
10	邻苯二甲酸二甲氧基乙酯(DMEP)	149	59	207	200.0
11	邻苯二甲酸二环己酯(DCHP)	149	167	249	200.0

(7) 邻苯二甲酸酯与内标物的标准物质色谱图见图 6-4-1，DINP 与内标物的标准物质色谱图见图 6-4-2。

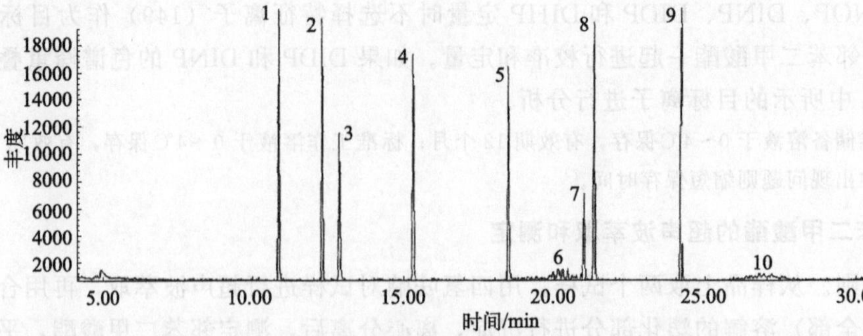

图 6-4-1　邻苯二甲酸酯与内标物的标准物质色谱图

1—邻苯二甲酸二异丁酯（DIBP）；2—邻苯二甲酸二丁酯（DBP）；3—邻苯二甲酸二甲氧基乙酯（DMEP）；4—邻苯二甲酸二戊酯（DPP）；5—邻苯二甲酸丁苄酯（BBP）；6—邻苯二甲酸二 C_6～C_8 支链烷基酯，富 C_7（DIHP）；7—邻苯二甲酸二环己酯（DCHP），内标物；8—邻苯二甲酸二（2-乙基己基）酯（DEHP）；9—邻苯二甲酸二正辛酯（DNOP）；10—邻苯二甲酸二异癸酯（DIDP）

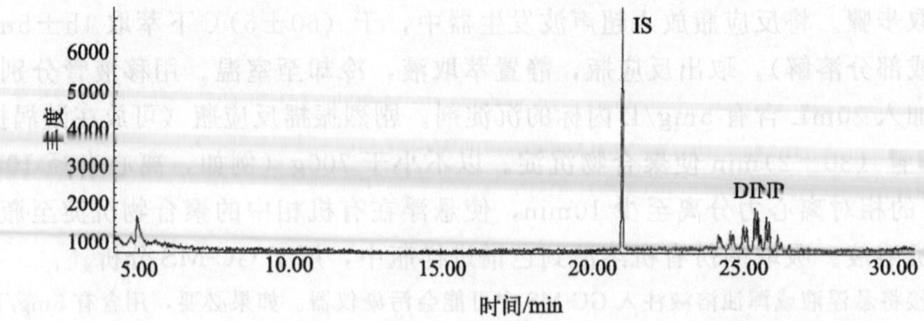

图 6-4-2　邻苯二甲酸二异壬酯（DINP）与内标物的标准物质色谱图

3. 结果计算

(1) 整体处理纺织品试样中塑化组分质量的计算。整体处理纺织品示意见图 6-4-3。

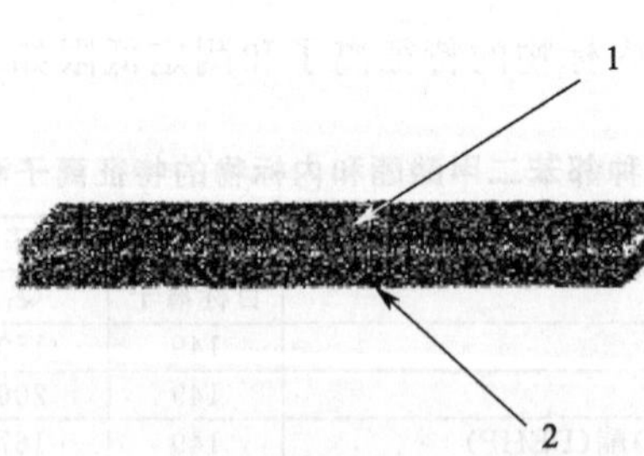

图 6-4-3　整体处理纺织品示意

1—塑化组分（涂层）；2—基布

测定试样总质量 m_1(g) 后，采用机械、加热或化学方法（或综合多种方法）去除塑化组分（涂层），得到基布质量 m_2，由两者的差值得出塑化组分（涂层）质量 m，见式(6-4-1)：

$$m=m_1-m_2 \tag{6-4-1}$$

式中 m——试样中塑化组分（涂层）质量，g；

m_1——整体处理纺织品试样的总质量，g；

m_2——试样中的基布质量，g。

（2）局部处理纺织品试样中塑化组分质量的计算。局部处理纺织品示意见图 6-4-4。

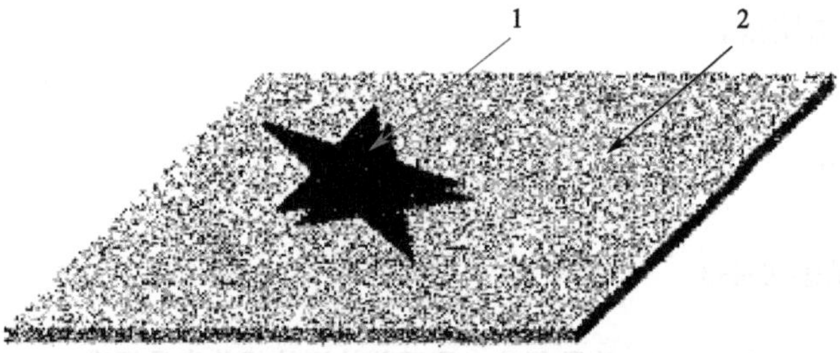

图 6-4-4 局部处理纺织品示意

1—塑化组分（涂层）；2—基布

先测定基布的单位面积 m_2，再测定处理（涂层）区域的单位面积总质量 m_1 及其面积 S。用式(6-4-2) 计算塑化组分（涂层）质量 m：

$$m=(m_1-m_2)\times S \tag{6-4-2}$$

式中 m——试样中塑化组分（涂层）质量，g；

m_1——试样中处理（涂层）区域的单位面积总质量，g/m^2；

m_2——基布的单位面积质量，g/m^2；

S——试样中处理（涂层）区域的面积，m^2。

（3）基于试样中塑化组分质量的计算（默认方法）。测定每种邻苯二甲酸酯和内标物的峰面积，利用校准工作曲线分别得出萃取液中单个邻苯二甲酸酯的浓度，单位为毫克每升(mg/L)；对任何稀释应进行修正，并扣除空白试验的浓度。用式(6-4-3) 计算结果。

$$w_c=\frac{V\times(b\times F-a)}{m_c\times 10000} \tag{6-4-3}$$

式中 w_c——单个邻苯二甲酸酯占试样中塑化组分的质量分数，%；

V——30mL，稀释前邻苯二甲酸酯溶液的总体积（10mL 用于萃取的四氢呋喃＋20mL 沉淀剂），mL；

b——萃取液中单个邻苯二甲酸酯的浓度，mg/L；

F——稀释因子；

a——空白试验中对应邻苯二甲酸酯的浓度，mg/L；

m_c——试样中塑化组分质量，g。

注：m_c 由式(6-4-1) 或式(6-4-2) 计算得出。

（4）基于试样总质量的计算。对于无法按照式(6-4-1) 或式(6-4-2) 获得试样中塑化组分质量 m_c 的，用式(6-4-4) 进行计算。

$$w_T=\frac{V\times(b\times F-a)}{m_T\times 10000} \tag{6-4-4}$$

式中 w_T——单个邻苯二甲酸酯占试样中塑化组分的质量分数，%；

V——30mL，稀释前邻苯二甲酸酯溶液的总体积（10mL 用于萃取的四氢呋喃＋20mL 沉淀剂），mL；

b——萃取液中单个邻苯二甲酸酯的浓度，mg/L；

F——稀释因子；

a——空白试验中对应邻苯二甲酸酯的浓度，mg/L；

m_T——试样总质量，g。

四、相关产品标准

相关产品标准见表 6-4-3。

表 6-4-3 涉及邻苯二甲酸酯检测的相关产品标准

<table>
<tr><th rowspan="2">产品</th><th rowspan="2">标准名称编号</th><th rowspan="2" colspan="2">测试项目</th><th rowspan="2">测试方法</th><th colspan="3">判定指标</th><th rowspan="2">备注</th></tr>
<tr><th>A类</th><th>B类</th><th>C类</th></tr>
<tr><td rowspan="2">婴幼儿及儿童服装</td><td rowspan="2">GB 31701—2015</td><td rowspan="2">邻苯二甲酸酯</td><td>邻苯二甲酸二(2-乙基己基)酯(DEHP)、邻苯二甲酸二丁酯(DBP)、邻苯二甲酸丁苄酯(BBP)</td><td rowspan="2">GB/T 20388</td><td>0.1%</td><td>—</td><td>—</td><td rowspan="2">仅考核涂层和涂料印染的织物</td></tr>
<tr><td>邻苯二甲酸二异壬酯(DINP)、邻苯二甲酸二异癸酯(DIDP)、邻苯二甲酸二正辛酯(DNOP)</td><td>0.1%</td><td>—</td><td>—</td></tr>
<tr><td rowspan="2">生态纺织品</td><td rowspan="2">GB/T 18885—2020</td><td rowspan="2">邻苯二甲酸酯</td><td>DINP、DNOP、DEHP、DIDP、BBP、DBP(总量)</td><td rowspan="2">GB/T 20388</td><td>0.1%</td><td>—</td><td>—</td><td rowspan="2">适用于涂层、塑料溶胶印花、弹性泡沫塑料和塑料配件等产品</td></tr>
<tr><td>DEHP、BBP、DBP(总量)</td><td>—</td><td>0.1%</td><td>—</td></tr>
<tr><td rowspan="2">服装</td><td rowspan="2">GB/T 21295—2014</td><td rowspan="2">邻苯二甲酸酯</td><td>DEHP、BBP、DBP(总量)</td><td rowspan="2">GB/T 21294 附录C</td><td>0.1%</td><td>—</td><td>—</td><td rowspan="2">邻苯二甲酸酯在服装及其附件中的含量是指邻苯二甲酸酯占检测试样的百分率，而不是占整个服装产品的百分率。适用于14岁及以下儿童服装，通常非染料印花部分、涂层部分、塑料(橡胶)附件和附件/配件的表面涂层可能含邻苯二甲酸酯</td></tr>
<tr><td>DINP、DNOP、DIDP(总量)</td><td>0.1%</td><td>—</td><td>—</td></tr>
<tr><td rowspan="2">机织婴幼儿服装</td><td rowspan="2">GB/T 33271—2016</td><td rowspan="2">邻苯二甲酸酯</td><td>邻苯二甲酸二(2-乙基己基)酯(DEHP)、邻苯二甲酸二丁酯(DBP)、邻苯二甲酸丁苄酯(BBP)</td><td rowspan="2">GB/T 20388</td><td colspan="3">0.1%</td><td rowspan="2">仅考核涂层和非染料印染的织物，塑料(橡胶)附件和附件/配件的表面涂层</td></tr>
<tr><td>邻苯二甲酸二异壬酯(DINP)、邻苯二甲酸二异癸酯(DIDP)、邻苯二甲酸二正辛酯(DNOP)</td><td colspan="3">0.1%</td></tr>
</table>

第七章

服装辅料和配件检测

第一节　儿童服装物理安全性能测试

童装附件的物理安全性能越来越引起人们的重视，尤其是我国于 2015 年发布了 GB 31701—2015《婴幼儿及儿童纺织产品安全技术规范》，对婴幼儿及儿童服装的附件、绳带进行了严格要求。本节分别介绍附件抗拉强力试验方法、纺织制品附件锐利性试验方法及服装上绳带测量方法和判定要求。

一、附件抗拉强力试验方法

（一）原理及相关标准

（1）原理：上夹钳和下夹钳分别夹持住附件和主体，拉伸至定负荷下作用一定的时间，评定附件是否从主体上脱落或松动。对于最大尺寸≤3mm，或者无法夹持（夹持时附件发生变形或损伤）的附件，评定洗涤后附件的变化。

（2）相关标准：GB 31701—2015《婴幼儿及儿童纺织产品安全技术规范》。

（3）定义和术语

① 婴幼儿：年龄在 36 个月及以下的孩子（身高 100cm 及以下的孩子）。

② 儿童：年龄在 36 个月以上至 14 周岁及以下的孩子。

③ 附件：纺织产品中起连接、装饰、标识或其他作用的部件。

（二）检测仪器

（1）拉伸仪：应能进行定负荷拉伸，精度为±1N。

（2）洗衣机：符合 GB/T 8629 中 A 型洗衣机的规定。

（3）夹持器：能够夹持各类附件。

（4）施加负荷：部件直径小于 6mm，最小脱落强力 50N；部件直径大于 6mm，最小脱落强力 70N。对于最大尺寸≤3mm，或者无法夹持（夹持时附件发生变形或损伤）的附件，考核附件洗涤后的变化。

（三）检测方法与过程

1. 抗拉强力试验

（1）试样准备。将制品置于温度为20℃±2℃、相对湿度为65%±4%的标准大气中调湿至平衡，并在这一温度和湿度下进行试验。

注：该试验一般不需要剪取试样，直接测试成品上的附件。

（2）试验步骤

① 选择合适的夹持器安装在拉伸仪上，根据附件尺寸的选择，设定拉伸定负荷值为70N或50N。

② 一个夹钳夹持住附件与产品连接处的织物，另一个夹钳夹持住被测附件。夹持时不得引起被测附件明显变形、破碎等不良现象。

③ 开启拉伸仪，以一定的速度缓慢拉伸试样至定负荷，在定负荷下保持10s。出现以下情况为附件抗拉强力不合格：附件从主体上脱落、附件破损、织物断裂和撕裂等。

按以上步骤，对样品上其他附件进行试验。

2. 洗涤试验

试验步骤如下。

① 检查试样上的每个附件，并详细记录附件在试样上的初始状态。

② 按照GB/T 8629中的规定，采用A型洗衣机，以40℃正常搅拌程序对试样进行洗涤，悬挂晾干。

③ 检查洗涤后试样上的每个附件，记录洗涤后附件状态。出现下列情况中的轻微变化、明显变化或完全脱离时为不合格：无变化；有可忽略的变化，附件与初始状态比较有微小变化，但仍牢固地附着在试样上；有轻微变化，附件有轻微、可见的松动；有明显变化，附件或者织物明显损坏；完全脱离，附件从织物上完全脱离。

二、纺织制品附件锐利性试验方法

（一）原理及相关标准

1. 原理

（1）锐利边缘测试方法。测试带按要求贴在芯轴上，在一定的负荷下使芯轴沿被测试样品的可触及边缘旋转360°，测定测试带被切割的长度。

（2）锐利尖端测试方法。锐利尖端测试仪放在可触及尖端上，检查在一定的负荷下被测试尖端是否能插入锐利尖端测试仪上规定的深度。

2. 相关标准

GB/T 31702—2015《纺织制品附件锐利性试验方法》。

3. 定义和术语

（1）锐利边缘：可能产生割伤危害的可触及的附件边缘。

（2）锐利尖端：可能产生刺伤危害的可触及的附件尖端。

（二）检测仪器

1. 锐利边缘测试装置

锐利边缘测试装置（图 7-1-1）应包括以下部分。

(1) 钢制芯轴。芯轴直径应为 9.35mm±0.12mm，测试表面不应有划痕、凹痕或毛刺，按 GB/T 3505 其表面粗糙度 *Ra* 不应大于 0.40μm；按 GB/T 230.1 测试时，其表面洛氏硬度不应小于 40HRC。

(2) 转动芯轴和施力的装置。动力装置应使芯轴在转动 360°的过程中，至少 75%是以 23mm/s±4mm/s 的切线速度转动，芯轴启动和停止应平稳。

(3) 测试带为聚四氟乙烯（PTFE）压敏胶黏带。聚四氟乙烯薄膜厚度应为 0.066～0.090mm，胶黏剂应为压敏型聚硅氧烷聚合物，厚度约为 0.08mm，测试带的宽度不应小于 6mm。

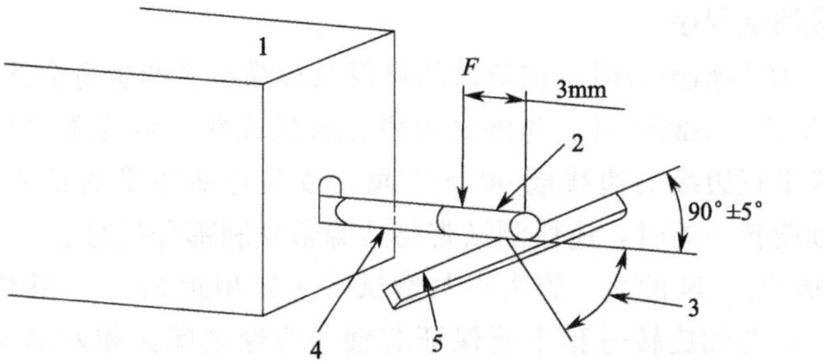

图 7-1-1 锐利边缘测试仪示意

1—测试箱：可向芯轴施加一定的外力使之转动；2—单层 PTFE 测试带；3—锐利边缘表面与芯轴接触表面的夹角，测试时可通过改变角度寻找最不利的位置；4—芯轴；5—待测试的边缘

2. 锐利尖端测试仪

锐利尖端测试仪（图 7-1-2）能对测试尖端施加 $4.5^{0}_{-0.2}$N 的负荷，包括测量装置和感应装置。

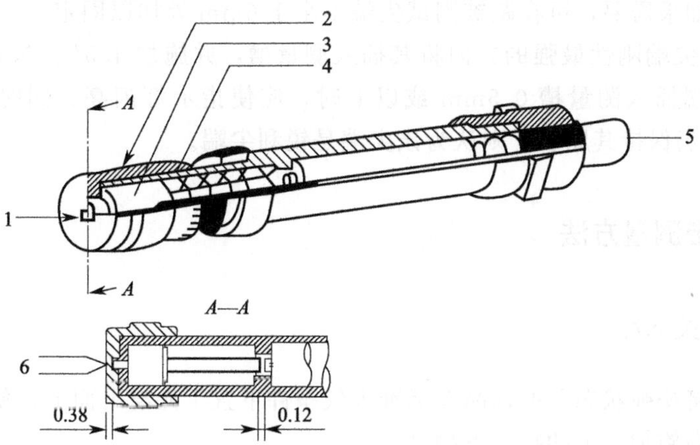

图 7-1-2 锐利尖端测试仪示意

1—测量槽；2—测量盖；3—感应头；4—弹簧；5—指示灯；6—被测附件尖端

(1) 测量装置具有矩形测试槽，开口尺寸为(1.15mm±0.02mm)×(1.02mm±0.02mm)。

(2) 感应装置的感应头距测量盖外表面 0.38mm±0.02mm。当锐利尖端插入测试口，使感应头压缩弹簧并移动 0.12mm±0.02mm 时，指示灯应亮。

(3) 测量钢尺

最小刻度不得大于 1mm。

（三）检测方法与过程

1. 试样和试验条件

一件（套）制品上所有可能存在锐利边缘和锐利尖端的附件均应进行测试。对于制品上存在尖端，但经锐利尖端试验认为不属于“锐利尖端”的附件，应进行锐利边缘测试。锐利边缘试验应在 20℃±5℃环境条件下进行。

2. 试验步骤

(1) 锐利边缘测试程序

① 固定附件。使芯轴施力时，被测试的可触及边缘不应产生弯曲或移动。

② 在芯轴上缠绕一层测试带。为测试提供充分的面积。缠绕测试带的芯轴放置的位置应使其轴线与试样平直边缘的边线成 90°±5°角，或与弯曲边缘的检查点的切线成 90°±5°角；同时，当芯轴旋转一周时，应使测试带与边缘最锐利部分接触。

③ 向芯轴施加 $6^{0}_{-0.5}$N 的力，施力点与测试带边缘相距 3mm，并使其绕芯轴的轴线靠测试边缘旋转 360°，芯轴旋转过程中要保证芯轴与边缘之间无相对运动。如果上述程序会引起制品的测试边缘弯曲，则可向芯轴施加一个刚好不会使边缘弯曲的最大的力。

④ 将测试带从芯轴上取下，同时不应使测试带割缝扩大或划痕发展为割裂。测量测试带被切割长度，包括任何间断切割长度。测量试验中与边缘接触的测试带长度精确到 1mm。

⑤ 计算试验过程中被切割的测试带长度百分比。如果测试带有 50%被完全割裂，则该边缘被认为是锐利边缘。

(2) 锐利尖端测试程序

① 固定被测试的附件，使尖端在测试过程中不会产生移动。在大多数情况下，不需要直接固定尖端；如果需要，可在距被测试尖端不小于 6mm 处加以固定。

② 以被测试尖端刚性最强的方向将其插入测量槽，并施加 $4.5^{0}_{-0.2}$N 的外力压紧弹簧。如果被测试的尖端插入测量槽 0.5mm 或以上时，应使指示灯闪亮；同时，该尖端在受到 $4.5^{0}_{-0.2}$N 外力后仍保持其原状，则认为该尖端是锐利尖端。

三、服装上绳带测量方法

（一）原理及相关标准

(1) 原理：将松弛状态下的样品在标准大气条件下置于光滑平面上，使用钢尺测定绳带长度。必要时，在施加一定的拉力下测量。

(2) 相关标准：GB 31701—2015《婴幼儿及儿童纺织产品安全技术规范》。

(3) 定义和术语

① 纺织产品：以天然纤维和化学纤维为主要原料，经纺、织、染等加工工艺或再经缝制、复合等工艺而制成的产品，如纱线、织物及其制成品。

② 婴幼儿纺织产品：年龄在 36 个月及以下的婴幼儿穿着或使用的纺织产品。

③ 儿童纺织产品：年龄在 3 岁以上，14 岁及以下的儿童穿着或使用的纺织产品。

注：一般适用于身高 100cm 以上、155cm 及以下女童或 160cm 及以下男童穿着或使用的纺织产品可作为儿童纺织产品。其中，130cm 及以下儿童穿着的可作为 7 岁以下儿童服装。

④ 绳带：以各种纺织或非纺织材料制成的、带有或不带有装饰物的绳索、拉带、带袢等。

（二）检测材料

测量钢尺：最小刻度不得大于 1mm。

（三）检测方法与过程

绳带和绳圈的长度采用钢板尺或钢卷尺测定其自然状态下的伸直长度，记录至 1mm。

（四）判定要求

绳带的判定要求见表 7-1-1。

表 7-1-1 产品标准中对绳带的判定要求

序号	婴幼儿及 7 岁以下儿童服装标准要求	7 岁及以上儿童服装标准要求
1	头部和颈部不应有任何绳带	头部和颈部调整服装尺寸的绳带不应有自由端，其他绳带不应有长度超过 75mm 的自由端。 头部和颈部：当服装平摊至最大尺寸时不应有突出的绳圈，当服装平摊至合适的穿着尺寸时突出的绳圈周长不应超过 150mm；除肩带和颈带外，其他绳带不应使用弹性绳带
2	肩带应是固定的、连续且无自由端的。肩带上的装饰性绳带不应有长度超过 75mm 的自由端或周长超过 75mm 的绳圈	—
3	固着在腰部的绳带，从固着点伸出的长度不应超过 360mm，且不应超出服装底边	固着在腰部的绳带，从固着点伸出的长度不应超过 360mm
4	短袖袖子平摊至最大尺寸时，袖口处绳带的伸出长度不应超过 75mm	短袖袖子平摊至最大尺寸时，袖口处绳带的伸出长度不应超过 140mm
5	除腰带外，背部不应有绳带伸出或系着	
6	长袖袖口处的绳带扣紧时应完全置于服装内	
7	长至臀围线以下的服装，底边处的绳带不应超出服装下边缘。长至脚踝处的服装，底边处的绳带应该完全置于服装内	
8	除了第 1 项～第 7 项以外，服装平摊至最大尺寸时，伸出的绳带长度不应超过 140mm	
9	绳带的自由末端不允许打结或使用立体装饰物	
10	两端固定且突出的绳圈的周长不应超过 75mm；平贴在服装上的绳圈（如串带）其两固定端的长度不应超过 75mm	

第二节 镍释放量的测试

镍是具有铁磁性的银白色金属，因其抗腐蚀及可塑性而常用于改善金属部件性能。但是，镍是一种易导致接触性过敏的元素。含镍合金产品长期与皮肤接触，释放的镍元素则会被皮肤吸收，从而导致过敏发炎，其临床表现为皮炎和湿疹。一旦发生镍过敏，往往难以根治或可能会持续很长时间。患者所经历的，如衣物摩擦、汗液、大气湿度以及皮肤潮湿等，会加重镍过敏的症状。长期暴露于大量镍释放环境中，还将导致心、肝、肺等器官的伤害，严重的则会诱发呼吸系统癌症。长期暴露于某些镍化合物中可能增加患癌风险。

目前，我国对镍释放量的检测方法主要有四种：光谱法、能谱法、磨损和腐蚀模拟法、显色法。光谱法中，释放过程长达7天，整个检测周期较长；能谱法可快速筛查镍释放量，自动化程度高，但使用成本高，适合使用频次高、有条件的实验室使用；磨损和腐蚀模拟法，使用模拟磨损的磨料为非标物质，成分非常复杂，自制较为困难，购置费用极高。目前纺织服装辅料镍释放检出率基本在1%以下，鉴于镍释放不合格率不高、检测周期长的问题，很多检测机构着手研究快速筛选的方法。

本节主要介绍光谱法、磨损和腐蚀模拟法。

一、原理及相关标准

（一）原理

1. 光谱法

将用于测试镍释放量的附件样品放置于人工汗液中约一周[(168±2)h]，用原子吸收光谱仪、电感耦合等离子体发射光谱仪或者其他合适的分析仪器测定释放溶液中镍的浓度，结合样品面积计算出附件的镍释放量。镍的释放量用微克每平方厘米每周[$\mu g/(cm^2 \cdot 周)$]表示。

2. 磨损和腐蚀模拟法

被测样品先暴露于腐蚀环境下，再放入带有磨损介质的容器中在一定转速下转动，通过容器的旋转使得被检样品被磨损介质磨损，随后用GB/T 19719的方法测定其镍释放量。

（二）相关标准

主要标准如下：GB/T 22866—2008《皮革五金配件 镍释放量的测定》；GB/T 28485—2012《镀层饰品 镍释放量的测定 磨损和腐蚀模拟法》；GB/T 30158—2013《纺织制品附件 镍释放量的测定》；GB/T 19719—2005《首饰 镍释放量的测定 光谱法》；SN/T 3340—2012《与皮肤接触服装附件镍释放检测方法》；SN/T 4484—2016《进出口纺织品 服装附件 表面镍释放量快速筛选方法 能谱法》；SN/T 3249.4—2017《仿真饰品 第4部分：镍释放快速筛选测试方法》；EN 1811：2011《对直接插入及长期接触皮肤的制品中镍的释放量参考测试方法》；KS K 0854：2011《外套释放镍检测的模拟磨损和腐蚀的测试方法：交替释放法》；KS K 0853：2011《皮肤接触产品释放的镍含量测试方法：交替释放法》。

（三）定义和术语

有害元素：指在使用过程中可能会对人体健康造成伤害或危害环境的化学元素，主要包括镍、砷、铬、镉、铅、汞、硒、钡、锑等。

二、检测仪器与材料

（一）光谱法

1. 测试仪器与材料

（1）pH 计：测量精度至少为 0.05。

（2）分析仪器：仪器对镍的检测限至少为 0.01mg/L，推荐使用电感耦合等离子体发射光谱仪、石墨炉原子吸收光谱仪或其他合适的分析仪器。

（3）带温控的水浴或烘箱：控温能力为 30℃±2℃。

（4）带盖的容器：容器和盖均以不含镍且耐酸的非金属材料（如玻璃、聚丙烯、聚四氟乙烯、聚苯乙烯等）制成。采用合适的方式使样品悬浮于人工汗液中，应避免试样测试部位接触容器的底部或壁，所用汗液应能全部覆盖试样。为了消除玻璃容器中镍的干扰，建议容器在试验前采用稀硝酸溶液浸泡 4h 以上，用水冲洗干净，干燥。

（5）测量器具：用于测量样品的测试面积，如精度为 0.01mm 的游标卡尺。

（6）天平：精度为万分之一。

2. 试剂

所用试剂均为分析纯，且应不含有镍。试验用水应符合 GB/T 6682 中规定的三级水或以上级别的水。

（1）氯化钠。

（2）DL-乳酸：大于 88%（质量分数），ρ=1.21g/mL。

（3）尿素。

（4）氢氧化钠：固体，纯度 98%以上。

（5）1mol/L 氢氧化钠溶液：称取（4.00±0.01）g 氢氧化钠至 100mL 烧杯内，加水 50mL，搅拌并冷却至室温，将溶液转移至 100mL 容量瓶中，用水稀释定容至刻度。

（6）0.1mol/L 氢氧化钠溶液：量取 1mol/L 氢氧化钠溶液 25mL 至 250mL 容量瓶中，用水稀释定容至刻度。

（7）盐酸：ρ=1.16g/mL，32%（体积分数）。

（8）0.1mol/L 盐酸溶液：量取 10mL 盐酸至 100mL 容量瓶中，用水稀释定容至刻度，混匀。

（9）硝酸：65%（质量分数），ρ=1.40g/mL。

（10）稀硝酸溶液：约为 5%（质量分数）。将 30mL 硝酸移入预先装有 350mL 水的 500mL 烧杯中，搅拌并冷却至室温，将溶液移入 500mL 容量瓶，用水稀释至刻度。

（11）脱脂溶液：将 5g 阴离子表面活性剂（例如，十二烷基苯磺酸钠或烷基芳基磺酸钠）溶解于 1000mL 水中。其他中性的商业洗涤剂经稀释后也可使用。

（12）蜡或漆：选用合适的蜡和漆，在试样的非测试表面涂上一层或多层，防止在进行镍释放量试验时镍从非测试表面逸出。

（13）镍标准储备溶液（100μg/mL）：称取 0.448g 硫酸镍（$NiSO_4 \cdot 6H_2O$）溶于水，

移入 1000mL 容量瓶中，稀释至刻度。也可购买有证的国家标准溶液进行配制。除另有规定外，标准储备溶液在常温（15～25℃）下保存期为 6 个月，当出现浑浊、沉淀或颜色有变化等现象时，需要重新配制。

（二）磨损和腐蚀模拟法

除特殊说明外，所有接触样品的材料和试剂应不含镍，且所用试剂应为分析纯或优级纯。

1. 测试仪器与材料

（1）烘箱：能保持温度在 50℃±2℃。

（2）磨损设备：可以给滚筒提供恒定转速（30r/min±2r/min）的设备，且能够正反两个方向转动。

（3）容器：带盖和可使样品悬浮的支架，且全部由惰性材质（如玻璃或塑料）制成。

（4）滚筒和支架组件：内径为 19cm 的六边形滚筒，可以绕轴转动，如图 7-2-1 所示。

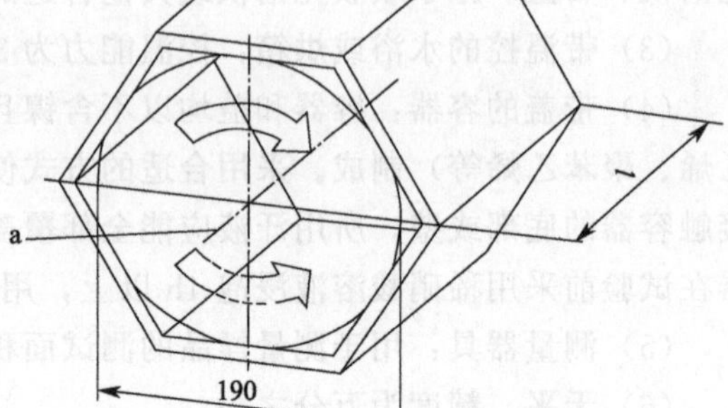

图 7-2-1　镍释放箱示意图（单位：mm）

a—滚筒的轴；l—滚筒的长度，可根据需要而定

2. 试剂

（1）腐蚀介质：将 50g DL-乳酸（纯度高于 85%）和 100g 氯化钠溶解于 1000mL 去离子水中。

（2）脱脂溶液：可使用商业用途的稀释的中性洗涤剂，如 0.5%的十二烷基苯磺酸钠的水溶液。

（3）去离子水：电导率值最大为 1μS/cm。

（4）研磨糊：成分为 6%～8%乙二醇褐煤酸酯（CAS 73138-45-1）；3%十八酸（即硬脂酸，CAS 57-11-4）；30%石油加氢轻馏分（CAS 64742-47-8）；2% C16～C18 醇乙氧基化物（CAS 68920-66-1）或三乙醇胺；48% 二氧化硅（石英），200μm,；6%～8%去离子水。

（5）颗粒物：椰子、胡桃、花生、杏仁的外壳，粒径在 0.8～1.3mm 之间，以质量比 1∶1∶1∶1 混合。

（6）磨损介质：将研磨糊与颗粒物按准备磨损介质的步骤进行混合。

三、检测方法与过程

（一）光谱法

1. 试样准备

（1）要求。对样品进行镍释放的测试，首先需要选择好更有可能直接与皮肤频繁接触的样品表面，然后确定采用何种镍释放的测试方法。在进行测试前，需要先测定所选定表面的表面积，并选择合适的仪器设备以测定测试溶液中镍的浓度。

（2）镍释放测试方法的确定。直接与皮肤频繁接触的不含涂层的样品可直接按光谱法进行测定。直接与皮肤频繁接触的含涂层且涂层中不含镍的样品先根据 GB/T 30156—2013《纺织制品涂层附件腐蚀和磨损的方法》进行前处理，再按本方法进行测定。直接与皮肤频繁接触的含涂层且涂层中含镍的样品可直接按光谱法进行测定，或先按 GB/T 30156—2013 规定的方法进行前处理后，再按本光谱法进行测定。可采用 X 射线荧光光谱、扫描电镜能谱或其他合适的方法来确定样品的涂层中是否含有镍。

（3）直接与皮肤频繁接触测试表面的确定。进行测试样品的镍释放量必须具有代表性。没有直接与皮肤频繁接触的样品表面不应作为测试面积进行选取。进行镍释放测定的表面应确定是均质还是非均质材料制成，可通过视觉观察得出。对于均质物品，不用考虑表面是否直接与皮肤频繁接触，可对整个样品表面进行镍释放的测定。对于非均质物品，镍释放量的测定需要选取具有代表性的表面进行。具体可参考以下情形。

① 情形 1。直接与皮肤频繁接触的表面由不同材料组成或存在不同表面处理方式时，应拆卸成或剪成各自含有均质的分部分。各分部分根据均质材料样品进行测试。计算各分部分的镍释放量，进行面积加权后得到直接与皮肤频繁接触部分的平均释放量。应尽可能计算直接与皮肤频繁接触未掩盖部分的面积。

② 情形 2。当样品既不符合情形 1，又不能拆卸或剪切时，将整个样品按均质样品进行测试，以平均镍释放量表示最终结果。在没有其他选择的情况下，平均镍释放量是可以得到的最佳评估。

（4）样品测试面积的确定。样品测试面积应为表面直接与皮肤频繁接触的附件的面积，单位为平方厘米（cm^2）。为达到必要的分析灵敏度，被测样品测试面积至少为 $0.2cm^2$。必要时完全相同的样品可以一起测试以达到该最小面积。当样品由均一性材料制成时，样品的整个面积都应被考虑，无论其是否频繁与人体皮肤接触。

（5）样品测试面积的计算。样品测试面积的计算是影响测试结果的重要因素。选择好样品可能直接与皮肤频繁接触的表面的几何形状，然后根据其形状选取合适的数学公式计算其面积。测试面积的测定应使用合适的测量器具进行。对于形状不规则的表面，可测量其投影面积进行试验。如果可能的话，使用常见的几何体来分解并计算样品的测试面积。例如，立方体、棱柱体、圆柱体、圆锥体、球体。

（6）样品测试面积以外面积的保护。为避免从样品非测试表面上释放出镍，这类表面应除去或加以保护，使其不接触人工汗液。在去除油脂后，涂上一层或多层能防止镍释放的蜡或漆。

（7）样品脱脂。在室温下，将样品置于脱脂溶液中轻轻搅动 2min，以水冲洗、晾干。去除油脂后的样品，应使用塑料镊子或佩戴清洁的防护手套进行后续试验。这一清洗步骤的目的是去除外来的油脂和皮肤的分泌物，而不是去除防护涂层。

2. 试验过程

（1）配制人工汗液。将 1.00g±0.01g 尿素、5.00g±0.05g 氯化钠和 1.00g±0.01g 乳酸置于 1000mL 烧杯中，加水 900mL，搅拌至试剂完全溶解。用 1mol/L 的氢氧化钠溶液调节人工汗液 pH 值至 5.50±0.05，然后逐滴加入 0.1mol/L 的氢氧化钠溶液，直至 pH 值稳定在 6.50±0.05。10min 后再测试人工汗液的 pH 值，确保仍在 6.50±0.05 范围内。在 pH 值调试过程中可逐滴加入 0.1mol/L 的盐酸，使 pH 值降低。将人工汗液转移至 1000mL 容量瓶，以水稀释至刻度，人工汗液配制后应在当天内使用。

(2) 释放过程。将试样采用合适的方式置于带盖的容器内，按照试样测试面积每平方厘米1mL的比例加入人工汗液。试样测试面积应全部浸入人工汗液中，但用蜡或漆保护的表面不必浸入。无论试样测试面积大小，人工汗液至少为0.5mL。用密闭的盖子封盖容器，以免汗液蒸发。记录试验测试面积和使用的人工汗液体积。将容器静置于温度恒定的水浴或烘箱内，于30℃±2℃下静置168h±2h，不要搅动。168h±2h后，将试样缓慢地从人工汗液中取出，并适当地翻转以收集包括试样孔洞内的所有人工汗液，不要冲洗试样。收集到的人工汗液定量转移至适当的容量瓶中。为了防止释放出的镍再沉淀，向容量瓶内加入适量的稀硝酸溶液，以水稀释至刻度，使溶液中硝酸浓度约为1%，此溶液即为测试溶液。容量瓶大小的选定应考虑测定镍时所用仪器的灵敏度，测试溶液的最后体积至少为2mL。

(3) 选用合适的仪器对测试溶液进行镍浓度测试，由于不同仪器试验条件不同，因此不可能给出普遍的参数。表7-2-1和表7-2-2所列试验条件已被证明对测试是合适的。

(4) 采用镍标准储备溶液配制成系列校准溶液，校准溶液基体应与测试溶液尽量保持一致，校准溶液的浓度范围应包括测试溶液中镍的浓度。

(5) 只要可能，至少用3份平行样品进行测定。

(6) 与试样同时进行空白试验。空白试验过程与样品释放过程一致。

(7) 质量控制参考片的要求。可采用质量控制参考片对测试结果进行质量控制，具体试验过程按样品释放过程进行。质量控制参考片的测试结果应分布在0.19～0.49μg/(cm²·周)的范围内，区间左右两端分别为实验室可接受结果的上下区间边界。质量控制参考片不可重复使用。

表7-2-1 横向加热石墨炉工作条件

步骤	升温程序	温度/℃	时间/s	载气流速/(L/min)
1	蒸发过程	85	5.0	3.0
2		95	40.0	3.0
3		120	10.0	3.0
4	灰化过程	800	5.0	3.0
5		800	1.0	3.0
6		800	2.0	3.0
7	原子化过程	2400	1.0	0
8		2400	2.0	0
9		2400	2.0	3.0

注：推荐使用1000～1500μg/L的硝酸钯作为基体改进剂，进样方式为共进，进样量为5μL，灰化温度可提高到850℃。

表7-2-2 电感耦合等离子体发射光谱仪工作条件

高频功率发生器	入射功率/W	1120
气路系统	观测高度/mm	10
	等离子气体流量/(L/min)	15
	辅助气/(L/min)	1.5
	雾化器流量/(L/min)	0.8
	蠕动泵转速/(r/min)	15
	清洗时间/s	10

续表

高频功率发生器	入射功率/W	1120
数据处理系统	仪器稳定延时/s	15
	进样延时/s	20
	一次性读数时间/s	5
	长波部分积分时间/s	5
	积分次数/s	3
分析波长/nm		Ni 231.604

下列合金成分被证明是合适的：为准确地生产质量控制参考片，至少需要 1kg 合金。将金（纯度不低于 99.99%）、铜（纯度不低于 99.9%）、镍（纯度不低于 99.9%）和锌（纯度不低于 99.9%）的称量精确到±0.1g，参考片的组分见表 7-2-3。

表 7-2-3 参考片的组分

元素	质量分数/%
Au	76.0
Cu	16.0
Ni	6.0
Zn	2.0

此外，还可采用 24%（质量分数）预先制作好的合金（组分如表 7-2-4 所示）和 76%（质量分数）的金生产参考片。

表 7-2-4 预先制作好的合金组分

元素	质量分数/%
Cu	66.7
Ni	25.0
Zn	8.3

参考片中金含量的质量偏差不超过±0.1%，铜、镍、锌的质量偏差不超过±0.2%，合金的维氏硬度应为 190HV±5HV。整个操作过程应避免材料表面沾染镍。质量控制参考片应采用上述合金制成，并具有下列尺寸：直径 12.0mm±1.0mm；厚度 0.5mm±0.1mm；中央孔径 1.0mm±0.2mm。

3. 结果计算

按式(7-2-1) 计算样品的镍释放量，以微克每平方厘米每周[μg/(cm^2·周)]表示。

$$d=\frac{V\times(c_1-c_0)}{1000a} \tag{7-2-1}$$

式中 a——试样测试面积，cm^2；

V——测试溶液的体积，mL；

c_1——一周后测试溶液中的镍浓度，μg/L；

c_0——一周后空白溶液中的镍浓度，μg/L。

取测定结果的算术平均值作为试验结果，计算结果按 GB/T 8170 修约到小数点后两位。

4. 光谱法注意事项

(1) 使用本方法的人员应有正规实验室的工作经验。

(2) 样品测试面积的计算是影响测试结果的重要因素。

（3）如果选择石墨炉或电感耦合等离子体发射光谱仪进行检测，放置该仪器的实验室应有排风装置。

（4）试验后的废液应经过处理后排放，不可直接排放到下水管道中。

（二）磨损和腐蚀模拟法

1. 试样的准备

在进行服饰磨损步骤前，应先分离样品的不同部件，去掉与皮肤不接触的部件。将样品在室温下放入脱脂溶液中，温和地搅动 2min，用去离子水仔细清洗后用吸水纸轻轻地擦干。脱脂后，应使用塑料镊子夹取样品或佩戴防护手套。这一清洁步骤是为了去除样品表面因手持产生的油脂和皮肤分泌物，而不是去除样品的防护层。

2. 试验过程

（1）腐蚀过程。测试样品的主要接触面应完全露出，再悬挂于密闭容器内腐蚀介质上方 2～3cm 处，放入烘箱内，在 50℃下放置 2h。从烘箱内取出容器，在通风橱内小心打开，取出样品，用去离子水清洗，放在吸水纸上室温下干燥 1h，然后应立即进行磨损。这一过程是为了对金属镀层起作用，也包括漆层和塑料层。

（2）准备磨损介质。称量能够装滚筒一半高度的颗粒物，按每千克颗粒物配 7.5g 研磨糊的比例混合，转动 5h 使磨损介质充分混合均匀。如果磨损介质一星期未使用，应重新旋转 1h 使其均匀。这一过程使颗粒表面涂上研磨糊，形成磨损介质用于模拟磨损。使用或再次使用磨损介质前，将其储存于密闭容器中。经过两次磨损过程后的磨损介质，按每千克颗粒物配 7.5g 研磨糊的比例再加入一定量的研磨糊。先用手将研磨糊与磨损介质混合，直到肉眼看不到研磨糊后，再转动 5h 使其充分混匀。经过 4 次完整的磨损过程的磨损介质不应再使用，而应重新配制磨损介质。

（3）固定检测样品。样品应固定在支架上，注意不能相互摩擦，在转动中也不要与桶壁或其他部位接触以免造成损坏。支架组件可用于固定测试样品，可以插入六边形滚筒中。适于在支架组件中固定样品的材料有硅橡胶片、硅橡胶带和不同规格的尼龙线。有些样品仅有一个表面能够与皮肤长期接触，另外一面几乎不与皮肤长期接触。这样的样品应固定在滚动体内不可移动。固定时，将样品与皮肤接触的一面与滚筒的轴（即滚筒中心）相对，另一面与滚动筒壁相对。相对较长样品，应将其长轴平行于滚筒固定，并保证与滚筒壁间隔 10～30mm。

固定待测样品时，应尽可能将样品与皮肤直接长期接触的表面平行于滚筒壁且面向轴心；应将样品固定紧，以免在旋转过程中样品之间或样品与筒壁及筒的其他部位相互摩擦造成样品损坏。小样品，如戒指、纽扣、胸针等固定在滚筒架上时，可以用尼龙绳或其他合适的材料将样品固定在塑料片上。对那些由于尺寸或形状的原因无法固定在塑料片上的样品，可以直接用尼龙绳或其他合适的材料固定在滚筒架上。固定示例见图 7-2-2。

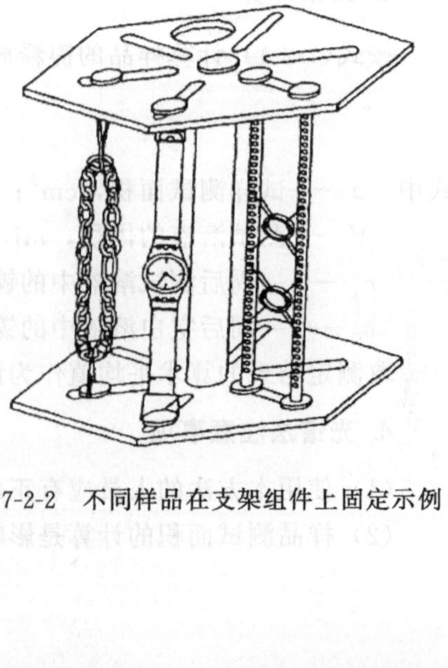

图 7-2-2　不同样品在支架组件上固定示例

(4) 转动。将悬挂好样品的支架放入空转桶内，倒入半桶磨损介质。封闭转桶，水平装在磨损检测设备上。将滚筒在 30r/min±2r/min 的速率下均匀旋转 5h±5min。2.5h±5min 后，应调整滚筒反向旋转。允许将样品留在转筒内过夜。

(5) 镍释放量测定。从滚筒中取出支架拆下样品，用软布或薄纸轻轻地去除黏附的磨损介质。检查样品是否有非预期的损坏，如掉石等。如有必要，在进行下一步测定前，应矫正损坏部位或剔除样品。依据 GB/T 19719 检测样品的镍释放量。

四、国家强制性标准

我国 GB 28480—2012《饰品 有害元素限量的规定》中对镍释放量有强制性规定。用于耳朵或人体的任何其他部位穿孔，在穿孔伤口愈合过程中使用的制品，其镍释放量应小于 0.2μg/(cm^2·周)。与人体皮肤长期接触的制品，如耳环、项链、手镯、手链、脚链、戒指、手表表壳、表链、表扣、按扣、搭扣、铆钉、拉链和金属标牌（如果不是钉在衣服上），这些制品与皮肤长期接触部分的镍释放量应小于 0.5μg/(cm^2·周)。上述指定的制品如表面有镀层，其镀层应保证与皮肤长期接触部分处于正常使用的两年内，镍释放量小于 0.5μg/(cm^2·周)。

第三节 粘扣带测试

粘扣带由钩面带和圈面带组合而成，以锦纶、涤纶等合成纤维材料制成。“一触即合，一扯即开”的便捷特性让粘扣带成为了服装重要辅料。基于粘扣带的粘接作用原理，粘扣带的使用性能通过剪切强度、剥离强度和抗疲劳性能三项技术指标来衡量。本节主要介绍这三项技术指标的试验方法。

一、相关标准

GB/T 23315—2009《粘扣带》。

二、试验方法

（一）剪切强度

1. 原理

在规定的试验条件下，将粘扣带有效闭合区域沿其长度方向以恒定速度拉伸，使钩面带和圈面带平行分开单位面积所需的最大力，即为剪切强度。

2. 检测仪器

CRE 型拉力试验机，精确度 0.01N。拉力试验专用滚筒，质量为 3.3kg。

3. 试样制备

（1）从一副粘扣带中裁取长度为（100±5）mm、有效宽度为 20mm（宽度不足 200mm 的以实际宽度为准）的 4 组试样，每组试样包含 1 段钩面带和 1 段圈面带。

（2）将钩面带钩面朝上放在平台上，圈面带毛面朝下放在钩面带上，使钩面带和圈面带两端错开，使其有效长度为 50mm，沿长边方向轻轻压合（图 7-3-1）。

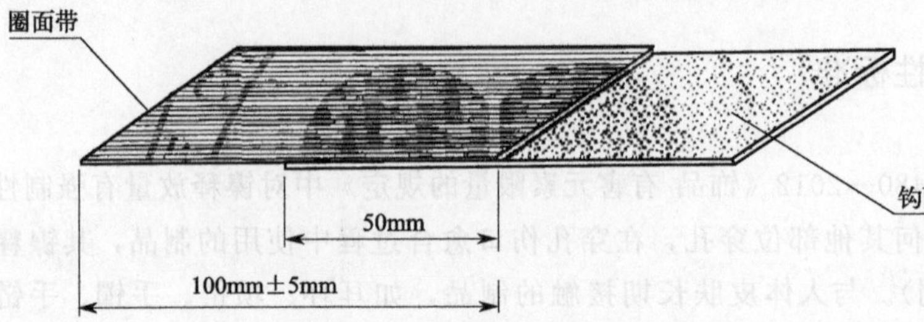

图 7-3-1 粘扣带测试示意图

（3）将压力试验专用滚筒置于试样之上，并使之覆盖试样的整个宽度，且其重力中心与试样中心线基本重合，以约 200mm/s 的速度沿试样长度方向滚过试样，再反向滚动，然后将试样翻面，防止试样弯曲。滚动过程中滚筒不应受到任何额外向下的力，应使试样在标准压力下粘接。

（4）重复步骤（3），使滚筒在试样上来回滚动共计 10 次，试样制备完毕。

4. 试验过程

设定拉力试验机的加持距离为 75mm，拉伸速度为（100±10）mm/min。将制备好的试样加在上下夹持器上，其有效闭合区域位于上下夹持器的中间。拉伸试样至其有效闭合区域完全脱离，最大力值为剪切力。

5. 计算结果

剪切强度按式（7-3-1）计算，计算结果保留一位小数：

$$S=\frac{F_S\times 100}{L\times W} \tag{7-3-1}$$

式中 S——剪切强度，N/cm^2；

F_S——4 组试样剪切力的平均值，N；

L——有效长度，mm；

W——有效宽度，mm。

（二）剥离强度

1. 原理

在规定的试验条件下，将粘扣带有效闭合区域从开口一端剥离分开每单位有效宽度所需的力。

2. 检测仪器

CRE 型拉力试验机，精确度 0.01N。拉力试验专用滚筒，质量为 3.3kg。

3. 试样制备

试样制备方法同剪切强度，但使钩面带和圈面带的一端对齐，轻轻压合有效闭合区域长度为 50mm 的部分（图 7-3-2）。

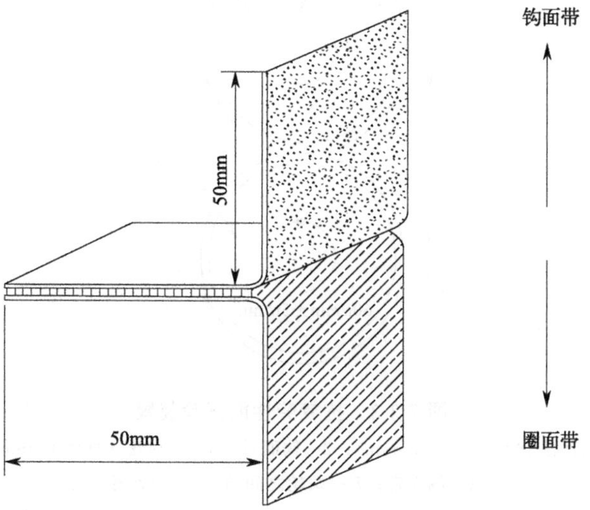

图 7-3-2 剥离强度试样

4. 试验步骤

设定拉力机试验机夹持距离为 75mm、拉伸速度为 50mm/min，将试样剥离开的两端分别夹在上下夹持器上，拉伸试样至有效闭合区域完全分离，拉力最大值为剥离强度。

5、计算结果

剥离强度结果按式(7-3-2) 计算，结果保留一位小数。

$$P=\frac{F_P\times 10}{W} \tag{7-3-2}$$

式中 P——剥离强度，N/cm；

F_P——4 组试样剥离强力的平均值，N；

W——有效宽度，mm。

（三）抗疲劳性能

1. 原理

一副粘扣带离合一定次数后的剪切强度和剥离强度。

2. 检测仪器

试验装置如图 7-3-3 所示，两个宽度至少为 70mm 的圆形滚轮，一个直径为（160±0.5)mm，另一个直径为（162.5±0.5)mm。每个滚轮在其宽度方向上有一长度为（55±2) mm 的切槽，用来固定试样。两个滚轮轴线平行相邻安装。小滚轮的旋转速度为（60±5)r/min，每（30±5)s 反转。大滚轮通过试样与小滚轮的物理接触受到驱动，从而带动其自然旋转。两个滚轮对试样每毫米有效宽度施加（1.0±0.1）N的力。不计旋转方向，记录小滚轮旋转总转数。

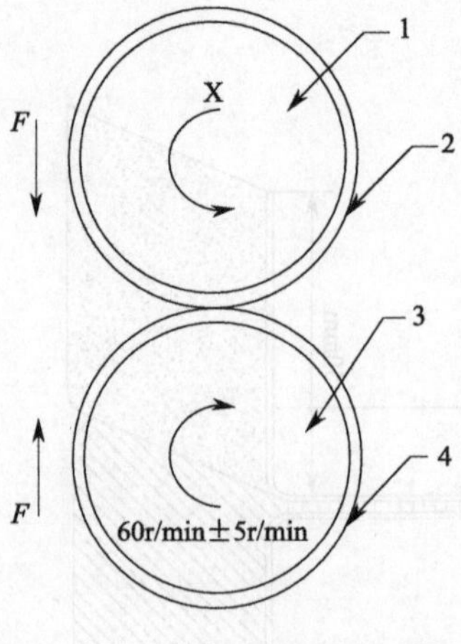

图 7-3-3 抗疲劳性能试验装置

1—从动轮（直径162.5mm±0.5mm）；2—钩面带；3—主动轮（直径160mm±0.5mm）；4—圈面带；*F*—两轮之间的力；X—滚轮

3. 试样制备

从一副粘扣带上裁切长度为540mm、宽度不大于切槽长度的2组试样。在试样钩面带和圈面带上分别标记长度为（100+5）mm的4个区域段，在每个区域段的一端标记"1"，另一端标记"2"。

4. 试验过程

（1）将制备好的试样圈面带毛面背对滚轮环绕贴合在小滚轮上，钩面带背对滚轮贴合在大滚轮上，使试样与滚轮平行并吻合。

（2）调整计数器，运行试验装置，使试样离合1000次或3000次后，取下试样。

（3）沿标记线将试样剪成4段，按照剥离强度的测试方法测定4组试样的剪切强度，计算4组试样剪切强度的平均值即为该副粘扣带离合1000次或3000次后的剪切强度。

（4）取另一组试样，按照同样方法离合后测定4组试样的剥离强度，计算4组试样剥离强度的平均值即为该副粘扣带离合1000次或3000次后的剥离强度。

第四节 拉链的测试

2002年，我国首次正式颁布了GB/T 18746—2002《拉链术语》国家标准，对拉链的定义、形式、种类、拉链组件、尺寸规格和拉链的主要物理性能的专用名词术语进行规定。这项标准的出台为拉链在商品流通、信息传递、生产活动、技术交流、产品检验等领域向大家提供了依据，形成一个规范并统一了认识，解决了不同人对拉链一些概念的不同理解。常用的拉链有尼龙拉链、金属拉链和注塑拉链。其中，尼龙拉链的用途最为广泛，是服装、鞋、帽、睡袋以及各种箱包等物品上作为扣合用的辅料。本节主要介绍拉链的定义、分类、检验方法和相关产品标准。

一、相关标准

目前主要标准有：GB/T 18746—2015《拉链术语》；QB/T 2171—2014《金属拉链》；QB/T 2172—2014《注塑拉链》；QB/T 2173—2014《尼龙拉链》。

二、拉链的定义与分类

（一）拉链的定义

拉链是由两条能互为啮合的柔性牙链带及可使其重复进行拉开、拉合的拉头等配件组成的连接件。在对拉链定义的描述中有4个关键词我们要着重理解：第一，能够“互为啮合”，这表述了拉链的核心功能和产品的精度，我们理解为链牙既能互相啮合，又啮合可靠；第二，能够“重复进行拉开、拉合”，这表明了拉链的使用寿命，可以在一定的范围内多次、重复、顺利地拉开和拉合；第三，拉链是由“链带和拉头等部件”组成的，拉链的主要结构是链带和拉头，然后根据不同的用途，装配上不同的配件，如上止、下止、插座和插管等；第四，拉链产品的性质是一个连接件，说明拉链不是一个独立功能的最终产品，而是一个辅助产品，主要是为其他产品起配套“链接”作用的。拉链各部位名称见图7-4-1和图7-4-2。

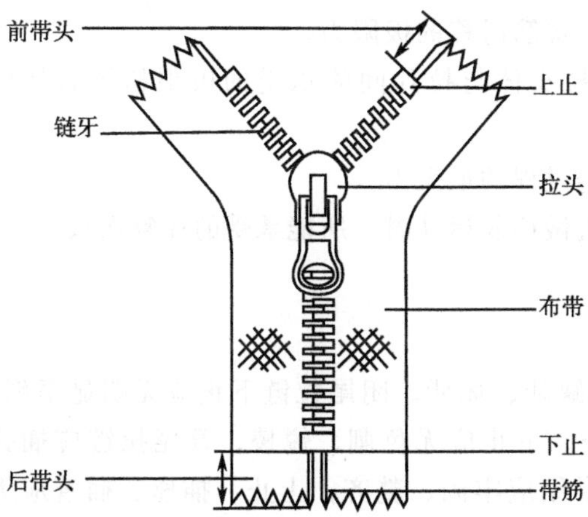

图7-4-1 单头闭尾拉链各部件名称

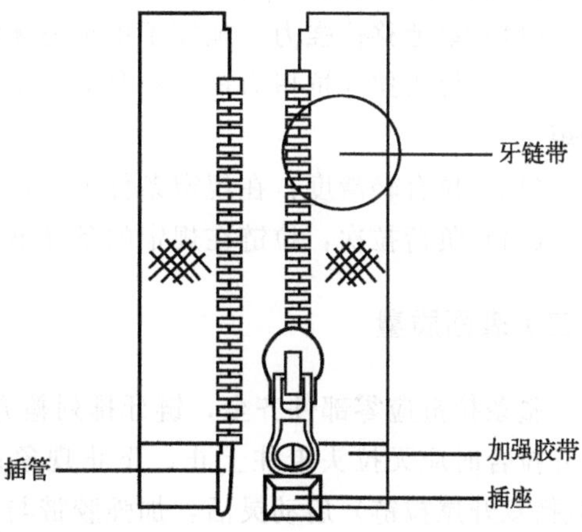

图7-4-2 单开尾拉链各部件名称

（二）拉链的种类

（1）按照拉链的材质分类。拉链按照材质的不同，可以分为金属拉链、注塑拉链和尼龙拉链。其中，金属拉链包括铜牙拉链、铝牙拉链和压铸锌合金拉链等；注塑拉链包括树脂（聚甲醛）拉链、强化拉链等；尼龙拉链包括普通型尼龙拉链、隐形拉链、双骨拉链、编织拉链和针织拉链等。

（2）按照拉链的形式分类。拉链按照形式的不同，可以分为条装拉链和码装拉链，其中条状拉链又可分为开尾拉链和闭尾拉链。

(3) 按照拉链的用途分类。拉链按照用途的不同，可以分为服装服饰用拉链、家纺拉链、箱包用拉链、旅游用品拉链和其他类型拉链。

三、拉链的检验项目

(一) 物理性能

(1) 平拉强力：施加于链牙和布带横向的极限力。

(2) 上止强力：将拉头越过上止拉脱或把上止从带筋上移动的极限力。

(3) 开尾单边上止强力：拉头越过开尾拉链单边牙链上止或把上止从带筋上移动的极限力。

(4) 下止强力：施加于两牙链带通过拉头作用于下止，使得下止滑移破坏的极限力。

(5) 开尾平拉强力：横向施加于牙链带开尾处，使其拉开破坏开尾的极限力。

(6) 插座移位强力：将插座从牙链带上纵向拉脱损坏的极限力。

(7) 插管移位强力：将插管从牙链带上纵向拉脱损坏的极限力。

(8) 拉头拉片结合强力：将拉片从拉头体垂直相背的方向拉开破坏的极限力。

(9) 拉头抗张强力：使得拉头啮合口上下板产生张开变形时的力。

(10) 拉头自锁强力：自动锁拉头或针锁拉头，在拉链上锁住后能承受两边牙链带相背拉力作用不滑动的极限力。

(11) 单牙移位强力：施加于单个链牙沿布带带筋滑移的极限力。

(12) 拉头拉片抗扭力矩：在规定条件下，拉头体与拉片间能承受的极限扭转破坏的力矩。

(13) 拉合轻滑度：在规定条件下，拉合拉链过程的最大力。

(14) 负荷拉次：拉链在规定的条件下，拉头做往复运动时，所能承受的往复次数。

(二) 表面质量

整条拉链应零部件齐全，链牙排列整齐，无缺牙、坏牙。闭尾拉链下止应无明显歪斜，拉开拉合时应无拉头卡住上止、下止现象；上止、下止应无色刺、锐棱。开尾拉链应插拔(包括双开尾拉链) 启动灵活：加强胶带与布带黏结应牢固、整齐；上止、插座、插管应无毛刺、锐棱。拉头表面装饰层应色泽一致，光滑平整，无气泡、起皮、掉皮；型腔应平整光滑、无毛刺；拉头拉动时，拉片应翻动灵活，拉头体底面或拉片上的商标、文字、图案应清晰。拉头拉动应顺畅，无卡阻，无“爆牙”。

(三) 拉链平直度

取成品拉链一条，平放在平整的台板上，使其处于自然状态，然后用手指沿链牙边沿两侧来回移动一次，用直尺逐渐向弯曲处靠拢，然后用另一直尺量取链牙脚与直尺之间的距离。此距离即为平直度。

（四）布带色牢度

（1）耐摩擦色牢度：将拉链布带平放在底板上，并将两端固定。测试方法及步骤按 GB/T 3920—2008 的规定进行试验。判定按 GB/T 251—2008 的规定进行。

（2）耐皂洗色牢度：将被测拉链的布带平排夹于两块相当面积单纤维黏衬织物之间，沿试样周边缝制牢固，将被测样本包裹其中，制成组合试样。测试方法及步骤按 GB/T 3921—2008 中 7.2 试验方法 5 的规定进行。判定按 GB/T 251—2008 的规定进行。

（五）拉链洗涤和干燥后外观变化

（1）长度收缩率。任取 3 条长度为 500mm 的拉链，放在平整的台面上，在每条拉链任一端，距离拉链端点 50mm 处画一标记，再从此处精确测量出 350mm，做第 2 处标记。暂按 GB/T 8629—2001 中 5A 程序洗涤及 F 程序干燥。暂按 GB/T 8630—2002 规定计算拉链的长度收缩率，取 3 条拉链长度收缩率的算术平均值。

（2）外观变化。任取长度约 100mm 的拉链 3 条。暂按 GB/T 8629—2001 进行试验，并目侧以及采用相应精度量具进行检查。

（六）布带安全项目

按 GB 18401—2010 的规定进行试验。

四、检验方法与过程

（一）平拉强力

（1）测试设备及夹具。测试设备如下。材料试验机，精度±0.5%，测试范围 0～2000N，测试速度(300±10)mm/min。夹具：钳口宽 25mm，夹紧面齿形夹角 60°，节距 1.5mm，齿顶宽 0.2mm，两片啮合夹紧口到内齿 3mm 处加工成低于齿面 0.5mm 的平面。

（2）测试方法及步骤。截取一段长度大于 75mm 的链带，将布带装入上、下夹具中，装夹时上、下夹具钳口应对齐，夹具的钳口顶端部位应靠紧链牙脚（图 7-4-3）。将材料试验机读数归零，启动试验机，直至链带上链牙脱离或布带破损，此时仪器显示的数值即为平拉强力。

（二）拉合轻滑度

（1）测试设备及夹具。测试设备如下。拉合轻滑度测试仪，精度±0.5%，测试范围 0～20N；测试速度为(1250±50)mm/min。夹具：钳口宽 25mm，夹紧面齿形夹角 60°，节距 1.5mm，齿顶宽 0.2mm，两片啮合夹紧口到内齿 3mm 处加工成低于齿面 0.5mm 的平面。

（2）测试方法及步骤。任意截取长度为 200mm 的一段拉链，拉头在链带上往复拉动 3 次后将链带拉开平放在工作台上，分开部分的链带用手抹平。将未分开的链带一端装入固定夹具中，锁紧，拉片套在移位夹具上（图 7-4-4）。测试仪读数归零，启动测试仪，移位夹具带动拉头移动至固定夹具上端约 30mm 处，仪器显示最大数值即为拉合轻滑度。

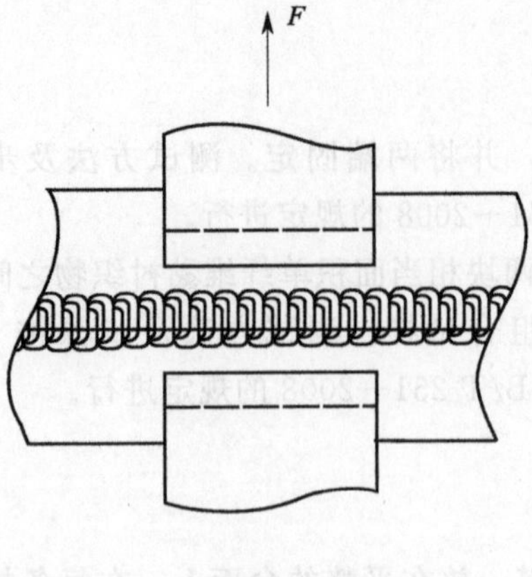

图 7-4-3 平拉强力试样夹持示意

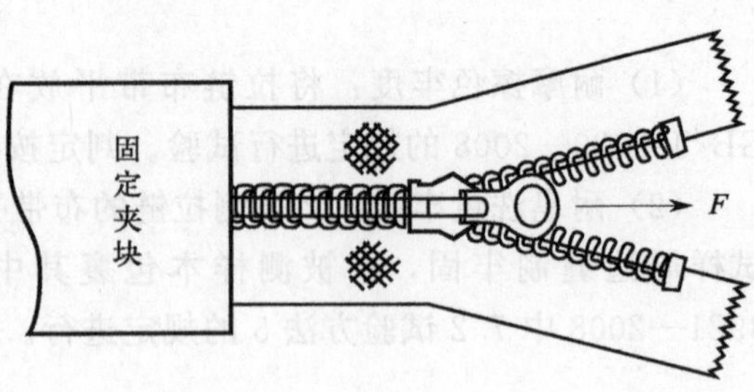

图 7-4-4 拉合轻滑度测试示意

（三）拉链上止强力

（1）测试设备及夹具。测试设备如下。材料试验机，精度±0.5%，测试速度(300±10)mm/min。夹具：根据拉片结构选用穿入式或钳式夹具，钳口宽 25mm，夹紧面齿形夹角 60°，节距 1.5mm，齿顶宽 0.2mm，两片啮合夹紧口到内齿 3mm 处加工成低于齿面 0.5mm 的平面。

（2）测试方法及步骤。截取长度约 50mm 带上止的链带 1 段，将带有上止一端的链带朝上，另一端装在夹具中，锁紧，将拉片装入上夹具中（图 7-4-5）。将材料试验机读数归零，启动试验机，直至链带破损或拉头脱出，此时仪器显示数值即为拉链上止强力。

图 7-4-5 拉链上止强力测试示意

（四）拉链下止强力

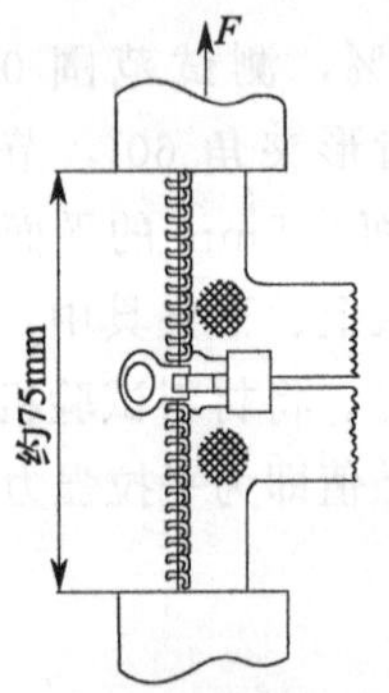

图 7-4-6 拉链下止强力测试示意

（1）测试设备及夹具。测试设备：材料试验机，精度±0.5%，测试速度(300±10)mm/min。夹具：钳口宽 25mm，夹紧面齿形夹角 60°，节距 1.5mm，齿顶宽 0.2mm，两片啮合夹紧口到内齿 3mm 处加工成低于齿面 0.5mm 的平面。

（2）测试方法及步骤。从下止往上截取长度约 50mm 的带拉头链带一段（自锁头应先排除自锁功能），将拉头拉至下止端（拉片翻向上止端），自截断端往下 10mm 链牙去除后分别装夹在上、下夹具中，锁紧（图 7-4-6）。此时，夹具间两侧牙链的长度应相等，上、下夹具顶端间距约 75mm。将材料试验机读数归零，启动试验机，测试至拉链破损为止，此时的强力即为下止强力。

（五）拉链开尾单边上止强力

（1）测试设备及夹具。测试设备：材料试验机，精度±0.5%，测试速度(300±10)mm/min。夹具：钳口宽 25mm，夹紧面齿形夹角 60°，节距 1.5mm，齿顶宽 0.2mm，两片啮合夹紧口到内齿 3mm 处加工成低于齿面 0.5mm 的平面。

(2) 测试方法及步骤。取插座边链带，从上止处往下截取 50mm 长度（尼龙拉链长度为 85mm），将插座端装入下夹具中，锁紧；将拉片装入上夹具中（图 7-4-7）。将材料试验机读数归零，启动试验机，直至拉头脱离上止或链带破损，此时仪器显示读数即为开尾单边上止强力。

（六）拉链开尾平拉强力

(1) 测试设备及夹具。测试设备：材料试验机，精度±0.5%，测试速度(300±10)mm/min。夹具：钳口宽 25mm，夹紧面齿形夹角 60°，节距 1.5mm，齿顶宽 0.2mm，两片啮合夹紧口到内齿 3mm 处加工成低于齿面 0.5mm 的平面。

(2) 测试方法及步骤。从分开件往上截取 50mm 长度，将分开件两边链带分别装入夹具中，装夹时夹具边沿应与插管内侧端（即靠紧链牙一端）成一直线，夹具夹口紧靠插管、插座（图 7-4-8）。将材料试验机读数归零，启动试验机，直至两边链带分离或布带破损为止，此时仪器显示数值即为开尾平拉强力。

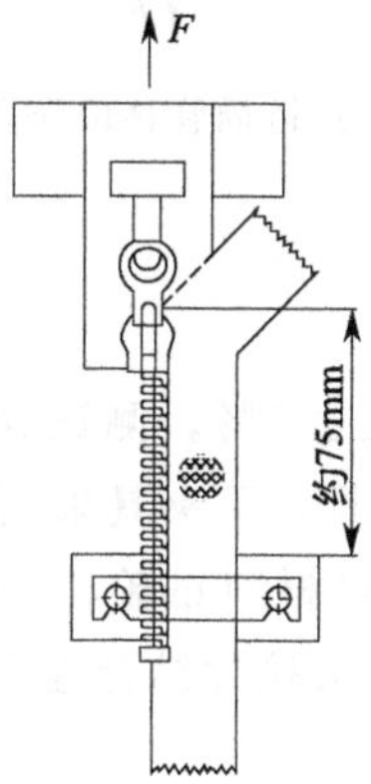

图 7-4-7　拉链开尾单边上止强力测试示意

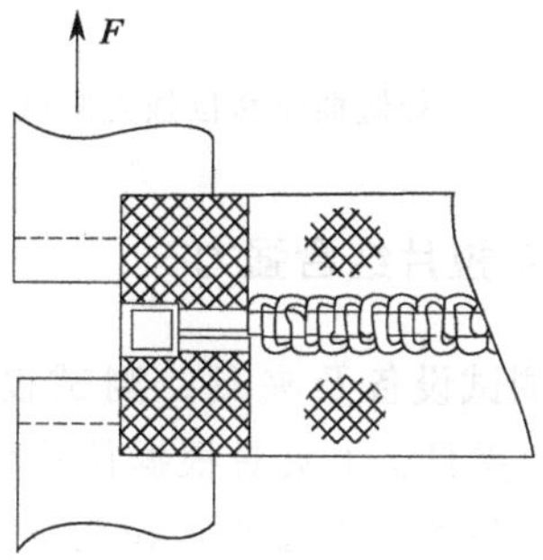

图 7-4-8　拉链开尾平拉强力测试示意

（七）拉链插座移位强力

(1) 测试设备及夹具。测试设备：材料试验机，精度±0.5%，测试速度(300±10)mm/min。夹具：上夹具采用折卡式夹具（尼龙拉链采用隔板式夹具），下夹具钳口宽 25mm，夹紧面齿形夹角 60°，节距 1.5mm，齿顶宽 0.2mm，两片啮合夹紧口到内齿 3mm 处加工成低于齿面 0.5mm 的平面。

(2) 测试方法及步骤。取带插座、长度为 50mm 的链带一段，插座端置于上夹具卡口中，另一端链带装入下夹具中，锁紧（图 7-4-9）。将材料试验机读数归零，启动试验机，直至插座脱落或破损，此时仪器显示的数值即为插座移位强力。

（八）拉链插管移位强力

(1) 测试设备及夹具。测试设备：材料试验机，精度±0.5%，测试速度(300±10)mm/min。夹具：上夹具采用可调隔板式夹具，下夹具钳口宽 25mm，夹紧面齿形夹角 60°，节距

1.5mm，齿顶宽 0.2mm，两片啮合夹紧口到内齿 3mm 处加工成低于齿面 0.5mm 的平面。

（2）测试方法及步骤。取带插管的一边链带，从插管端往上截取 50mm 长度。将插管上端去掉两颗链牙，置于上夹具卡口中，调整夹具卡口大小，直至能刚好卡住插管且不脱落，此时卡口不能太紧而使中心线或布带被夹住；将另一端链带装入下夹具中，夹持长度约 50mm，锁紧（图 7-4-10）。将材料试验机读数归零，启动试验机，直至插管脱离或破损，此时仪器显示的数值即为插管移位强力。

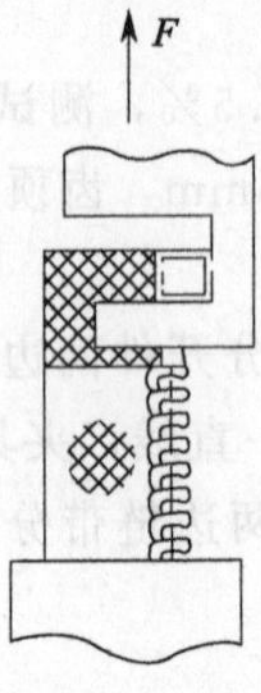

图 7-4-9　拉链插座移位强力测试示意

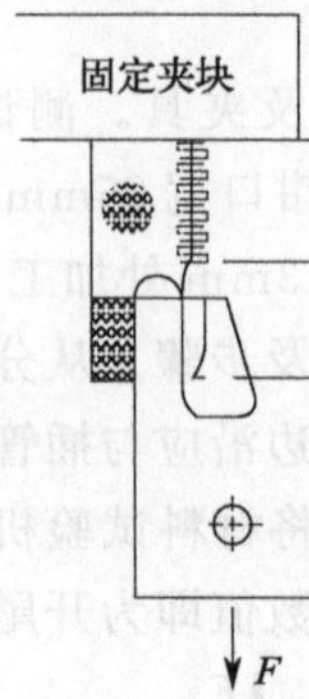

图 7-4-10　拉链插管移位强力测试示意

（九）拉头拉片结合强力

（1）测试设备及夹具。测试设备：材料试验机，精度±0.5%，测试速度（300±10）mm/min。夹具：上夹具根据拉片特点选择穿入式或夹钳式夹具，下夹具采用隔板式夹具。

（2）测试方法及步骤。拉头装夹在夹具中（图 7-4-11）。将材料试验机读数归零，启动试验机，直至拉片或拉头体破损，此时仪器显示的数值即为拉头拉片结合强力。

（十）拉头拉片抗扭力矩

（1）测试设备及夹具。测试设备：拉头拉片抗扭力矩测试仪，精度±1%，见图 7-4-12；扭转速度 1.5r/min。

（2）测试方法及步骤。拉头体置于固定夹具内夹紧，将拉片装夹于可垂直拉头体旋转的夹具内，夹住拉片中点位置，夹紧（图 7-4-12）。将测试仪器读数归零，启动测试仪，直至拉片相对拉头体被扭断或破坏为止，此时仪器显示的数值即为拉头拉片抗扭力矩。

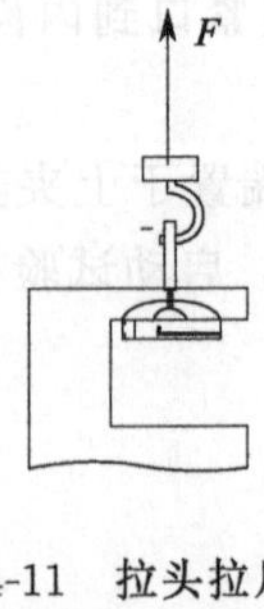

图 7-4-11　拉头拉片结合强力测试示意

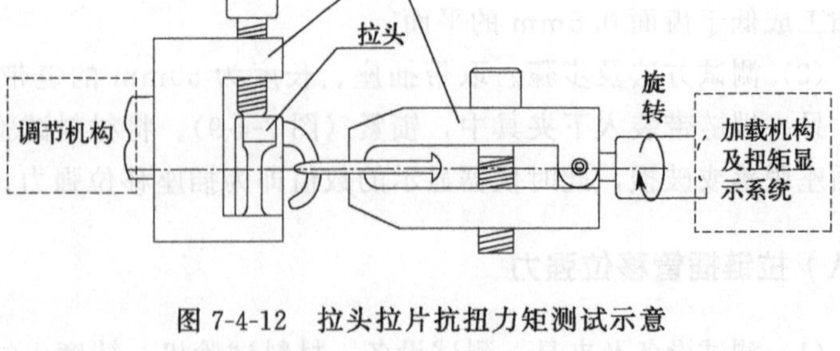

图 7-4-12　拉头拉片抗扭力矩测试示意

（十一）拉头抗张强力

(1) 测试设备及夹具。测试设备：拉头抗张强力测试仪。精度：力值显示系统精度±1%，位移显示系统精度±0.01mm，见图 7-4-13。测试速度：10mm/min。夹具：上、下卡爪进入啮合口内 2mm。

(2) 测试方法及步骤。将测试仪上、下卡爪置于被测拉头啮合口内（上、下卡爪进入啮合口内为 2mm）；调节上、下卡爪位置使上、下卡爪定位符合预张力为 2N。将测试仪变形控制系统读数归零，启动测试仪器，直至拉头啮合口形变达到 0.5mm（图 7-4-13），此时仪器显示数值即为拉头抗张强力。

（十二）拉头自锁强力

(1) 测试设备及夹具。测试设备：材料试验机。精度±0.5%，测试速度(300±10)mm/min。夹具：钳口宽 25mm，夹紧面齿形夹角 60°，节距 1.5mm，齿顶宽 0.2mm，两片啮合夹紧口到内齿 3mm 处加工成低于齿面 0.5mm 的平面。

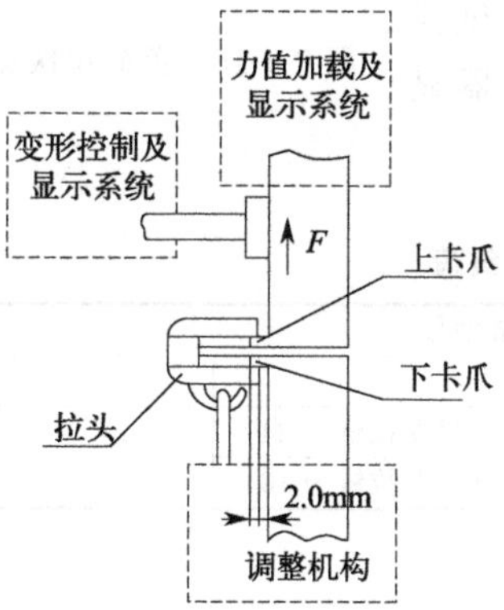

图 7-4-13 拉头抗张强力测试示意

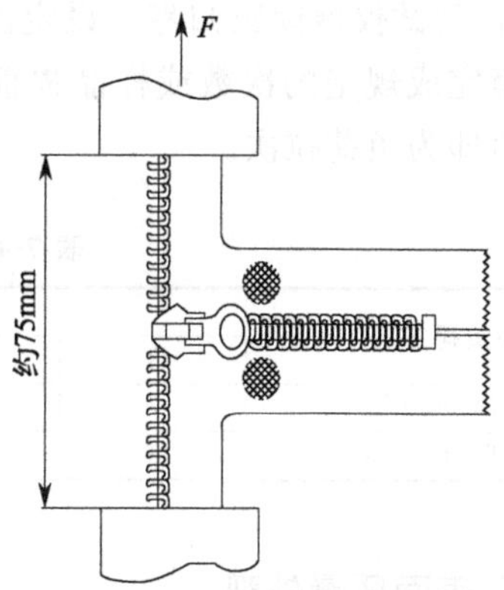

图 7-4-14 拉头自锁强力测试示意

(2) 测试方法及步骤。取长度大于 100mm 带自锁拉头拉链一段，拉头拉至中间位置，分开端两边牙链带分别夹于上、下夹具，夹具距离约 75mm（图 7-4-14）。将材料试验机读数归零，启动试验机，测试至拉头滑脱或拉链被破损为止，此时的强力值为拉头自锁强力。

（十三）负荷拉次

(1) 测试设备及夹具。测试设备：负荷拉次仪。仪器参数：往复频率（每个动作包含两个往返）60 次/min，行程 75mm。开闭角度：开 30°，闭 60°。测试范围：啮合宽度为 3.5～12mm。夹具：横向宽 25mm，纵向宽 10mm，夹紧面齿形夹角 60°，节距 1.5mm，齿顶宽 0.2mm。

(2) 测试方法

① 取长度至少为 250mm 的拉链 1 条，正、反面用石蜡各擦两次。

② 检查负荷拉次仪，使拉片夹具停留在下极限，将拉链装夹在 5 个固定点上，并将拉片固定（图 7-4-15）。

(3) 测试步骤

① 将链带尾端（下止端）粗略固定在 A 固定点上（拉片向内）。

② 将拉片夹固在拉片夹具上。

③ 将拉链前端（上止端）固定在 D、E 点上。

④ 松开 A 固定点，将拉链尾端向上拉起使固定销落于平衡板孔中间，然后将 A 点夹紧（此时目测 D、E 固定点在同一水平线上）。

⑤ 将横向夹块 B、C 松开，将拉链带两侧布带放入 B、C 夹头中夹紧，夹口距牙脚约 5mm，此时 5 个固定点固定完毕。

⑥ 将拉次仪调至上极限，松开拉片夹具，目测拉链是否保持直线，如不符合要求，重新调整直至装夹全部完成。

⑦ 不同规格拉链，分别在其横向和纵向按规定要求加负荷（见表 7-4-1）。

⑧ 将测试仪器读数归零，设定测试次数值，启动测试仪器，直至完成规定的次数或样品提前破损为止。此时仪器显示的数值即为负荷拉次。

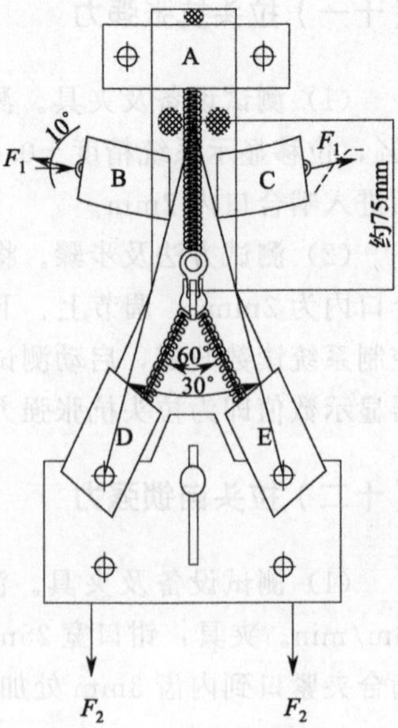

图 7-4-15 负荷拉次测试示意

表 7-4-1 拉链横向和纵向加负荷

加负荷方向	拉链型号					
	3	4	5	7	8	10
横向(F_1)/N	7	10	16	16(尼龙拉链为 24)	24	30
纵向(F_2)/N	5	9	14	14(尼龙拉链为 18)	18	23

(十四) 表面质量外观

拉链的外观测试均以感官（手感、目测）检查为准。

(十五) 拉链平直度

(1) 检测设备。量程为 0～1000mm 和 0～150mm 的钢直尺各 1 把。

(2) 检测方法及步骤。拉链处于自然闭合状态，平放在平整的台板上，用量程为 0～1000mm 的直尺逐渐向链牙脚靠拢，使直尺紧靠拉链两端；然后用量程为 0～150mm 的直尺量取链牙脚与 1000mm 直尺之间的最大距离（图 7-4-16），即为拉链平直度 c。

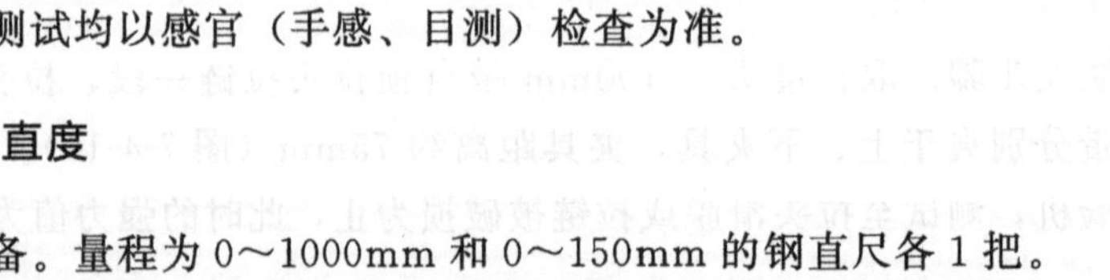

图 7-4-16 拉链平直度测试示意

（十六）拉链洗涤和干燥后外观变化

（1）长度收缩率。取长度为500mm的拉链若干条，放在平整台面上，在每条拉链两端（随机取一端即可）距离拉链端点50mm处画第一处标记，再精确测量出350mm，做第二处标记。暂按GB/T 8629—2001中5A程序洗涤及F程序干燥。暂按GB/T 8630—2002规定计算拉链的长度收缩率，取3条拉链长度收缩率的算术平均值。

（2）外观变化。任取长度为100mm的拉链3条。暂按GB/T 8629—2001进行测试，并目测以及采用相应精度量具进行检查。

（十七）拉链平整度（适用于注塑拉链）

（1）测量设备。高度游标卡尺一把，长度大于300mm的平板一块。

（2）测量方法及步骤。取拉链一条，平放在平整台板上，使其处于拉合的自然状态。用手将链牙表面从头到尾平抹一遍。调节高度游标卡尺数值，达到设定数值（平整度最大允许值加上链牙厚度）。然后，将高度游标卡尺放在平板上，使指示杆位于拉链链牙表面，沿拉链长度方向移动高度游标卡尺，测量链牙的波浪个数并与规定波浪个数比较；检查游标卡尺测量面是否与链牙表面接触，如有接触现象，说明被测拉链不符合规定，超标数值可通过高度游标卡尺测出。测量时，高度游标卡尺离开拉头和起始端25mm处为有效。

（十八）单牙移位强力（适用于金属拉链和注塑拉链）

（1）测试设备及夹具。测试设备：材料试验机。精度±0.5%；测试速度(300±10)mm/min。夹具：上夹具钳口宽25mm，夹紧面齿形夹角60°，节距1.5mm，齿顶宽0.2mm，两片啮合夹紧口到内齿3mm处加工成低于齿面0.5mm的平面。

（2）测量方法及步骤。截取长度为50mm的拉链一段，剪平齐；将链带分开，从剪切处起，去除排列在受检测的链牙前两颗链牙，将去掉两颗牙后的第1牙装入上夹具，将链带另一端装夹于下夹具，锁紧（图7-4-17），去除链牙时不应损坏带筋，且不应碰动被测链牙。将材料试验机读数归零，启动试验机，直至被测链牙从链带上脱离，此时显示的数值即为单牙移位强力。

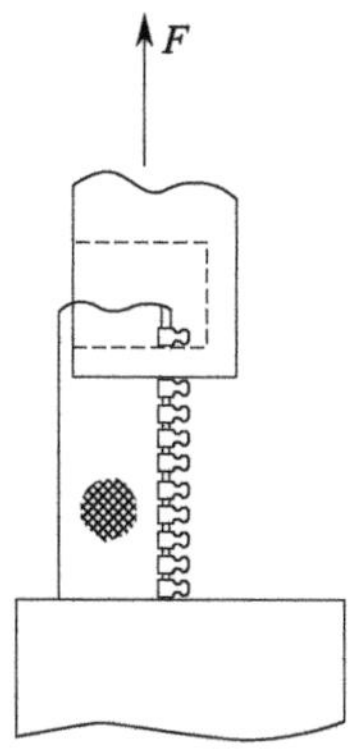

图7-4-17　单牙移位强力测试示意

参考文献

[1] [澳] 王立晶. 纺织品性能测试 [M]. 北京: 中国纺织出版社, 2020.

[2] 程朋朋, 陈道玲, 陈东生. 纺织服装产品检验检测实务 [M]. 北京: 中国纺织出版社, 2019.

[3] 田文, 顾晓华. 纺织产品生态安全性能检测 [M]. 北京: 中国纺织出版社, 2019.

[4] 张晓红, 徐新宁. 纺织产品基本物理性能检测 [M]. 北京: 中国纺织出版社, 2019.

[5] 陈东生, 阙佛兰. 服装材料检测与设备 [M]. 北京: 中国纺织出版社, 2016.

[6] 邢声远, 周硕, 霍金花. 生态纺织品检测培训读本 [M]. 北京: 化学工业出版社, 2008.

[7] 杨慧彤, 林丽霞. 纺织品检测实务 [M]. 上海: 东华大学出版社, 2016.

[8] 洪杰, 莫靖昱, 陈桂香, 等. 纺织品服用性能检测 [M]. 北京: 中国纺织出版社, 2016.

[9] 邢声远, 周硕, 曹小红. 纺织纤维与产品鉴别应用手册 [M]. 北京: 化学工业出版社, 2016.

[10] 邢声远, 孔丽萍. 纺织纤维鉴别方法 [M]. 北京: 中国纺织出版社, 2004.

[11] 万融, 邢声远. 服用纺织品质量分析与检测 [M]. 北京: 中国纺织出版社, 2006.

[12] 邢声远, 郭凤芝. 服装面料与辅料手册 [M]. 北京: 化学工业出版社, 2020.

[13] 邢声远, 霍金花, 周硕, 等. 生态纺织品检测技术 [M]. 北京: 清华大学出版社, 2006.